HISTOIRE DES IDÉES
ET CRITIQUE LITTÉRAIRE

VOL. 117

LOUIS VAN DELFT

LA BRUYÈRE

MORALISTE

Quatre études sur les *Caractères*

LIBRAIRIE DROZ, GENÈVE

1971

A MA MÈRE

AVANT-PROPOS

Tout est-il dit, et vient-on trop tard, depuis plus de deux siècles qu'il y a des critiques qui s'interrogent sur La Bruyère? Sans doute, sur ce qui concerne le peintre des mœurs, le critique des conditions, le maître du style, le meilleur est enlevé. On ne peut que glaner après des anciens (Suard, Sainte-Beuve, Taine) et les habiles d'entre les modernes, tels que Lange ou Michaut.

Un point, toutefois, frappe. Il semble qu'il se soit installé un malentendu entre La Bruyère et les critiques. On a l'impression que ces derniers, depuis longtemps, considèrent leur auteur comme un incomparable artisan de la prose, un portraitiste sans pair dans la littérature française, et rien davantage. Il est significatif, par exemple, qu'une des dernières études importantes en date s'attache, elle aussi, à un aspect surtout stylistique des *Caractères* [1].

Quant au moraliste, on lui reconnaît rarement une valeur originale. Il s'agit là d'une tendance déjà ancienne. « Il avait moins d'originalité que de verve », note Taine en 1855 dans un article repris dans les *Essais de critique et d'histoire*. En 1901, Faguet parle de « son peu de profondeur, son penchant aux observations superficielles ». La Bruyère, dit-il, « n'a aucune originalité ni aucune profondeur comme philosophe» *(Dix-septième siècle, Etudes littéraires)*. Et plus près de nous, en 1936, Michaut: « Le plus souvent se manifeste l'effort pour rajeunir par la manière dont il les rend ou des lieux communs ou des idées courantes, pour renouveler des thèmes connus ou des vérités banales [2]. » Pour ce dernier critique encore, La Bruyère est surtout « un artiste pur », son plus grand mérite est de s'être attaché « à la perfection de la forme pour elle-même ». Bref, La Bruyère serait le premier à avoir « fait de l'art pour l'art » et « le premier styliste » [3].

N'y a-t-il pas, dans cette façon de voir, quelque injustice? Car enfin, aux yeux de La Bruyère lui-même, rien ne compte autant que la morale. « On ne doit parler, on ne doit écrire que pour l'instruction », affirme-t-il dès sa *Préface*. Il ne laisse planer aucun doute sur ses intentions véritables. Dans son premier chapitre, par exemple, il insiste: « S'il [le philosophe]

---

[1] A. Pizzorusso, « La poetica di La Bruyère », *Studi Francesi*, I (1957), 43-57 et 198-212.

[2] G. Michaut, *La Bruyère* (Paris: Boivin, 1936), p. 236.

[3] G. Michaut, p. 6.

donne quelque tour à ses pensées, c'est moins par une vanité d'auteur, que pour mettre une vérité qu'il a trouvée dans tout le jour nécessaire pour faire l'impression qui doit servir à son dessein... Il porte plus haut ses projets et agit pour une fin plus relevée... qui est de les [les hommes] rendre meilleurs » (*Des Ouvrages de l'e.*, 34). Bien entendu, il y a dans ces proclamations solennelles, une part de mode littéraire: il s'agit, comme pour les autres classiques, d'instruire et de plaire. Pourtant, La Bruyère a bien été ce « philosophe » dont il parle, précurseur de ceux du dix-huitième siècle, et qui « consume sa vie à observer les hommes ». Mais son style est celui d'un virtuose, si brillant, si étincelant, qu'il donne souvent le change: on ne voit presque que lui. Quelque part, Lesage (qui doit tant aux *Caractères*) nous demande un effort pour déchiffrer les « inscriptions morales » enfouies entre les lignes de son œuvre. C'est la même attention qu'il faut accorder à La Bruyère si l'on veut saisir sa morale. Celle-ci est présente partout, sans être clairement formulée nulle part. Elle est diffuse dans toute l'œuvre, sans être jamais exposée de manière systématique.

D'autres facteurs contribuent encore au malentendu qui règne trop souvent sur le compte de La Bruyère. La forme de son livre, qui n'a rien de suivi, fait qu'on le lit rarement avec une attention soutenue. Parmi ces centaines de « remarques » souvent disparates, l'attention a tendance à se disperser elle aussi. Dans une telle « collection », les lignes de force échappent d'autant plus aisément que chaque court passage intrigue et fixe pour lui-même la curiosité. « La Bruyère, le seul dont dix lignes lues au hasard ne déçoivent jamais », note J. Renard dans son *Journal*[4]. On feuillette le volume, on parcourt cette galerie de portraits si variés: l'on craint, en voyant *Acis* ou *Hermagoras*, d'être pédant à son tour, en parlant de « synthèse ». Ajoutez à cela les contradictions. Ainsi, après la remarque très dure: « Je ne sais si un bienfait qui tombe sur un ingrat, et ainsi sur un indigne, ne change pas de nom et s'il méritait plus de reconnaissance » (*Du Cœur*, 46), l'auteur assure, et à la page suivante, qu'« il vaut mieux s'exposer à l'ingratitude que de manquer aux misérables ». Enfin, La Bruyère lui-même a constamment peur de tomber dans la pédanterie. A aucun prix, il ne veut donner l'impression de « faire le législateur » *(Préface)* . Mais les contradictions n'affaiblissent pas forcément la pensée d'un moraliste: la matière sur laquelle il travaille, la matière humaine, n'est-elle pas faite de ces inconséquences mêmes? Quant à la crainte continuelle qu'a La Bruyère de se montrer dogmatique, elle lui a infiniment nui. Faute de se montrer péremptoire, de présenter *son* système, il est d'une discrétion telle qu'on l'accuse depuis toujours d'être superficiel. Il n'a rien voulu souligner d'un gros crayon. Il refuse de se livrer à des méditations suivies. Mais par touches légères, par un pointillisme qui n'est pas seulement du style, il édifie peu à peu une morale, sinon toujours personnelle, du moins complète et ferme. A bien des égards, celle-ci constitue un bilan des morales diverses proposées depuis la Renaissance: c'est un titre de plus par lequel elle se recommande à l'attention.

---

[4] J. Renard, *Journal (1887-1910)*, éd. L. Guichard et G. Sigaux (Paris: Gallimard [Bibliothèque de la Pléiade], 1960), p. 1195.

C'est donc surtout à La Bruyère moraliste que l'on s'intéresse dans cette étude. Pour les raisons qui viennent d'être dites, le grief formulé contre lui par Taine n'est pas d'une solidité à toute épreuve : « Il n'apporte aucune vue d'ensemble, ni en morale ni en psychologie... Il ne découvre que des vérités de détail ; il montre le ridicule d'une mode, l'odieux d'un vice, l'injustice d'une opinion, et, comme il le dit lui-même, la vanité de tous les attachements de l'homme. Mais ces vues éparses ne le conduisent pas à une idée unique ; il tente mille sentiers et ne fraye pas de route ; de tant de remarques vraies, il ne forme pas un ensemble » (pp. 45-46). Encore une fois : on peut s'interroger sur la valeur d'un « ensemble » chez un moraliste. La Bruyère ne se serait-il pas refusé à faire entrer tous les acteurs de la comédie humaine, aux particularités desquels il était précisément si sensible, dans le cadre toujours rigoureux d'une « idée unique » ou d'un système ?

Par ailleurs, ce qui nous a guidé dans le choix de ce sujet, c'est l'absence assez déconcertante, depuis un article de L. Jezierski [5], de toute étude d'ensemble. Si, après les critiques du XIXᵉ siècle et du début du XXᵉ, nous interrogeons ceux qui sont plus proches de nous, c'est d'abord un certain oubli qui frappe. En fait, depuis le livre de G. Michaut (1936), et exception faite de celui de Tavera (1940) et de la réédition, en 1965, de l'ouvrage de P. Richard (datant de 1946), on n'a plus consacré à La Bruyère que des articles. Ils sont souvent signés par des critiques de premier plan. Mais quand on a cité les études de R. Jasinski sur les influences (1942), de Ph. A. Wadsworth sur les libertins (1947), d'A. Pizzorusso sur la poétique (1957), de L. Hudon sur La Bruyère et Montaigne (1962), les introductions de R. Garapon et de R. Barthes à leurs éditions respectives (1962 et 1963), les pages de M. Guggenheim sur le regard d'autrui, et de P. Laubriet sur le plan (1967), on a fait le tour de l'essentiel [6]. La Bruyère continue donc à stimuler et à intriguer des chercheurs parmi les meilleurs. Mais il ne s'agit, dans tous ces cas, que d'études partielles. Par la multiplicité des sujets qu'il aborde lui-même, La Bruyère se prête d'ailleurs à ces analyses variées mais limitées à des aspects particuliers. Dans ces études, sa morale est naturellement considérée, mais toujours par un biais. Elle est d'ailleurs quelquefois mieux appréciée de ces modernes que des critiques des générations précédentes. Il faut en particulier signaler ici un article trop peu connu, toujours pénétrant et suggestif, de C. Rosso [7].

---

[5] L. Jezierski, « La Morale de La Bruyère », *Revue contemporaine*, LXX (1869), 606-634.

[6] R. Jasinski, « Influences sur La Bruyère », *Revue d'Histoire de la Philosophie*, X (1942), 193-229 et 289-328 ; Ph. A. Wadsworth, « La Bruyère against the libertines », *Romanic Review*, XXXVIII (1947), 226-233 ; A. Pizzorusso, *op. cit.* ; L. Hudon, « La Bruyère et Montaigne », *Studi Francesi*, VI (1962), 208-224 ; R. Garapon, éd. cit. ; R. Barthes, « La Bruyère : du Mythe à l'Ecriture », préface à l'éd. des *Caractères* (Paris : Union générale d'éditions, coll. 10/18, 1963) ; M. Guggenheim, « L'Homme sous le regard d'autrui ou le monde de La Bruyère », *PMLA*, LXXXI (1966), 535-539 ; P. Laubriet, « A propos des *Caractères* : ordre ou fantaisie ? » *RHLF*, LXVII (1967), 502-517.

[7] C. Rosso, « La Bruyère e la morale dei *Caratteri* », *Filosofia* (avril 1963), 213-264. Article repris dans : *Virtù e critica della virtù nei moralisti francesi : La Rochefoucauld La Bruyère, Vauvenargues* (Torino : Ed. di « Filosofia », 1964).

Tenter de combler la lacune que nous indiquions revient à réhabiliter La Bruyère. Encore aujourd'hui, pour une majorité de lecteurs, les *Caractères* se réduisent à *Ménalque*, à l'amateur de tulipes, à *Onuphre* et au passage sur les paysans. Peu d'auteurs, autant que La Bruyère, sont étroitement emprisonnés dans quelques morceaux d'anthologie. Tout en reconnaissant que sa pensée n'a pas la vigueur de celle d'un La Rochefoucauld, on espère donc montrer que La Bruyère est davantage qu'un maître de la prose. Si sa morale n'a pas mérité aux yeux de M. Bénichou (à qui on ne peut donner tout à fait tort) d'être classée « du grand siècle », elle ne manque pourtant pas d'aspects personnels: on s'efforcera de faire part de ceux-ci et celle d'éléments plus traditionnels. Sujet vaste, mais passionnant, que cette quête de l'indépendance chez un moraliste qui n'était pas le plus doué de son temps, l'emprise toujours exercée par les traditions, et l'histoire de leurs rencontres, leurs interférences, leurs oppositions. Certains aspects du sujet ont été traités par d'autres, toutefois, et fort bien, dans les études plus limitées dont nous parlions. En particulier, on a peu parlé de Théophraste après P. van de Woestyne, de Sénèque après E. de Saint-Denis, de Montaigne après L. Hudon [8]. Ce n'est d'ailleurs nullement une étude des influences que l'on s'est proposé d'écrire. Toutefois, on a été souvent amené à dégager celles de Descartes, de Pascal et de La Rochefoucauld, qui n'avaient jamais fait l'objet d'enquêtes précises. D'autre part, si l'on entend le mot morale dans un sens large, il y aurait à distinguer, dans celle de La Bruyère, à côté de l'aspect mondain, un aspect social (droits et devoirs des peuples et des grands, indignation devant les « maux » dont souffre la société, etc.). Ces questions ne seront pas examinées, car la thèse de M. Lange demeure très solide. A l'instar de La Bruyère lui-même, c'est plutôt à « tout l'intérieur de l'homme » que l'on s'est attaché.

Un travail comme celui-ci devait prendre appui, pour être autant qu'il se peut objectif, sur des études portant, par exemple, sur les sources des *Caractères*, leur genèse, ou les habitudes intellectuelles et le rationalisme de leur auteur. Les recherches sur la morale auraient de la sorte constitué, comme il se doit, un couronnement. Or, de telles études de base, surtout récentes et rigoureuses, font toujours défaut. Il était en particulier regrettable qu'on ne se fût jamais livré à une analyse comparée des différentes éditions des *Caractères*, alors que plusieurs travaux analogues existent depuis longtemps pour les *Essais* et les *Maximes*. De la même façon, l'univers de La Bruyère et ce que (à défaut d'un terme meilleur) on pourrait appeler ses structures, avaient été insuffisamment explorés. Pour avoir la certitude d'asseoir notre examen de la morale sur une base ferme, nous avons entrepris nous-même ces deux études. Nous courions le risque, par là, d'être quelquefois conduit à des considérations qui ne touchent pas à la morale entendue au sens le plus strict. Mais d'un autre côté, l'étude de celle-ci ne pouvait que gagner à être étayée d'une connaissance précise de la *formation* d'un livre qui, entre la première édition et la huitième, augmente pratiquement du simple au triple, La Bruyère étant véritablement l'homme d'une œuvre

---

[8] Théophraste: cf. chap. IV, n. 19; Sénèque: E. de Saint-Denis, « Sénèque et La Bruyère », *Etudes classiques*, XXI (1953), 379-395; Montaigne: cf. L. Hudon, *op. cit.*

unique. Ce point nous retient donc dans le premier chapitre, où notre hypothèse a été que l'examen attentif des variations quantitatives et qualitatives des *Caractères* devait être riche en enseignements.

Dans le deuxième chapitre, on s'efforce de situer cette morale dans le milieu et le moment. Nous n'avons pas voulu refaire la description d'une période de l'histoire littéraire ni celle d'une société aujourd'hui assez bien connues. Nous avons cherché, au contraire, à pénétrer, si l'on peut dire, dans l'esprit de La Bruyère, à découvrir à quels types de raisonnement il se livre, selon quelles catégories de pensée il évalue le monde. On a cherché à dégager le cadre intellectuel des *Caractères* et les habitudes mentales de leur auteur. A travers la description de l'univers de l'écrivain, on s'intéresse donc aux modalités de sa pensée: c'est là la charpente qui nous semble soutenir la morale selon les *Caractères*.

Les deux dernières études correspondent aux deux aspects fondamentaux de cette morale. A bien des égards, il s'agit encore d'une morale « mondaine », où le but est l'adaptation harmonieuse de l'individu à la société. Nous avons voulu réagir contre une manière de voir trop fréquente aujourd'hui, qui fait de cette morale mondaine une invention surtout française: trop souvent, nos moralistes classiques sont considérés par rapport à la seule histoire des idées en France. Nous avons franchi, dans notre troisième chapitre les frontières de l'Italie. La morale mondaine de La Bruyère est comparée à celle que développe B. Castiglione dans ce *Cortegiano* qui devait exercer sur les mœurs et les lettres françaises une si profonde influence. Castiglione doit en effet être considéré comme un des principaux précurseurs de notre littérature mondaine, bien qu'il s'en tienne au portrait du « parfait courtisan ». C'est ce que notait déjà Magendie dans sa thèse souvent remarquable. Magendie se contente pourtant d'un long résumé du chef-d'œuvre du comte Baltasar. De notre côté, nous nous efforçons de montrer comment les *Caractères* marquent un aboutissement et un épanouissement d'un modèle de culture, de distinction et de finesse. Ce qui dans le *Cortegiano* était l'éthique d'une élite de gentilshommes deviendra, pour La Bruyère, un idéal plus ouvert et même universel. Si la vie de cour est condamnée, la courtoisie, dans son expression la plus achevée, doit demeurer. Tout homme se doit d'être un homme accompli. « De la Société et de la conversation » en particulier marque très bien cet élargissement.

L'autre aspect de la morale de La Bruyère traduit un approfondissement et considère surtout la personne en elle-même, indépendamment de la société ou d'autrui. Plus que la « civilité », ce qui compte alors, c'est l'homme aux prises avec sa propre vie, ses responsabilités, sa dignité et le sens à donner à son existence. C'est là le sujet de notre dernière étude. Comme l'a écrit F. Baldensperger, « *l'homo europaeus* a eu, successivement, ses *types* dont le premier échantillon, et, par suite, le modèle, était fourni par des peuples différents » [9]. Après l'idéal de raffinement issu de la Renaissance italienne et incarné dans le « parfait courtisan », l'Espagne de la Contre-Réforme propose l'idéal à la fois mondain et ascétique du « héros ». La génération de La Bruyère est restée étrangère à la morale héroïque, quand

---

[9] F. Baldensperger, *Etudes d'histoire littéraire* (Paris: Hachette, 1907), p. 47.

bien même elle l'admire dans Corneille. Mais le moraliste espagnol le plus significatif de cette époque, Baltasar Gracián, est aussi l'auteur de cet *Oráculo manual* qui devait connaître un si prodigieux succès dans toute l'Europe et particulièrement en France. L'« art de la prudence » qu'il enseigne marque un tournant décisif dans l'histoire de la pensée des moralistes. Le masque du héros tombe, l'homme apparaît à la fois plus vulnérable et plus solitaire, un composé de petitesse et de grandeur, hésitant entre ses aspirations diverses. Cet homme-là est très souvent celui de La Bruyère. Il nous a paru légitime et opportun, ici encore, de prendre un certain recul par rapport aux seules traditions françaises et de confronter les *Caractères* et *l'Homme de cour.*

Ce travail a des insuffisances que nous mesurons tout le premier. L'histoire détaillée de la tradition des moralistes classiques reste encore à écrire. Du moins espère-t-on ici avoir situé la place qui revient à La Bruyère et avoir restitué la richesse vivante de son univers moral. Notre auteur parle quelque part du malheureux commentateur disséquant les chefs-d'œuvre: « Il les cite, dit-il, et ils sont si beaux qu'ils font lire sa critique. » Si nous pouvions montrer à quelques-uns, fût-ce de cette manière, des beautés qu'ils ne soupçonnaient pas dans La Bruyère, nous croirions n'avoir pas œuvré en vain [10].

Plusieurs collègues et amis nous ont aidé de leurs encouragements et de leurs conseils. Nous sommes heureux de marquer notre gratitude à M. J. S. Tassie, Directeur du Département de Français à Carleton University et à M. A. D'Andrea, Directeur du Département d'Italien à l'Université McGill. Mme B. Pena nous a, avec beaucoup de compétence, aidé à déchiffrer des textes où notre connaissance de l'espagnol était en défaut.

M. R. Zuber nous a, plus d'une fois, tiré d'embarras par sa profonde science de l'histoire littéraire et des suggestions toujours pénétrantes: nous lui en savons vivement gré.

M. H. Peyre nous a fait l'honneur de témoigner à plusieurs reprises sont intérêt pour nos recherches. Notre livre a bénéficié de la hauteur des vues de ce maître auquel nous sommes particulièrement reconnaissant.

Qu'il me soit enfin permis de dire combien je dois à mon maître et ami P. Jonin, ainsi qu'à l'éminent dix-septiémiste R. Duchêne, qui m'ont tous deux si généreusement apporté leur soutien.

Nous remercions les Directions de la *French Review*, de *Studi Francesi* et de la *Revue d'Histoire Littéraire de la France* pour nous avoir aimablement accordé l'autorisation de republier des travaux précédemment parus dans leurs colonnes.

Le Conseil des Arts du Canada nous a permis, par l'octroi d'une subvention, de mener ce travail à son terme. Nous tenons à le remercier de sa confiance et de l'efficacité de son aide.

Sauf indication contraire, les citations des *Caractères* renvoient à l'édition R. Garapon (Paris: Garnier, 1962).

---

[10] Notre livre était achevé, lorsque S. Doubrovsky a fait paraître un intéressant commentaire sur *Giton* et *Phédon*. On se plaît à recommander au lecteur cette étude, signalée avec plus de précisions dans notre *Bibliographie*.

I

DE L'ESSAI A LA SOMME:
LA FORMATION DES *CARACTÈRES*

Le livre de La Bruyère, sous la forme qui nous est familière, comprend 1120 « remarques ». L'ouvrage que La Bruyère fait paraître, anonymement, en 1688, n'en contient que 420, soit à peine un peu plus du tiers. Entre 1688 et 1694, le livre est en perpétuel devenir. Huit éditions se succèdent durant cette période. La quatrième édition elle-même ne donne encore qu'une idée bien imparfaite de ce que sera l'ouvrage achevé. Contrairement à la plupart des écrivains, La Bruyère, quand son livre est paru, s'attache à lui plus qu'il ne s'en détache. Les *Caractères*, dans la première édition, ne sont probablement pas plus qu'un coup d'essai. Timidement, l'auteur glisse ses observations à la suite de celles de Théophraste. Protégé par l'autorité de cet Ancien, il fait prudemment l'essai de sa propre force. Protégé, il l'est non seulement par ce patronage dont il se réclame; il l'est encore par les quelque 60 pages du *Discours sur Théophraste*, puis par les 97 pages des *Caractères* du moraliste grec. L'auteur débutant n'ose se montrer que derrière ce solide rempart.

Assez vite, son attention changera. Si, de son vivant, le livre n'est jamais publié sous son nom [1], devant le succès de son imitateur, Théophraste est traité avec moins d'égards. A partir de l'édition VI, l'œuvre du Grec n'occupe plus 97 pages, mais 54: elle est imprimée en caractères plus petits que celle de La Bruyère. Sans doute y a-t-il à cela des raisons toutes matérielles: le volume ne doit pas grossir démesurément, ni être d'un prix de revient trop élevé. Ce changement typographique n'en a pas moins une valeur symbolique.

Ainsi, d'année en année, les *Caractères* ne cessent de prendre de l'importance. On sent percer un certain embarras chez l'auteur même:

J'avoue d'ailleurs que j'ai balancé dès l'année 1690, et avant la cinquième édition, entre l'impatience de donner à mon livre plus de rondeur et une meilleure forme par de

---

[1] A partir de l'édition VI, il le signera, mais indirectement. Cf. *infra*, l'analyse de cette édition.

nouveaux caractères, et la crainte de faire dire à quelques-uns: « Ne finiront-ils point, ces *Caractères*, et ne verrons-nous jamais autre chose de cet écrivain ? » *(Préface)* [2].

Le moraliste se déclare partagé entre des avis opposés. Il sent bien que, comme le lui disent les « gens sages », la matière de son livre est « solide », « inépuisable »: si son œuvre grossit toujours, c'est qu'« il n'y a point d'année que les folies des hommes ne puissent... fournir un volume ». Mais d'autre part, il a peur de lasser le public en ne lui proposant jamais « de nouveaux chapitres et un nouveau titre ». Certains, dit-il, « ne manquaient pas de me suggérer que... si je ne savais qu'augmenter un livre raisonnable, le mieux que je pouvais faire était de me reposer » *(Préface)*.

Quoi qu'il en soit, son ouvrage se présente sous la forme d'une série de couches successives. Il s'est formé par stratification. Si les trois premières éditions sont pratiquement identiques, l'édition IV vient ajouter aux 420 remarques primitives 344 remarques ou caractères nouveaux: le livre n'est pas loin de grossir du double. L'édition V publie 159 numéros inédits; l'édition VI, 74; l'édition VII enrichit encore l'ouvrage de 76 remarques, et l'édition VIII de 47.

Tout cela ne saurait laisser indifférent le critique. Il se demande ce qui a pu pousser La Bruyère à ne publier en 1688 qu'une partie de son manuscrit. Nous verrons, en effet, qu'il est plus que vraisemblable qu'un bon nombre des remarques de l'édition IV (1689) étaient déjà rédigées en 1688. Au moment de subir pour la première fois ce qu'il appelle « l'écueil » de l'impression *(Des Ouvrages de l'e.*, 5), pourquoi La Bruyère choisit-il telle observation, écarte-t-il telle autre? On est amené à se demander si le ton de La Bruyère, dans chacune des éditions, est le même, ou s'il diffère. On repense à ces extraordinaires précautions, à cette modestie peut-être feinte, que l'auteur montre dans sa première édition, où, tel un nain, il se hausse sur les épaules du géant Théophraste; et on se demande encore si, le succès aidant, il ne se présente pas, dans les éditions qui vont suivre, avec plus de naturel et moins de ruse. Un parallèle vient aussi à l'esprit. On songe à Montaigne, dont le livre, en une période de temps presque égale, est devenu tellement plus personnel et complexe [3]. Comme Montaigne, La Bruyère n'est pas de ceux qui jettent franchement leur bouteille à la mer.

D'autre part, la destinée du livre a modifié l'attitude de l'auteur. Entre 1688 et 1694, La Bruyère passe de l'obscurité à l'actualité: chansons et épigrammes en témoignent. Jusqu'ici, il a mené une vie retirée, discrète; le voici pris à partie, mêlé à des polémiques. Son élection si mouvementée à l'Académie, pour ne rappeler que cet exemple, a lieu en 1693, soit entre les

---

[2] Toutes les citations sont tirées de l'édition R. Garapon (Paris: Classiques Garnier, 1962). La première édition des *Caractères* a jadis fait l'objet d'une réédition par D. Jouaust: *Le premier texte de La Bruyère* (Paris: D. Jouaust, 1868).

[3] Entre La Bruyère et Montaigne, considérés de ce seul point de vue, il y a pourtant cette différence que l'un, peu à peu, s'achemine vers une forme définitive (la sixième édition des *Caractères*, par exemple, apporte bien moins de modifications que la cinquième, qui est elle-même infiniment moins remaniée que la quatrième); tandis que l'autre — Montaigne — suit un mouvement inverse, amplifie sans cesse, laisse son livre aller et se grossir, sans paraître se soucier de cette sorte de démesure.

éditions VII et VIII. On sait que l'édition VIII nous présente le portrait férocement satirique de *Cydias* (*De la Société et de la c.*, 75), et que ce « bel esprit de profession » n'est autre que Fontenelle, principal adversaire de La Bruyère. On peut donc parler d'un jeu d'influences réciproques entre le sort de l'auteur et le sort de ce livre toujours *en train de se faire*.

Tableau des additions correspondant aux différentes éditions

CHAPITRES	Eds. I-III (1688)	Ed. IV (1689)	Ed. V (1690)	Ed. VI (1691)	Ed. VII (1692)	Eds. VIII-IX (1694-1696)
Des ouvrages de l'esprit	35	16	10	3	3	2
Du Mérite personnel	23	8	6	2	3	2
Des Femmes	37	18	10	1	15	0
Du Cœur	18	49	12	2	5	—1
De la Société et de la conv.	35	23	19	0	3	3
Des Biens de fortune	29	17	22	7	4	4
De la Ville	4	9	6	0	0	3
De la Cour	39	24	13	11	9	5
Des Grands	19	18	7	11	2	—1
Du Souverain ou de la R.	11	9	3	1	9	2
De l'Homme	72	49	17	7	6	7
Des Jugements	30	55	14	7	4	9
De la Mode	10	7	1	11	0	2
De quelques Usages	18	28	12	10	1	4
De la Chaire	15	7	2	1	3	2
Des Esprits forts	24	7	5	0	9	4
Epilogue	1	0	0	0	0	0
TOTAL	420	344	159	74	76	47

Aux variations quantitatives si considérables des différentes éditions correspondent des différences qualitatives. Ph. A. Wadsworth, dans une étude intéressante, en a noté quelques-unes [4]. Mais il n'a envisagé qu'un aspect particulier, la valeur du sentiment religieux chez La Bruyère. De même, parmi les nombreux commentateurs qui se sont préoccupés de la structure des *Caractères*, quelques-uns ont comparé les éditions successives. L'analyse la plus fouillée est celle de Ph. Laubriet [5]. Nous nous plaçons ici à un autre point de vue. Ce n'est pas l'ordre que La Bruyère met peu à peu

---

[4] Ph. A. Wadsworth, « La Bruyère against the libertines », *Romanic Review*, XXXVIII (1947), 226-233.

[5] P. Laubriet, « A propos des *Caractères*: Ordre ou fantaisie ? » *RHLF*, LXVII (1967), 502-517.

dans son livre (ou qu'il néglige d'y mettre) qui fait l'objet de la présente étude, mais le ton, l'esprit, l'originalité des diverses éditions, l'« individualité », pour ainsi dire, de chacune d'elles. La question mérite une analyse détaillée: la nature et l'importance exactes de ces apports successifs n'ont pas encore été mises en lumière. Peut-on parler d'une évolution de La Bruyère? Dans quelle mesure son champ d'observation s'est-il élargi? Développe-t-il également tous les thèmes de la version primitive? Auxquels paraît-il attacher lui-même le plus d'importance? Pour répondre à ces questions, nous allons, un peu à la manière du géologue, examiner cette série de sédiments ou de strates qui ont progressivement formé les *Caractères*.

Quelques chiffres, ici, sont nécessaires. Le tableau ci-dessus permettra de suivre la croissance et l'évolution numérique des différents chapitres. Les chiffres de la première colonne indiquent, pour chacun d'eux, le nombre des « remarques » contenues dans la première édition. Les colonnes suivantes montrent les additions dont ils ont bénéficié. (Les diminutions, très exceptionnelles, sont précédées du signe —.) Pour l'interprétation plus détaillée de ce tableau, on voudra bien se reporter aux commentaires qui vont suivre sur les diverses éditions.

Première édition (1688)

Le *Privilège du Roi*, accordé à Etienne Michallet, date du 8 octobre 1687. La publication du livre est annoncée par Henri Basnage dans le numéro de mars 1688 de l'*Histoire des Ouvrages des savants*, et le volume paraît vraisemblablement le même mois. L'ensemble du *Discours sur Théophraste* et des *Caractères* du moraliste grec comprend 149 pages. L'œuvre de La Bruyère en compte 210: il ne prétend la publier que « dans l'esprit de contenter ceux qui reçoivent froidement tout ce qui appartient aux étrangers et aux anciens, et qui n'estiment que leurs mœurs » *(Discours sur Théophraste)*. D'emblée, son œuvre semble curieusement proportionnée. Le nombre moyen de remarques par chapitre est de 26. Les chapitres *De la Ville* et *De l'Homme* en comprennent respectivement 4 et 73.

Les traits les plus caractéristiques de cette première édition sont les suivants. Tout d'abord, il n'est nullement question encore d'écrire pour « instruire ». Sans doute, il est question dans la *Préface*, de « corriger » les hommes, mais le ton de l'auteur est désinvolte: « il [le public] peut regarder avec loisir ce portrait que j'ai fait de lui d'après nature; et s'il se connaît quelques-uns des défauts que je touche, s'en corriger ». L'auteur se défend encore d'énoncer des « lois morales ». Il n'est donc aucunement question d'améliorer les hommes: fait important, sur lequel il nous faudra revenir. La plus grande partie de la *Préface* a trait à des considérations stylistiques. La Bruyère décrit longuement la facture de ses remarques. Il nous parle définitions, sentences, métaphores, parallèles, comparaisons. La forme de son œuvre paraît surtout lui tenir à cœur.

Précisément, on est frappé, dans cette première version des *Caractères*, par la brièveté des observations. On pourrait parler d'œuvre grêle, dans l'ensemble comme dans le détail. La concision paraît avoir été une règle impérative, une discipline que La Bruyère s'est imposée. Une des très rares exceptions est le portrait de Louis XIV (*Du Souverain ou de la R.*, 35). Observons en passant que ce chapitre 10, *Du Souverain ou de la République*, ne porte dans les trois premières éditions que le titre *Du Souverain*: on a bien l'impression que l'éloge du roi est, en 1688, l'unique raison d'être du chapitre.

Le tour favori que La Bruyère donne à sa pensée est la maxime. Pratiquement tout le chapitre *Du Cœur* se présente sous cette forme. Bien qu'il se défende, dans sa *Préface*, de « faire le législateur », le ton est souvent péremptoire, et pas seulement dans les questions de morale. En écrivant, est-il dit, « *il faut* toujours tendre à la perfection » (*Des Ouvrages de l'e.*, 67). Et ailleurs: « *Il ne faut point* mettre un ridicule où il n'y en a point... mais le ridicule qui est quelque part, *il faut* l'y voir... » (*ibid.*, 68). (C'est nous qui soulignons.)

Les réflexions auxquelles l'auteur consacre un développement vraiment ample sont fort rares. On peut citer le parallèle entre Corneille et Racine (*Des Ouvrages de l'e.*, 54), la description des coteries (*De la Ville*, 4), celle de l'étrange pays de la cour (*De la Cour*, 74), les preuves de l'existence de Dieu (*Des Esprits f.*, 36) et trois ou quatre autres. Dans l'ensemble, l'écrivain s'attache à la précision, voire à la sécheresse. Les portraits sont très peu nombreux, au nombre d'une douzaine seulement: *Arfure* (*Des Biens de f.*, 16), *Narcisse* (*De la Ville*, 12), N** (*De l'Homme*, 124) sont parmi les plus connus; la plupart ne sont que des ébauches. Un classement des 420 numéros de la première édition établit que 3 % sont des portraits, approximativement 13 % des réflexions un tant soit peu développées (une dizaine de lignes ou davantage), 84 % environ des maximes.

Un aspect qui frappe dans cette édition est le caractère général de la satire. Le fameux article du *Mercure Galant*, en juin 1693, dira le contraire: « Je me trouvai à la cour le premier jour que les *Caractères* parurent et je remarquai de tous côtés des pelotons où l'on éclatait de rire. Les uns disaient: « Ce portrait est outré »; les autres: « En voilà un qui l'est encore davantage. » — « On dit telle chose de Madame une telle, disait un autre; et Monsieur un tel, quoique le plus honnête homme du monde, est très maltraité dans un autre endroit. » Mais l'auteur de cet article a pour but avoué de montrer que La Bruyère « a voulu faire réussir son livre à force de dire du mal de son prochain » [6]. En 1688, les allusions transparentes sont peu nombreuses. On peut citer l'attaque contre le même *Mercure Galant*, « immédiatement au-dessous du rien » (*Des Ouvrages de l'e.*, 46), celle contre l'archevêque de Paris et sa passion pour les femmes (*De l'Homme*, 98), et les lignes qui dénoncent les « petitesses indignes » d'un grand qui est probablement le duc d'Orléans (*ibid.*, 97). Encore convient-il d'observer que, dans les deux derniers cas, la critique est enfouie sous un amas de louanges. L'audace de l'auteur n'est pas encore grande.

---

[6] Cet article hostile a été inspiré par le parti des Modernes, et peut-être plus particulièrement par Fontenelle, furieux du discours de réception que La Bruyère venait de prononcer devant l'Académie. Cf. l'analyse de l'édition VIII.

Ici encore, on a l'impression qu'il s'essaie. Ses victimes les plus faciles à identifier ne sont souvent déjà plus de ce monde. Dans la remarque 66 des *Ouvrages de l'esprit*, par exemple, il s'en prend au « style vain et puéril » de *Dorilas* et de *Handburg*, allusions claires aux historiens Varillas et Maimbourg. Mais Maimbourg est mort depuis deux ans, et Varillas, à 72 ans, ne risque sans doute plus de riposter d'une manière redoutable. De même, l'allusion au prince de Conti (*De l'Homme*, 64) ne saurait attirer de graves ennuis à l'auteur: il y a trois ans que le prince n'est plus. Les attaques contre les partisans qui sont, de toutes, les plus virulentes (*Des Biens de f.*, 13-18), visent une collection d'individus plutôt que des personnages précis. Il s'agit d'« une sorte de gens » (13), et les noms de *Sosie, Crésus, Champagne* sont tout à fait interchangeables.

Nous avons voulu élargir notre enquête, et voir si cette impression peut être corroborée par des chiffres. En étudiant les diverses clefs des *Caractères*, on constate que 16 % seulement des remarques de la première édition ont paru s'appliquer à des contemporains. La même étude montrera, pour les éditions ultérieures, une évolution signicative. (Qu'on nous entende bien: il ne s'agit nullement ici de reprendre la question, assez oiseuse à nos yeux, des clefs des *Caractères*; nous cherchons à saisir les caractéristiques, la personnalité propre des différentes éditions.) Ici, donc, le ton est celui de la plus grande généralité: très peu de portraits, partant peu d'éléments concrets, des attaques voilées et prudentes. De cette prudence, on peut encore citer deux exemples très significatifs. A deux reprises, en effet, La Bruyère supprime *in extremis* des réflexions qui auraient pu lui attirer les foudres du roi ou des grands. Son livre est déjà sous presse lorsqu'il s'avise que l'évêque Le Camus, dont il venait de faire un brillant éloge, était en disgrâce auprès du roi. Il n'hésite pas à remplacer par un carton la page où se trouve cette réflexion compromettante (feuillet 317-318 de l'édition originale) et à introduire des variantes qui font de la remarque... un éloge de plus du souverain (*Des Jugements*, 25)! De même, une remarque où il était question de l'idolâtrie dont étaient l'objet des *princes* pourtant dénués de bonté est remplacée, à la dernière minute, par un carton où ne sont visés que les *grands* (*Des Grands*, 1). L'ancien « domestique » de la maison de Condé a estimé sans doute qu'il y avait trop de hardiesse dans sa première manière de dire. Qu'on examine le chapitre *De la Cour*: on le trouvera tout entier de cette veine. Au sujet des grands, La Bruyère paraît adopter comme devise sa remarque 56: « L'on doit se taire sur les puissants: il y a presque toujours de la flatterie à en dire du bien; il y a du péril à en dire du mal pendant qu'ils vivent, et de la lâcheté quand ils sont morts ». Le ton, dans l'ensemble, est plus terne que dans les éditions qui vont suivre, il y a moins de couleurs. La description pleine de vie de *Philémon* (*Du Mérite p.*, 27) se réduit, dans l'édition I, à des notations assez sèches; le personnage, d'ailleurs, n'y porte pas encore de nom. De la même manière, on peut opposer la remarque 62 du chapitre *Des Jugements*, tout en généralités:

Il est ordinaire et comme naturel de juger du travail d'autrui seulement par rapport à celui qui nous occupe. Ainsi le poète, rempli de grandes et sublimes idées, estime peu le discours de l'orateur...; de même le bachelier plongé dans les quatre premiers siècles, traite toute autre doctrine de science triste, vaine et inutile, pendant qu'il est peut-être méprisé du géomètre

au portrait si individualisé d'*Hermagoras*, qui date, lui, de l'édition V:

Hermagoras ne sait pas qui est roi de Hongrie...; ne lui parlez pas des guerres de Flandre et de Hollande, dispensez-le du moins de vous répondre: il confond les temps, il ignore quand elles ont commencé, quand elles ont fini; combats, sièges, tout lui est nouveau; mais il est instruit de la guerre des géants... il débrouille de même l'horrible chaos des deux empires, le Babylonien et l'Assyrien; il vous dira que Sémiramis, ou, selon quelques-uns, Sérimaris, parlait comme son fils Ninyas, qu'on ne les distinguait pas à la parole: si c'était parce que la mère avait une voix mâle comme son fils, ou le fils une voix efféminée comme sa mère, qu'il n'ose pas le décider (*De la Société et de la c.*, 74).

Bref, dans l'édition I, c'est surtout l'humanité que La Bruyère décrit; les quelques comparaisons que nous avons déjà faites laissent pressentir que, plus tard, il s'attachera davantage à dépeindre des individus.

Une autre de nos observations concerne le pessimisme de La Bruyère. Dans le tableau de l'humanité que présente la version définitive des *Caractères*, les couleurs sombres dominent. « La nature humaine est pour lui toute dureté et toute injustice », note A. Adam[7]. Telle n'est pas encore la peinture dans l'édition I. Sans doute, il est fait allusion déjà à la dureté, à l'égoïsme des hommes, qui « gardent leurs mœurs toujours mauvaises » (*De l'Homme*, 2). Mais si l'on joint à trois ou quatre remarques du chapitre *De l'Homme* la réflexion 47, très amère, du chapitre *De la Société et de la conversation*: « Je suppose qu'il n'y ait que deux hommes sur la terre, qui la possèdent seuls, et qui la partagent toute entre eux deux: je suis persuadé qu'il leur naîtra bientôt quelque sujet de rupture, quand ce ne serait que pour les limites », on aura vu l'expression la plus forte de ce sentiment. Ailleurs, en effet, le pessimisme existe, mais sous une forme moins désabusée, plus diffuse, celle d'un homme de bonne société; on pourrait la qualifier de mondaine: « Ne pourrait-on point découvrir l'art de se faire aimer de sa femme? » (*Des Femmes*, 80). En général, l'auteur n'insiste pas, il donne l'impression, au contraire, de vouloir dissimuler sa mélancolie, d'éviter qu'elle soit trop voyante. Ainsi, dans le chapitre *Du Cœur*, la remarque 64 (« ... si l'on cousait ensemble toutes les heures que l'on passe avec ce qui plaît, l'on ferait à peine d'un grand nombre d'années une vie de quelques mois ») vient se glisser entre un hommage attendri et une observation sentencieuse[8]. Autre exemple de cette sorte d'étalement: la remarque 2 du chapitre *Des Ouvrages de l'esprit*: « Il faut chercher seulement à penser et à parler juste, sans vouloir amener les autres à notre goût et à nos sentiments; c'est une trop grande entreprise. » Cette observation occupe évidemment une place d'honneur dans le livre, mais de tout le chapitre ou presque, il ne sera plus question d'une telle amertume. Le sentiment est donc bien là, mais sous une forme latente, beaucoup moins envahissante, que dans l'ouvrage achevé.

---

[7] A. Adam, *Histoire de la littérature française au XVIIe siècle* (Paris: del Duca, 1962), tome V, p. 187.

[8] Dans l'édition de 1688, ce sont les remarques 5, 6 et 7. Les numéros de l'édition Garnier sont, respectivement, 85, 64 et 28.

Enfin, les *Caractères*, sous leur forme première, contiennent un certain nombre d'observations assez faciles, voire banales. Sans doute, dès ses débuts, La Bruyère se montre-t-il au plus haut point exigeant envers lui-même, et écrit-il déjà: « La même justesse d'esprit qui nous fait écrire de bonnes choses nous fait appréhender qu'elles ne le soient pas assez pour mériter d'être lues » (*Des Ouvrages de l'esprit*, 18). Il semble, néanmoins, qu'il se soit glissé dans l'édition I davantage de lieux communs qu'ailleurs. On peut douter que l'auteur eût ajouté, en 1691 ou en 1694, des remarques comme celle-ci: « L'on ne peut aller loin dans l'amitié, si l'on n'est pas disposé à se pardonner les uns aux autres les petits défauts » (*De la Société et de la c.*, 62). C'est de l'édition de 1688 que datent pas mal de ces réflexions qui ont valu à La Bruyère d'être considéré comme un moraliste assez creux. Il illustre souvent une vérité élémentaire: l'argent ne fait pas le bonheur (*Des Biens de f.*, 1); les bonnes paroles ne servent de rien à un homme dans l'affliction (*De la Société et de la c.*, 63); les hommes ne tiennent pas compte des conseils qu'on leur prodigue (*ibid.*, 64). Plus d'une fois aussi, on trouve le commentaire assez pâle d'une expérience commune: « Il y a des maux effroyables et d'horribles malheurs où l'on n'ose penser, et dont la seule vue fait frémir: s'il arrive que l'on y tombe, l'on se trouve des ressources que l'on ne se connaissait point, l'on se raidit contre son infortune, et l'on fait mieux qu'on ne l'espérait » (*De l'Homme*, 30). Le chapitre *De l'Homme*, pour intéressant qu'il soit, est encore loin de la richesse qu'il aura plus tard. *De quelques Usages* manque aussi de portée. Plusieurs abus ou mauvaises institutions y sont bien dénoncés: vénalité des charges conférant la noblesse (1), rivalité entre les deux clergés (22), excommunication des acteurs (21), corruption des juges (55). Mais le ton est laborieux encore, manque d'élan et de mordant: « Il était délicat autrefois de se marier; c'était un long établissement, une affaire sérieuse, et qui méritait qu'on y pensât; l'on était pendant sa vie le mari de sa femme, bonne ou mauvaise: même table, même demeure, même lit; l'on n'en était point quitte pour une pension; avec des enfants et un ménage complet, l'on n'avait pas les apparences et les délices du célibat » (34). Dans tout le chapitre, comme dans l'ensemble du livre, l'indignation est contenue, presque courtoise: l'auteur fourbit ses armes.

Deuxième et troisième éditions (1688)

Il y a très peu à dire de ces deux éditions qui présentent un texte conforme presque en tous points à celui de l'édition I, et qui paraissent la même année qu'elle.

Dans l'édition II, La Bruyère se contente de donner un tour plus piquant à un petit nombre de remarques (par exemple *De l'Homme*, 16, et 25, alinéa 2).

Au sujet de la troisième édition, G. Servois a mis en lumière un fait curieux. « Sous le titre commun de « Seconde édition », Michallet a publié, non pas deux tirages de la même réimpression, mais deux éditions successives, où la composition n'est pas la même, et que diverses particularités typographiques permettent de distinguer, à la première vue, l'une de l'autre... Pourquoi a-t-on donné le titre de « Seconde édition » à [une] réimpression ... qui en réalité était une troisième édition? L'auteur voulait-il dissimuler le succès de son œuvre? Michallet ne pouvait approuver tant de modestie, et c'est lui qui dut, lorsqu'un certain nombre d'exemplaires eurent été reliés ou vendus avec le titre de « Seconde édition », obtenir de La Bruyère que le reste de l'édition fût mis en vente sous son vrai titre de troisième [9] ». Il semble bien que nous ayons affaire, une nouvelle fois, à un La Bruyère fort précautionneux, veillant de près sur la destinée de son livre. Rusé, quelque peu manœuvrier, simplement secret? On ne sait au juste, et si cette « curiosité littéraire » méritait d'être rappelée, elle ne vaut pas qu'on s'y attarde davantage.

Quatrième édition (1689)

Cette édition est, après la première, quantitativement la plus importante. Le nombre total des remarques passe de 420 à 764. Douze numéros ont été complétés par l'addition d'un ou de plusieurs paragraphes. Il n'y a pas de chapitre qui ne bénéficie d'augmentations considérables. *Des Grands, Du Souverain ou de la République* [10], *De la Mode* sont pratiquement doublés; *De la Ville, Des Jugements, De quelques Usages* passent environ du simple au triple; *Du Cœur* presque au quadruple.

Le volume de ces augmentations pose un problème d'importance. Cette édition, présentée comme « corrigée et augmentée », paraît en février 1689, soit environ 11 mois après l'édition I. Compte tenu de la durée nécessaire à l'impression de l'ouvrage, c'est donc en un laps de temps relativement court que La Bruyère aurait aussi considérablement complété son livre [11]. Or nous disposons d'un témoignage affirmant que La Bruyère était un écrivain à la production particulièrement lente. Brillon écrit en effet, à propos des *Caractères*: « Je surprendrois bien des personnes si je leur disois que l'auteur de l'ouvrage en ce siècle le plus admiré a été dix ans au moins à le faire, et presque autant à balancer s'il le produiroit... Ce genre d'écrire est extraordinaire, lui disoit-on, vous aurez tous les critiques à dos. Le livre est à

---

[9] *Œuvres de La Bruyère*, éd. G. Servois (Paris: Hachette [Les Grands Ecrivains de la France], 1865-1882), tome III, pp. 140-141.

[10] L'édition IV donne le titre *Du Souverain et de la République*. Le titre définitif date de l'édition V.

[11] Pour l'édition I, il s'est écoulé environ 6 mois entre l'obtention du privilège (8 octobre 1687) et la parution des *Caractères*. Si l'on admet que Michallet a besoin d'un délai du même ordre pour publier l'édition « corrigée et augmentée », La Bruyère n'aurait disposé que de 5 (11-6) mois pour remanier son livre. Compte tenu du fait qu'il s'agit d'un livre à succès, que Michallet a intérêt à sortir rapidement de ses presses, il semble raisonnable de supposer que l'auteur ait eu à sa disposition de 5 à 10 mois (les travaux de l'imprimeur et du relieur exigeant sans doute dans tous les cas au moins un mois).

peine affiché que les exemplaires en sont enlevés... Dites après cela qu'il n'y a pas un sort attaché au livre ! [12] » La Bruyère paraît d'ailleurs faire allusion lui-même à sa méthode de composition lente et laborieuse: « Un bon auteur, et qui écrit avec soin, éprouve souvent que l'expression qu'il cherchait depuis longtemps sans la connaître, et qu'il a enfin trouvée, est celle qui était la plus simple, la plus naturelle, qui semblait devoir se présenter d'abord et sans effort » (*Des Ouvrages de l'e.*, 17). On peut admettre que, s'il a fallu à La Bruyère dix ans pour composer les 420 remarques de l'édition I, il a pu difficilement, même en 10 mois, écrire 344 numéros nouveaux. Il est donc très probable que, pour sa première édition, La Bruyère ait opéré un choix parmi ses manuscrits, et il est dès lors légitime de se demander quels pouvaient être, aux yeux de l'auteur, les défauts de forme ou de fond des remarques qu'il écarte en 1688 pour les publier l'année suivante (voire plus tard encore). Ces « défauts » pouvaient fort bien, d'ailleurs, n'être pas de nature littéraire. Peut-être s'agissait-il d'observations trop virulentes ou trop compromettantes pour un coup d'essai? Quoi qu'il en soit, il sera intéressant de comparer le ton qui domine dans ces additions à celui des remarques précédentes. Ajoutons, pour être précis sur ce problème de chronologie, que plusieurs commentateurs se sont servis des allusions des *Caractères* à des événements ou à des usages pour assigner une date fort reculée à certaines remarques. Pendant longtemps, ces recherches ont manqué de rigueur, et les hypothèses échafaudées ont dû être abandonnées [13]. Le seul progrès vraiment prometteur, dans ce domaine, est la mise au point d'une méthode, par R. Garapon [14]. Du reste, tout, dans la facture des *Caractères*, semble indiquer que l'ouvrage a été remis cent fois sur le métier, et la finition parfaite fait penser au travail patient d'un miniaturiste.

L'édition IV est la première à présenter, au verso du faux titre, l'épigraphe tirée d'une lettre d'Erasme: « J'ai voulu mettre en garde, et non mordre, être utile, et non blesser, améliorer les mœurs des hommes, et non leur nuire. » Les additions à la *Préface* vont dans le même sens. Mais il importe surtout de voir que *l'ensemble* de la *Préface* prend maintenant une signification tout autre. Les considérations sur les devoirs de l'écrivain — « la réformation de ceux qui les lisent » — occupent dorénavant la plus grande place. Dans l'édition I, on s'en souvient, la *Préface* traitait surtout de questions purement littéraires. A présent, il n'est plus question que d'« insinuer et... faire recevoir les vérités qui doivent instruire ». Cela est dit, redit et répété, et l'accumulation même des formules — « on ne doit parler, on ne doit écrire que pour l'instruction » — fait songer à une précaution oratoire. Et qu'il y eût précautions nouvelles ne serait pas pour nous

[12] P. J. Brillon, *Ouvrage nouveau dans le goût des Caractères de Théophraste et des Pensées de Pascal* (Paris: de Luynes, 1697), p. 181. Cf. la *Préface* du *Discours à l'Académie*: « ... jusqu'à *hésiter* quelque temps si je devais rendre mon livre public, et à *balancer*...».

[13] Pour une réfutation détaillée, cf. Servois, I, pp. XCII-XCIII. Ajoutons toutefois que le numéro 117 du chapitre *Des Jugements*, publié pour la première fois en 1961, ne peut pas avoir été composé avant la mort du duc Charles de Lorraine (18 avril 1690).

[14] R. Garapon, « Perspectives d'étude sur La Bruyère », *L'Information littéraire*, XVII (1965), 47-53.

surprendre. La Bruyère n'avance qu'à pas prudents. Or, nous le verrons, dans l'édition IV la satire est déjà beaucoup plus ouverte, incisive et directe. Avant de s'y lancer, l'auteur se couvre contre les prochaines attaques, et plutôt trois fois qu'une. Mais si l'on excepte quelques remarques très peu nombreuses (*Des Ouvrages de l'e.*, 34; *Des Jugements*, 66 et 67), il n'est pas question ailleurs de ce projet de corriger les hommes. L'auteur lui-même ne paraît croire qu'à demi à ce qu'il avance, son zèle de réformateur connaît bien des intermittences.

Sur les 344 numéros nouveaux de l'édition IV, on trouve une quarantaine de portraits, une cinquantaine si l'on ajoute ceux qui, tout en étant fort précis, ne portent pas de nom[15]. On le voit: la proportion des portraits est beaucoup plus grande que dans l'édition I (13 % environ au lieu de 3 %). La Bruyère goûtait peut-être plus qu'il ne le dit son succès « de scandale ». Les auteurs de clefs, qui veulent voir des allusions malignes partout, et non seulement dans les portraits, en découvrent dans 21 % des numéros nouveaux. L'augmentation du nombre des portraits se fait au détriment du nombre des maximes: 62 % au lieu des 84 % de l'année précédente. La variante introduite dans la remarque finale du livre (*Des Esprits f.*, 50) est, à cet égard, très significative. En 1688, cette piquante réflexion était libellée ainsi (c'est nous qui soulignons): « Si l'on ne goûte point ces *remarques* que j'ai écrites, je m'en étonne; et si on les goûte, je m'en étonne de même. » A partir de l'édition IV, on trouve: « Si on ne goûte point ces *Caractères*, je m'en étonne; etc. » Ainsi, on passe d'une réflexion assez générale à une peinture plus particulière. Toutefois, dans le chapitre *Du Cœur* — celui peut-être où La Bruyère s'inspire le plus de La Rochefoucauld — il conserve une prédilection pour la forme de la maxime: « Il n'y a pas si loin de la haine à l'amitié que de l'antipathie » (24); « L'on veut faire tout le bonheur, ou si cela ne se peut ainsi, tout le malheur de ce qu'on aime » (39).

La peinture plus exacte, plus minutieuse, est bien une des nouveautés les plus importantes de cette édition. L'année précédente, une bonne partie des portraits n'étaient au fond que des ébauches. A présent, La Bruyère s'est rapproché de ses modèles et les observe de beaucoup plus près. *Dorinne*, par exemple, dans l'édition de 1688, est un personnage à peu près inexistant: « Est-ce en vue du secret, ou par un goût hypocondre, que cette femme aime un valet, cette autre un moine, et Dorinne son médecin? » (*Des Femmes*, 32). Qu'on lui oppose *Emire*, qui paraît l'année suivante, qui n'occupe pas moins de deux pages, et est décrite dans toutes ses contradictions (*ibid.*, 81). Cet autre rapprochement sera plus éloquent qu'un long commentaire:

— 1688: portrait de *Zoïle*:

L'on m'a engagé, dit *Ariste*, à lire mes ouvrages à *Zoïle*: je l'ai fait. Ils l'ont saisi d'abord et avant qu'il ait eu le loisir de les trouver mauvais; il les a loués modestement en ma présence, et il ne les a pas loués depuis devant personne. Je l'excuse, et je n'en demande pas davantage à un auteur; je le plains même d'avoir écouté de belles choses qu'il n'a point faites (*Des Ouvrages de l'e.*, 19).

---

[15] *Des Femmes*, 45; *De la Cour*, 18 et 20; etc.

— 1689: portrait d'*Arsène*:

> *Arsène*, du plus haut de son esprit, contemple les hommes, et dans l'éloignement d'où il les voit, il est comme effrayé de leur petitesse; ... il croit, avec quelque mérite qu'il a, posséder tout celui qu'on peut avoir, et qu'il n'aura jamais; occupé et rempli de ses sublimes idées, il se donne à peine le loisir de prononcer quelques oracles; ... il n'est responsable de ses inconstances qu'à ce cercle d'amis qui les idolâtrent: eux seuls savent juger, savent penser, savent écrire, doivent écrire; il n'y a point d'autre ouvrage d'esprit si bien reçu dans le monde, et si universellement goûté des honnêtes gens, je ne dis pas qu'il veuille approuver, mais qu'il daigne lire: incapable d'être corrigé par cette peinture, qu'il ne lira point (*ibid.*, 24).

Zoïle, on le voit, est une figure sans relief. Le peintre, dans le deuxième paragraphe que nous ne citons pas, se désintéresse de son portrait et énonce une réflexion générale. Avec *Arsène*, l'année suivante, La Bruyère traite le même sujet, mais il supprime les considérations générales, insiste en revanche sur le trait individuel. Il est intéressant et révélateur de voir l'auteur des *Caractères* se comparer, en 1689, précisément à un peintre: « Les couleurs sont préparées, et la toile est toute prête; mais comment le fixer, cet homme inquiet, léger, inconstant, qui change de mille et mille figures? Je le peins dévot, et je crois l'avoir attrapé; mais il m'échappe, et déjà il est libertin. Qu'il demeure du moins dans cette mauvaise situation... » (*De la Mode*, 19).

Ce ne sont pas d'ailleurs les hommes seulement que La Bruyère observe beaucoup plus minutieusement. Une attention bien plus grande est accordée aux choses, au détail concret, au mot précis. Nouvel indice que les notations expressives ont pris le pas sur une généralisation assez souvent abstraite ou décolorée. Qu'on songe, par exemple, au repas de *Gnathon*: « ... le jus et les sauces lui dégouttent du menton et de la barbe; s'il enlève un ragoût de dessus un plat, il le répand en chemin dans un autre plat et sur la nappe; on le suit à la trace... » (*De l'Homme*, 121); à la « maison » de l'homme de cour (*De la Cour*, 20); aux « armes » de la roture parvenue (*De quelques Us.*, 5).

Une observation s'impose ici. La peinture de La Bruyère évolue, croyons-nous, de la généralité à l'individualité, de la règle morale au portrait, des formes et des couleurs assez estompées au relief le plus saisissant. Cela ne veut pas dire que la portée du livre devienne, elle aussi, moins générale. La Bruyère ne charge certainement pas un portrait très ressemblant à son modèle ou une description méticuleusement exacte, de moins de contenu et de signification qu'une simple maxime. En d'autres termes, son dessein reste le même; c'est la méthode qui change. Dans l'édition I, il cherche à obtenir la plus grande universalité en énonçant, quoi qu'il dise dans la *Préface*, des « lois morales ». Dans l'édition IV, c'est toujours une portée générale et une application universelle qui sont recherchées, mais à travers le particulier. Dans l'édition I, il s'agit tout uniment de la nature humaine. Dans l'édition IV, l'homme est peint à travers *des* hommes. Mais tout comme le titre du chapitre *De l'Homme*, le projet de La Bruyère n'a jamais varié. Observons en passant que si cette peinture plus détaillée et concrète est pratiquement toujours une réussite — presque aucun des « morceaux d'anthologie » de La Bruyère ne vient de l'édition I — il y a des cas où la « généralité » de la première édition paraît supérieure. A la réflexion de 1689 sur la douleur: « Il ne faut quelquefois qu'une jolie maison dont on hérite, qu'un beau cheval ou un joli chien dont on se trouve le maître, qu'une tapisserie, qu'une pendule, pour adoucir une grande douleur, et pour faire moins sentir une grande perte » (*De l'Homme*, 31), il est peut-être permis de préférer celle de l'année précédente: « Il devrait y avoir dans le cœur des sources inépuisables de douleur pour de certaines pertes. Ce n'est guère par vertu ou par force d'esprit que l'on sort d'une grande affliction: l'on pleure amèrement, et l'on est sensiblement touché; mais l'on est ensuite si faible ou si léger que l'on se console » (*Du Cœur*, 35).

La diminution du nombre des maximes n'a pas seulement profité aux portraits. Le nombre des « réflexions » d'une dizaine de lignes ou davantage sur les questions les plus diverses a également augmenté en proportion (25 % contre 13 %). Quelquefois, le développement est même assez ample: états et conditions parmi les hommes (*De l'Homme*, 131), formes de l'amour-propre (*ibid.*, 67), caractère du prince idéal (*Du Souverain ou de la R.*, 24)[16]. D'une manière générale, les additions de l'édition IV sont plus longues que les remarques de l'édition I. L'auteur, dirait-on bien, se sent plus à l'aise, se prononce avec plus d'assurance. Il n'hésite pas non plus à se mettre en scène à plusieurs reprises sous les noms de « philosophe » (*Des Ouvrages de l'e.*, 34), de *Socrate* (*Des Jugements*, 66), d'*Antisthius* (*ibid.*, 67). Il fait allusion à son expérience littéraire récente, et en profite pour préciser ses intentions, ses procédés, ses sentiments (*Des Ouvrages de l'e.*, 27, 28, 35, 36). Il décoche des flèches contre les « censeurs »: « Il n'y a point d'ouvrage si accompli qui ne fondît tout entier au milieu de la critique, si son auteur voulait en croire tous les censeurs qui ôtent chacun l'endroit qui leur plaît le moins » (*ibid.*, 26). Non sans habileté, il noue un dialogue avec ses lecteurs: « Si l'on jette quelque profondeur dans certains écrits, si l'on affecte une finesse de tour, et quelquefois une trop grande délicatesse, ce n'est que par la bonne opinion qu'on a de ses lecteurs » (*ibid.*, 57). Dans les additions faites au chapitre *Du Mérite personnel*, on sent moins percer une rancœur. Visiblement, on a affaire à un auteur stimulé par le succès de son livre: son style est plus nerveux et brillant (voyez, par exemple, le numéro 19, déjà cité, du chapitre *De la Mode*); il y a plus de verve (cf. le pastiche d'« un vieil auteur » dans *De la Cour*, 54), plus de vie dans les dialogues (*Des Jugements*, 111). C'est bien le mot verve qui convient, car il ne s'agit que d'un enjouement passager. Ce n'est qu'en apparence que le ton est moins sombre, qu'« il ne laisse pas d'y avoir comme un charme attaché à chacune des différentes conditions », que tous, y compris l'auteur, « sont contents » (*Des Grands*, 5). Le naturel pessimiste revient au galop. Il était contenu dans l'édition I; il se donne ici, en plusieurs endroits, libre cours: « Il faut rire

---

[16] Cette remarque, qui constitue un nouvel éloge de Louis XIV, illustre encore une fois la manière prudente de La Bruyère. La description du plénipotentiaire, « un caméléon, un Protée » (*Du Souverain ou de la R.*, 12), est une addition de l'édition IV. Elle est notablement plus longue que le portrait d'apparat de Louis XIV au même chapitre (35), qui remonte à l'édition I. Le nouvel éloge du roi vient très exactement rétablir l'équilibre. Un tel souci de l'harmonie est presque toujours étranger à notre auteur, et s'explique vraisemblablement par la prudence, sa règle familière.

avant que d'être heureux, de peur de mourir sans avoir ri » (*Du Cœur*, 63). Ailleurs, c'est toute une série de réflexions remplies d'amertume sur les enfants (*De l'Homme*, 50-59). Aux trois « âges » de sa vie, l'homme est également incapable de raison. L'arrogance est partout, et « ceux qui plient » seront brisés toujours (*ibid.*, 49 et 71).

Dans l'ensemble de l'édition IV, l'enquête sur l'homme est plus large et plus variée. Les importantes réflexions sur les enfants auxquelles on vient de faire allusion introduisent un sujet nouveau dans le livre. Il en est de même pour celles sur « certains maux dans la république » (*Du Souverain ou de la R.*, 7) ou sur la guerre (*ibid.*, 9). La préciosité, pourtant passée de mode et rare dans l'édition I, est ici bien présente (*Du Cœur*, 17, 19, 36, 54); c'est un argument en faveur de ceux qui pensent que bien des remarques ont été composées avant d'être sorties de leurs cartons pour la publication. Un autre thème nouveau, plusieurs fois développé, est celui de l'accommodement: « Ne pouvoir supporter tous les mauvais caractères dont le monde est plein n'est pas un fort bon caractère: il faut dans le commerce des pièces d'or et de la monnaie » (*De la Société et de la c.*, 37; de même: *De l'Homme*, 131; *De la Cour*, 27). Le champ d'observation de La Bruyère s'est élargi. Il fait penser au photographe de nos jours qui, poussé par le seul désir de « réussir » une image inédite, a les yeux plus ouverts et la curiosité plus grande. « Que penser de la magie et du sortilège », s'écrie-t-il par exemple (*De quelques Us.*, 70). Et ailleurs, examinant de plus près une coutume dont l'absurdité ne frappe plus personne — il s'agit des nouvelles mariées qu'on exposait « sur un lit comme sur un théâtre » — il demande: « Que manque-t-il à une telle coutume, pour être entièrement bizarre et incompréhensible, que d'être lue dans quelque relation de la Mingrélie ? » (*De la Ville*, 19).

Thèmes nouveaux, curiosité plus grande, cela ne l'empêche pas, parallèlement, de revenir sur nombre de questions déjà exposées dans l'édition I. Ces thèmes sur lesquels il insiste, qu'il étoffe, doivent assurément lui tenir le plus à cœur. Il est précieux de les connaître car ils permettent de mieux saisir la pensée d'ensemble de l'auteur. Si, dans *De la Ville*, il est toujours mal à l'aise (le chapitre reste réduit à la portion congrue), et manque de brillant [17], la satire de la cour continue visiblement à l'inspirer, et le ton contraste avec celui de *De la Ville*. Le chapitre *Des Esprits forts* est très peu augmenté et les additions sont de peu de portée. Mais *De la Mode* continue à dénoncer avec vigueur la fausse dévotion (19, 26). De même, le portrait de N** (*De l'Homme*, 104) reprend et développe la critique de la charité exercée par amour-propre, déjà exposée l'année précédente (*ibid.*, 64 et 139). Mais c'est surtout, au chapitre *De quelques Usages*, la critique des institutions qui continue à retenir toute l'attention du moraliste. Favoritisme (25), rôle de l'argent (31), spéculations frauduleuses (38), lenteurs de la justice (41), corruption des juges (46), torture (51): plus rien n'est ménagé, et l'indignation donne naissance à des actes d'accusation glacés: « Il n'y a

---

[17] Voyez « l'attaque » laborieuse et monotone de ces trois remarques qui se suivent: « La subtile invention, de... » (17), « L'utile et louable pratique, de... » (18), « Le bel et judicieux usage que celui qui... » (19).

aucun métier qui n'ait son apprentissage... L'essai et l'apprentissage d'un jeune adolescent qui passe de la férule à la pourpre, et dont la consignation a fait un juge, est de décider souverainement des vies et des fortunes des hommes » (*De quelques Us.*, 48). Comparant, comme nous le faisons, les diverses éditions des *Caractères*, mais en se limitant à la critique sociale, M. Lange écrit: « Dès la première édition, sa conscience se révoltait contre « la férocité avec laquelle les hommes traitent d'autres hommes » (*De l'Homme*, 127), et, unissant dès lors dans sa réprobation la grandeur imméritée et la richesse mal acquise, il traçait de la Cour un tableau sinistre, il accablait de son mépris la race odieuse des partisans... Si pourtant l'on a pu s'y tromper, c'est sans doute que dans ce petit livre la critique sociale est encore enveloppée et comme noyée dans celle des caractères... Dans la quatrième édition (1689)... la critique sociale est poussée beaucoup plus loin... Maintenant l'auteur se plaît à instruire le procès des grands (*De la Cour*, 36: « Tu es grand, tu es puissant, ce n'est pas assez... ») et à maudire l'extrême inégalité que l'on voit entre eux et le peuple (*ibid.*, 53). De là le noir portrait du noble de province (*De l'Homme*, 130); de là encore la critique des magistrats « petits-maîtres » (*De la Ville*, 7) et cette comparaison tendancieuse entre la « grande » et la « petite robe » (*ibid.*, 5); de là ces nouvelles invectives contre les partisans, les hommes d'affaires, les *Dorus* et les *Ergastes* (*Des Biens de f.*, 19, 20, 28, 32) » [18]. C'est dans l'édition IV que l'on trouve pour la première fois le passage sur « certains animaux farouches », trop célèbre pour que nous le citions (*De l'Homme*, 128). Il illustrerait à lui seul la nature de la critique sociale dans les additions de 1689, vigoureuse et généreuse.

Enfin, qu'il s'agisse de la cour: « Qui peut nommer de certaines couleurs changeantes...? de même, qui peut définir la cour? » (*De la Cour*, 3); des grands: « ... grandeur et discernement sont deux choses différentes, et l'amour pour la vertu et pour les vertueux une troisième chose » (*Des Grands*, 13); des sots: « C'est abréger... de condamner ce qu'ils disent, ce qu'ils ont dit, et ce qu'il diront » (*Des Jugements*, 70); de *Géronte*, d'*Aurèle* ou de *Gnathon* (*De l'Homme*, 105, 107, 121); ou des usages: « ... ne doit-on pas craindre de voir un jour un jeune abbé en velours gris et à ramages comme une éminence, ou avec des mouches et du rouge comme une femme? » (*De quelques Us.*, 16): le ton, dans toutes les nouvelles remarques ou presque, est ferme, souvent mordant, voire acide. Ce n'est plus du tout à un timide coup d'essai, à un débutant plein de retenue que nous avons affaire. C'est à un moraliste qui juge avec force, avec sévérité, de toutes choses, et qui s'abstient rarement de condamner.

---

[18] M. Lange, *La Bruyère critique des conditions et des institutions sociales* (Paris: Hachette, 1909), pp. 391-393. Sur plusieurs points — nature du volume de 1688 et raison de son succès — notre analyse diffère de celle de M. Lange. Mais sur tout ce qui concerne la critique sociale chez La Bruyère, l'ouvrage de Lange est encore aujourd'hui la meilleure étude que nous ayons.

Cinquième édition (1690)

Un peu plus de 13 mois s'écoulent entre les éditions IV et V. L'achevé d'imprimer de celle-ci est du 24 mars 1690. Elle comprend 159 numéros nouveaux, et neuf remarques des éditions précédentes ont été complétées. Certains chapitres sont très fortement augmentés. Si l'on prend comme point de référence l'édition I, le nombre des remarques nouvelles représente dans un cas un accroissement de 150% (*De la Ville*), ailleurs de 75% (*Des Biens de f.*), de 65% (*Du Cœur, De quelques Us.*), de 50% (*De la Société et de la c., Des Jugements*). Seuls les chapitres *De la Mode, De la Chaire, Des Esprits forts* sont très peu remaniés. L'évolution que nous avons vue s'amorcer dans l'édition IV se poursuit ici: la proportion des portraits (20%) et des réflexions (30%) augmente au détriment des maximes (50%). Les allusions satiriques vont toujours dans le sens d'une transparence plus grande: les auteurs de clefs croient maintenant reconnaître un modèle précis dans 39% des remarques nouvelles. Dans la *Préface*, l'auteur est quelque peu embarrassé: il ne sait trop comment justifier les augmentations annuelles de son livre. Il finit par « une promesse sincère de ne plus rien hasarder en ce genre ».

A qui lit de près ces remarques nouvelles, il semble que le ton a bien changé. On trouve bien, ici et là, quelques portraits pleins de brio, comme ceux d'*Hermagoras* (*De la Société et de la c.*, 74) ou de *Nicandre* (*ibid.*, 82), ou encore une véritable scène de comédie (*De quelques Us.*, 26), voire un pastiche de Montaigne (*De la Société et de la c.*, 30). Mais dans l'ensemble, ce n'est plus l'excitation joyeuse — même si cette allégresse n'était qu'un faux brillant — de l'année précédente. C'est maintenant du sombre *Démocrite* que La Bruyère fait son porte-parole (*Des Jugements*, 21) ou bien de cet *Héraclite* que les mœurs de son siècle révoltent: « O pâtres !... ô rustres qui habitez sous le chaume et dans les cabanes ! si les événements ne vont point jusqu'à vous, si vous n'avez point le cœur percé par la malice des hommes, si on ne parle plus d'hommes dans vos contrées, mais seulement de renards et de loups-cerviers, recevez-moi parmi vous à manger votre pain noir et à boire l'eau de vos citernes » (*Des Jugements*, 118). Sans doute, il y a ici une part de rhétorique. Mais ce sentiment proche de l'écœurement, on le trouve ailleurs, et souvent. Il y a des maux, s'écrie-t-il, « cachés et enfoncés comme des ordures dans un cloaque... on ne peut les fouiller et les remuer qu'ils n'exhalent le poison et l'infamie » (*Du Souverain ou de la R.*, 7). Le style atteint ici une violence toute nouvelle et témoigne de l'intensité du sentiment. Ailleurs, et pour la première fois, il est question de mépris (*Des Jugements*, 67), de « stupides » et d'« imbéciles » (*Des Biens de f.*, 38). Dans l'édition IV, plus rien n'était ménagé, dans l'édition V, plus rien ne trouve grâce. La beauté et la douceur ne sont qu'apparences (*De la Société et de la c.*, 49), rien ne résiste au temps (*ibid.*, 39), l'amour n'est souvent qu'hypocrisie (*Des Biens de f.*, 69). Les additions au chapitre *Des Jugements* font songer à un lamento, celles au chapitre *De l'Homme* forment un registre de griefs et de tristes constats. Les arrêts sont assenés dans des formules plus tranchantes: « Il y en a de tels, que s'ils pouvaient connaître leurs subalternes et se connaître eux-mêmes, ils auraient honte de primer » (*Des Grands*, 21). Le portrait du sot est celui d'un sot anonyme, tant, sans doute, le modèle est commun et répandu (*De l'Homme*, 142). Bref, tout va pour le pis dans le pire des mondes possibles. Que s'est-il passé qui puisse expliquer ce raidissement dans l'attitude de La Bruyère?

« L'année 1689 avait été triste », note R. Jasinski, qui établit un rapport étroit entre la cinquième édition et les événements politiques récents. « Le déclin du règne, les leçons de la révolution anglaise, les troubles religieux incitent aux pensées amères, posent en termes plus impérieux le problème de la mort et de la fin dernière de l'homme [19]. » Et en effet, on peut observer que l'appel douloureux d'*Héraclite* aux pâtres forme la conclusion d'une réflexion sur « le crime » de Guillaume d'Orange et ses récentes suites politiques. Il est très juste aussi de dire que les pensées sur la mort introduisent dans le livre un thème tout nouveau. Peut-être est-il excessif d'établir un rapport de cause à effet aussi immédiat entre les événements du temps et l'amertume du moraliste: en dehors de cette remarque 118 du chapitre *Des Jugements*, il n'y a pas d'autres allusions à l'actualité. Les réflexions sur la mort frappent au contraire par leur importance et leur nombre (*De l'Homme*, 37, 38, 41, 43-45, 47). Le pessimisme fait tache d'huile. Tous les thèmes nouveaux qui sont annexés au livre en sont contaminés. Le penchant profond de La Bruyère au pessimisme, que nous avons décelé dès la première édition, mais qu'il avait jusqu'ici tempéré, est favorisé sans doute par les événements du dehors. Mais l'histoire, pensons-nous, n'a joué ici qu'un rôle de catalyseur. La Bruyère jette enfin le masque. Ses vraies tendances émergent maintenant, et dans cette nouvelle édition submergent presque tout.

Par ailleurs, le regard de l'auteur est devenu plus attentif encore. Il scrute de plus près ses modèles. Il étudie des rapports, non plus généraux, mais ceux qui s'établissent d'homme à homme. Et comme dans le cas de La Rochefoucauld, ce regard plus pénétrant, cette enquête impassible n'ont pas été favorables aux hommes. De cette observation qui s'exerce davantage en profondeur, on peut donner au moins deux exemples. Pour la première feis, La Bruyère s'intéresse à la famille, et jamais il n'est question d'affection véritable. *Périandre* a honte de son père (*Des Biens de f.*, 21), tel autre de sa femme (*De quelques Us.*, 35), telle mère force sa fille à se retirer au couvent (*ibid.*, 29). Mais surtout, l'argent corrompt les rapports les plus naturels. De là tant de remarques sur les héritiers, aux chapitres *De quelques Usages* et *Des Biens de fortune*: « Les enfants peut-être seraient plus chers à leurs pères, et réciproquement les pères à leurs enfants, sans le titre d'héritiers » (*Des Biens de f.*, 67). Et la plus impitoyable de toutes: « Celui qui s'empêche de souhaiter que son père y passe bientôt est homme de bien » (*ibid.*, 68). Au chapitre *De la Cour*, La Bruyère avait souvent montré jusqu'ici le courtisan parvenu, comblé de faveurs. Celui-là est lointain et inaccessible. Il gravite avec déférence autour du prince et écrase de son mépris tout le reste. Dans l'édition V fait son entrée le courtisan laborieux, avec ses

---

[19] R. Jasinski, *Histoire de la littérature française*, nouvelle édition revue et complétée (Paris: Nizet, 1965), tome I, p. 320.

« pièces » et ses « machines ». Pour celui-ci, se servir d'autrui est le moyen, mépriser à son tour les autres la fin. La Bruyère est donc amené, ici encore, à observer de beaucoup plus près les rapports d'homme à homme. Mais presque toutes ses remarques illustrent l'adage *Homo homini lupus*: cf. *De la Cour*, 28, 86, 95. Le rire, qui est peut-être chez lui une réaction de défense, est le plus souvent grinçant.

Ainsi, où qu'il tourne les yeux, la réalité lui paraît décevante. Un sentiment d'insatisfaction générale domine dans les remarques nouvelles. Un thème important fait ici son apparition: celui de l'illusion attachée à toutes choses. La description d'une petite ville, souvent citée pour son pittoresque, est à cet égard très significative (*De la Société et de la c.*, 49). On a tort de n'y voir qu'un brillant morceau de style. Ce qu'il importe de noter, c'est la force et la fréquence avec lesquelles le même sentiment revient, et cela toujours dans les additions de 1690. Chez les grands, « une sève maligne et corrompue » se cache « sous l'écorce de la politesse » (*Des Grands*, 25). Ailleurs, La Bruyère nous invite à aller « derrière un théâtre », à découvrir « les roues, les cordages, qui font les vols et les machines »: et, conclut-il, vous direz: « Sont-ce là les principes et les ressorts de ce spectacle si beau, si naturel, qui paraît animé et agir de soi-même ? (*Des Biens de f.*, 25). En fait, tout est apparence trompeuse, et l'homme lui-même n'est plus qu'« un personnage de comédie » (*De la Cour*, 99). Nous voici tout près de Calderon: « La vie est un sommeil » ou encore « un songe confus, informe » (*De l'Homme*, 47). Le monde est, lui aussi, moins clair, moins cohérent. Ses lois échappent à l'ordre, à la logique cartésienne; bien plus qu'avant, La Bruyère est frappé par « les caprices du hasard » et « les jeux de la fortune » (*Des Biens de f.*, 80). Dans l'ensemble de ces remarques nouvelles, c'est au divorce de l'idéal et du réel que l'auteur paraît surtout sensible. La société est faite d'« extrémités », la « médiocrité » même (au sens classique) est un idéal difficile à atteindre (*ibid.*, 47). Loin d'améliorer l'homme, de contribuer à son perfectionnement moral, la société et les institutions tirent leur existence de nos vices, que leur seule raison d'être est d'endiguer: « Si les hommes sont hommes plutôt qu'ours et panthères, s'ils sont équitables, s'ils se font justice à eux-mêmes, et qu'ils la rendent aux autres, que deviennent les lois, leur texte et le prodigieux accablement de leurs commentaires ? ... Légistes, docteurs, médecins, quelle chute pour vous, si nous pouvions tous nous donner le mot de devenir sages ! » (*Des Jugements*, 11; cf. aussi *De quelques Us.*, 58). Ainsi tout, dans la société, a un caractère factice. Tout l'appareil des lois n'est qu'une immense construction artificielle, forçant les hommes à être humains malgré eux. La société est sans grandeur, à l'image du cœur de l'homme. Elle n'est qu'un garde-fou. Et La Bruyère, douleureusement, mesure l'infinie distance qui sépare « les mœurs de ce siècle » d'un âge d'or moral. « C'est ce qui me passe », écrit-il à propos d'un usage (*Des Biens de f.*, 74). Il ressent cette même perplexité devant la société entière, édifiée, lui semble-t-il, à seule fin de s'opposer à notre inclination au mal. Dès l'édition I, les *Caractères* parlaient de « dehors contents, paisibles et enjoués qui nous trompent » (*De la Société et de la c.*, 40). Mais jusqu'ici La Bruyère ne voyait — ou feignait de ne voir — que ces apparences. « Il y en a peu qui gagnent à être approfondies », disait-il en 1688, mais seulement à propos des familles *(ibid.)*. A présent, il retrouve partout ce caractère fallacieux et illusoire.

R. Jasinski a raison d'écrire que « La Bruyère se met délibérément au centre de son œuvre » [20]. Il y paraît bien ici. Devant cette comédie humaine si décevante, il confie à son livre toutes ses aspirations contraires. Dans plusieurs remarques, sous la forme plaisante, perce la misanthropie. Ici il est question de « fuir de toute sa force et sans regarder derrière soi » (*De la Société et de la c.*, 27), là « de fuir à l'orient quand le fat est à l'occident » (*ibid.*, 29) [21]. Mais à côté de ces éclats, on retrouve le rêve de douceur et d'entente qui n'appartient pas moins au fonds de La Bruyère. L'évolution du chapitre *Du Cœur* est à cet égard révélatrice. Dans l'édition précédente, une large part était consacrée à des débats rappelant la préciosité. Ici, ces questions un peu vaines sont laissées de côté, il y a approfondissement de nouveau, et c'est à l'ordre de la charité que La Bruyère songe dans quelques très belles remarques: « Il vaut mieux s'exposer à l'ingratitude que de manquer aux misérables » (*Du Cœur*, 48). C'est l'idée d'accommodement, exprimée dès l'édition IV, qui se trouve développée ici. Curieusement, les contradictions de La Bruyère — tentation de fuir et accommodement, hostilité et élan vers autrui — éclatent parfois à l'intérieur d'une même série d'additions. Ainsi, juste avant la pensée très généreuse que nous venons de citer, dans la même édition V, La Bruyère insère une des remarques les plus dures de tout son livre: « Je ne sais si un bienfait qui tombe sur un ingrat, et ainsi sur un indigne, ne change pas de nom, et s'il méritait plus de reconnaissance » (*ibid.*, 46). Et cette dernière remarque, à son tour, vient dissiper un état d'âme tout contraire: « ... s'il est doux et naturel de faire du mal à ce que l'on hait, l'est-il moins de faire du bien à ce qu'on aime ? Ne serait-il pas dur et pénible de ne lui en point faire ? » (*ibid.*, 44). Aussi bien, à notre avis, ne s'agit-il ici de contradictions qu'en apparence. Il convient plutôt de voir dans cette tension et ces relâchements successifs les sautes d'humeur d'un idéaliste que le spectacle du monde afflige.

C'est bien un approfondissement qui distingue ces remarques de 1690. Que son regard se porte sur la cellule familiale, sur le cœur humain ou sur l'organisation sociale, toujours La Bruyère décompose et démonte des mécanismes bien huilés en apparence. « Les roues, les ressorts, les mouvements sont cachés; rien ne paraît d'une montre que son aiguille... » (*De la Cour*, 65). Mais précisément, le moraliste ne s'en tient pas ici aux apparences. Plus que jamais, son attitude ressemble à celle de Saint-Simon. Pour cette raison surtout, il nous est difficile de souscrire à la conclusion de P. Laubriet: « La genèse des *Caractères* nous paraît donc s'être faite en deux temps: une première étape en 1687, ... un second stade, celui de l'élaboration littéraire, entre la première et la quatrième édition [22]. » L'importance de la cinquième édition ne saurait être méconnue.

---

[20] R. Jasinski, p. 324.

[21] Sur cette tentation de fuir, cf. encore *Des Biens de f.*, 35, et dans *Des Jugements* 118, l'attitude d'Héraclite.

[22] P. Laubriet, *op. cit.*, p. 512.

Sixième édition (1691)

La « promesse sincère », faite l'année précédente, de ne plus rien ajouter à son livre, n'est pas tenue; et, dans la *Préface* de la nouvelle édition qui paraît en juin 1691, La Bruyère continue à jouer sur les mots. Le nombre de nouvelles remarques qu'il « avoue ingénument n'avoir pas eu la force de supprimer » n'est pas, comme il le dit, « très petit »: il s'élève à 74. Douze numéros des éditions antérieures sont complétés par l'adjonction d'alinéas nouveaux. Si l'on considère les chiffres, et en prenant à nouveau comme point de référence l'édition de 1688, on constate que, pour la première fois, les additions ne se répartissent plus sur l'ensemble des chapitres: 7 sont très peu remaniés, 2 ne sont pas modifiés du tout *(Du Cœur, De la Ville)*. Seuls, *Des Biens de fortune, De la Cour, Des Grands, Du Souverain ou de la République, Des Jugements, De la Mode, De quelques Usages* bénéficient d'augmentations appréciables. On a donc d'abord l'impression que sur les 16 chapitres du livre, 9 ont pratiquement trouvé leur forme définitive. En fait, il n'en est rien, et l'examen de l'édition VII permettra de surprendre un des procédés de composition de La Bruyère. Naturellement, il convient de ne pas accorder aux chiffres une importance excessive; les remarques ajoutées à tel chapitre, par leur qualité, peuvent avoir une importance qui dépasse largement celle de leur valeur numérique. Rappelons que, pour la première fois, les *Caractères* de Théophraste sont imprimés en caractères plus petits que ceux de La Bruyère. « Pour La Bruyère, Théophraste n'était qu'un prétexte, écrit R. Zuber, il ne tirait nulle gloire d'être son interprète[23].» Pour la première fois aussi, celui-ci sort de l'anonymat. En remplaçant. à la remarque 14 du chapitre des *Usages*, Geoffroy D** par Geoffroy de La Bruyère, l'auteur révèle son identité, qui du reste ne devait plus être un secret pour personne. Il est intéressant de noter que les proportions respectives des portraits, réflexions et maximes vont dans le sens d'une évolution toujours la même. Le nombre des maximes diminue encore fortement, au profit des portraits surtout. Un équilibre semble, ici encore, atteint: les nouvelles remarques se répartissent en effet de manière sensiblement égale entre les trois catégories. Les auteurs de clefs rivalisent d'ingéniosité: à plus de 60 % des remarques nouvelles ils attribuent des modèles précis. Si le succès des premières éditions, comme on l'a dit souvent, a été un succès de scandale, on peut dire qu'en 1691 plus que jamais, La Bruyère exploite la curiosité du public. Enfin, signalons que c'est dans cette édition que La Bruyère opère la plus importante des très rares suppressions qu'il ait jamais pratiquées dans son œuvre. Il s'agit de la remarque sur les favoris disgrâciés *(Du Souverain ou de la R., 19)* que l'auteur élimine soit par crainte de déplaire au roi, et donc par prudence, soit pour éviter de froisser Bussy-Rabutin, et ce serait là, bien plutôt, d'une grande délicatesse[24].

---

[23] R. Zuber, *Les « Belles Infidèles » et la formation du goût classique: Perrot d'Ablancourt et Guez de Balzac* (Paris: A. Colin, 1968), p. 158.

[24] Cf. sur ce point Servois, I, p. 379, n. 1 et pp. 554-557.

La sixième édition nous paraît intéressante à trois points de vue: la qualité et l'importance des portraits; la présence de l'auteur dans son œuvre; et enfin un idéal de sagesse qui se précise.

Les portraits constituent l'apport majeur de cette nouvelle édition. On y trouve en effet peu d'idées nouvelles. Les portraits, en revanche, sont parmi les mieux réussis de toute l'œuvre. C'est en 1691 qu'apparaissent *Giton* et *Phédon* (*Des Biens de f.*, 83), *Ménalque* (*De l'Homme*, 7), l'amateur de tulipes, l'amateur de prunes (*De la Mode*, 2), *Onuphre* (*ibid.*, 24), *Eustrate* (*ibid.*, 9), pour ne citer que ceux-là. Un point remarquable: le style des portraits, comparé à celui des réflexions et des maximes, a presque toujours plus de verve, d'élan et de mouvement. Comparez, par exemple, dans le chapitre *Des Grands*, les numéros 46 et 48. Là, une certaine lourdeur: « Celui qui protège ou qui loue la vertu pour la vertu, qui corrige ou qui blâme le vice à cause du vice, agit simplement, naturellement, sans aucun tour, sans nulle singularité, sans faste, sans affectation... »; ici, tout est vie: « *Théognis* est recherché dans son ajustement, et il sort paré comme une femme; il n'est pas hors de sa maison, qu'il a déjà ajusté ses yeux et son visage... Marche-t-il dans les salles, il se tourne à droit, où il y a un grand monde, et à gauche, où il n'y a personne; il salue ceux qui y sont et ceux qui n'y sont pas. » Cette différence dans le style est très fréquente (voyez par exemple encore, au même chapitre, les numéros 2 et 15). Dans ces portraits si bien enlevés, il y a comme une invitation de La Bruyère à sourire avec lui de la comédie humaine. Dans les réflexions et les maximes, il y a davantage de tension, l'auteur apparaît avec ses plis amers. Ainsi se dégage la principale différence entre les portraits et les autres tours que La Bruyère a choisi de donner à sa pensée. Dans les portraits, on trouve un art plus élaboré. Par là même, tout en l'observant de très près, La Bruyère parvient à se dégager d'une décevante réalité. Le personnage qu'il dépeint s'anime d'une vie qui lui est propre. Sans doute, il est d'abord imitation du réel. Mais ensuite, vivant de sa vie autonome, il rend au peintre l'inestimable service de lui faire oublier le modèle pitoyable qui lui a donné naissance. Il y a, à coup sûr, une part de jeu dans la création de La Bruyère. Lanson parlait à son sujet des « excentricités de dessinateur en gaieté »[29]. Il se divertit du personnage qui prend vie sur le papier. De là viennent les fréquentes charges très nettes, par exemple dans *Ménalque* (*De l'Homme*, 7). Le portrait sauve le peintre de la réalité médiocre en se substituant à elle. Voilà pourquoi le pessimisme de La Bruyère éclate rarement dans ses descriptions de personnages. Parce qu'ils sont la réalité transfigurée, La Bruyère parvient à s'accorder avec eux. En revanche, dans les réflexions et les maximes, ce détachement n'a pas lieu. Ces formes-là font corps avec le réel. L'artiste ne parvient pas à se dégager du monde dans lequel il est plongé, son art colle davantage à ce qui l'entoure. Ainsi s'explique le fait qu'on trouve moins de résignation et d'allant dans les réflexions et les maximes, et que c'est en elles que le pessimisme de La Bruyère tend à se déposer. Cependant, cette opposition n'a rien de systématique. Ainsi, dans les additions au chapitre

---

[25] G. Lanson, *Histoire de la littérature française*, remaniée et complétée pour la période 1850-1950 par Paul Tuffrau (Paris: Hachette, 1951), p. 609.

des *Usages*, le thème assez sombre de la relativité et de la fragilité de toutes choses est traité dans une série de réflexions dont le ton est dans l'ensemble détaché (3, 39, 53).

Plusieurs de ces portraits donnent lieu à des observations particulières. Sur *Ménalque* on dispose de témoignages concordants qui renseignent sur la manière de La Bruyère. Brillon écrit dans ses *Sentiments critiques* (p. 367): « On est persuadé que dans l'ébauche il représentoit quelqu'un. L'auteur, qui craignoit qu'on ne reconnût l'original, a grossi les traits, chargé les couleurs, et a si fort défiguré la copie, qu'elle ne ressemble à personne. » Ce serait donc à dessein que La Bruyère a rendu *Ménalque* méconnaissable. L'abbé de Fleury, le successeur de La Bruyère à l'Académie, laisse entendre que l'écrivain a recouru ailleurs au même procédé. Il parle en effet de « peintures quelquefois chargées exprès pour ne pas les faire trop ressemblantes » [26].

Le portrait de *Pamphile* (*Des Grands*, 50) présente, pour sa part, une caractéristique curieuse. Dans l'édition IV, il était question de *Pamphile*, c'est-à-dire d'un personnage nettement individualisé. Dans l'édition VI, au paragraphe qui vient s'ajouter à ce « caractère », il s'agit d'abord d'« un Pamphile ». Son individualité paraît donc s'estomper, bien qu'il soit encore décrit comme un original facilement reconnaissable. Enfin, dans la dernière phrase, on passe tout à coup à « les Pamphiles », et plus tard, dans l'édition VII, c'est ce pluriel qui reviendra. On croit saisir ici sur le vif le dessein bien arrêté de La Bruyère de conférer à sa peinture d'individus précis la portée la plus générale possible.

Enfin, le portrait d'*Onuphre* (*De la Mode*, 24) illustre bien l'indépendance de La Bruyère à l'égard de ses modèles. Il n'hésite pas ici à critiquer et à corriger Molière lui-même. Dans l'édition V, il avait déjà, avec *Timon*, retracé le portrait d'Alceste (*De l'Homme*, 155). Cette fois, il refait Tartuffe, et la critique est beaucoup plus sévère et fouillée. G. Michaut observe que « la perspective du livre n'est pas celle de la scène » et que « les traits plus appuyés de Molière n'échappent pas au spectateur, à qui échapperaient les traits si fins de La Bruyère. C'est l'opposition du miniaturiste et du peintre de fresques » (*La Bruyère*, p. 114). Cette façon de voir est aussi celle d'E. Auerbach, mais a récemment été ingénieusement discutée par R. Garapon [27]. Quoi qu'il en soit, il est réconfortant de voir ce même La Bruyère,

[26] *Recueil des harangues prononcées par Messieurs de l'Académie*, éd. de 1714, tome IV, p. 71.

[27] Voici les deux points de vue: « Dans *Tartuffe* comme dans beaucoup d'autres pièces, on voit que Molière « typifie » bien moins que les moralistes de son siècle, qu'il saisit bien plus que ceux-ci le réel dans sa particularité... Il cherche l'effet scénique, son génie est plus vif et plus libre que celui des moralistes; la technique pointilliste de La Bruyère, qui compose le type moral pur par une accumulation de qualités et d'anecdotes, est inapplicable à la scène » (E. Auerbach, *Mimésis*, trad. franç. de C. Heim [Paris: Gallimard, 1968], p. 367). — « Que dirait-on si, au lieu de vouloir en remontrer à Molière, La Bruyère avait surtout cherché, en multipliant les références à *Tartuffe*, à se prémunir contre l'accusation d'outrepasser les droits du moraliste? En 1691 comme en 1664, il pouvait être périlleux de dénoncer la fausse dévotion. A tous ceux qui lui reprocheraient de donner dans une satire indiscrète, il lui était alors facile de répondre qu'il s'était seulement exercé à une sorte de joute littéraire ! » (R. Garapon, « Perspectives d'étude sur La Bruyère », *L'Information littéraire*, XVII [1965], p. 50). — Pour d'autres compa-

accusé si souvent d'hériter d'une manière toute passive des thèmes et des personnages de ses prédécesseurs, passer Tartuffe au crible d'un jugement critique constamment en éveil.

Cette indépendance d'esprit marque peut-être, de la part de l'auteur, une confiance plus solide en la valeur de sa propre pensée. Aussi bien fait-il ici allusion, pour la première fois, à la « postérité » *(Préface)*. Il continue à se mettre en scène, et le ton, là encore, est plus assuré: « Petits hommes, hauts de six pieds, tout au plus de sept... approchez... répondez un peu à *Démocrite* » (*Des Jugements*, 119). Ce n'est plus le *Démocrite* ou l'*Héraclite* de naguère, prêt à abandonner la partie (*ibid.*, 21 et 118). Cette fois, il fait face et s'érige en juge sarcastique: « J'entends corner sans cesse à mes oreilles: « L'homme est un animal raisonnable.» Qui vous a passé cette définition? » On dira qu'il s'agit d'une simple variation stylistique. Nous ne le pensons pas. La tentation de fuir était très caractéristique dans l'édition V. Il n'en est plus question maintenant. Sans doute, par deux fois, La Bruyère parle de « dégoût » (*De la Cour*, 84 et 101). Mais dans l'ensemble, l'attitude est plus ferme. Il préfère condamner le monde plutôt que de lui tourner le dos.

Aussi bien, plus que jamais les *Caractères* ressemblent à une croisade. C'est au fait que La Bruyère, d'un bout à l'autre de sa vie, est resté un homme mal résigné qu'on doit les augmentations annuelles de son livre. Il repart en guerre contre « la pépinière intarissable de directeurs » (*Des Femmes*, 42). Il est à l'affût de tous les abus qui prennent de l'ampleur. La fausse dévotion gagne du terrain: il se remet rageusement en campagne (*Des Femmes*, 43; *De la Mode*, 24). L'actualité politique est scrutée de près, et Guillaume d'Orange, après le congrès de La Haye, est de nouveau foudroyé (*Des Jugements*, 119). Bien entendu, les adversaires de toujours ne sont pas épargnés: la guerre, l'orgueil et l'absurde, toujours dans la diatribe de *Démocrite*; l'injustice (*De quelques Us.*, 52); les grands, malmenés en particulier dans ces lignes très fortes: « A la cour, à la ville, mêmes passions, mêmes faiblesses, même petitesses, mêmes travers d'esprit... Ces hommes si grands ou par leur naissance, ou par leur faveur, ou par leur dignités, ces têtes si fortes et si habiles, ces femmes si polies et si spirituelles, tous méprisent le peuple, et ils sont peuple » (*Des Grands*, 53).

Mais la présence de l'auteur dans son œuvre ne se borne pas à cela. Traditionnellement, on considère que dans son conseil à un « auteur né copiste », quand il parle de « ceux qui écrivent par humeur », c'est lui-même qu'il désigne ainsi (*Des Ouvrages de l'e.*, 64). Toutefois, on peut observer qu'aucun des tenants de cette interprétation n'a jamais apporté de preuves à l'appui de ses dires. La Bruyère est toujours un homme mal résigné, nous venons encore de le voir. Cependant, le travail du style, l'attention accordée à la finition, jouent chez lui un si grand rôle qu'on ne peut pas être sûr absolument qu'il se considère au nombre de ces écrivains « que le cœur fait

raisons entre Tartuffe et *Onuphre*, on pourra consulter: J. Vianey, « Molière, modèle de La Bruyère dans l'art du portrait », dans: *Mélanges Louis Arnould* (Poitiers: Société française d'imprimerie et de librairie, 1934), pp. 84-94; Aublé, « Parallèle entre l'Onuphre de La Bruyère et le Tartuffe de Molière », *Mém. Soc. Seine-et-Oise*, VII (1866), 129-141.

parler, à qui il inspire les termes et les figures, et qui tirent, pour ainsi dire, de leurs entrailles tout ce qu'ils expriment sur le papier ». « L'auteur né copiste » est une allusion, il est vraisemblable de le penser, tout comme, dans le même chapitre, les remarques adressées aux *Zélotes* (21) ou à *Théocrine* (25). Cependant, les éditeurs les mieux informés ne savent au juste si le conseil de La Bruyère s'adresse à l'abbé de Villiers, au P. Bouhours ou à Brillon [28]. Dans ces conditions, comment affirmer avec certitude que dans la suite de la remarque, c'est bien lui-même que l'écrivain dépeint? Cela est fort possible, répétons-le. Mais il n'est pas exclu que ces lignes aient été inspirées à La Bruyère par la plate imitation d'un ouvrage qui n'était pas le sien. Il serait vain alors de voir dans cette remarque un jugement de l'auteur sur son tempérament d'écrivain.

En revanche, il y a dans cette édition des passages où la personnalité du moraliste paraît bien mieux se livrer. On le devine très sensible à la fragilité de tous les attachements: « il n'y a personne au monde si bien liée avec nous de société et de bienveillance, qui nous aime, qui nous goûte... qui n'ait en soi, par l'attachement à son intérêt, des dispositions très proches à rompre avec nous, et à devenir notre ennemi » (*Des Biens de f.*, 59). La remarque 52 du chapitre des *Usages* trahit une préoccupation du même ordre. Elle est célèbre surtout à cause de l'affirmation généreuse: « Un innocent condamné est l'affaire de tous les honnêtes gens. » Mais on pressent, là encore, une conscience particulièrement aiguë de la relativité, de l'instabilité de toutes choses: « Je dirai presque de moi: « Je ne serai pas voleur ou meurtrier. » — « Je ne serai pas un jour puni comme tel », c'est parler bien hardiment. » Mais ce sont des passages où la première personne n'est même pas toujours employée qui nous semblent les plus révélateurs, comme au numéro 56 du chapitre *Des Jugements*. Là nous avons affaire à un La Bruyère qui s'interroge sur les êtres au lieu de ne voir que leurs ridicules; à un homme sensible au mystère d'autrui, qui ne condamne pas, mais qui est surpris, et capable, surtout, de communiquer sa surprise: « Il y a dans le monde quelque chose, s'il se peut, de plus incompréhensible... Voulez-vous quelque autre prodige... Il manquerait un trait à cette peinture si surprenante... » Au lieu de trancher, il nous invite à mieux regarder les hommes, à percevoir au-delà des apparences, la part de l'insondable. Même attitude au numéro 37 de ce chapitre: « Je ne sais s'il est permis de juger des hommes... » L'auteur d'ordinaire si catégorique, ici encore, préfère douter. Et ce n'est pas sans plaisir qu'on découvre dans ce censeur si rigoureux une âme capable d'un essentiel étonnement.

Enfin, il nous semble qu'il y a dans l'édition de 1691 un certain élargissement de la pensée. Non que La Bruyère y formule une théorie sur l'homme: cela ne lui arrivera jamais. Mais la réflexion a un caractère plus général; une conception d'ensemble sur la nature humaine se forme, en même temps que les dernières illusions s'évanouissent. « ...Peut-être que les affligés ont tort. Les hommes semblent être nés pour l'infortune, la douleur et la pauvreté; peu en échappent » (*De l'Homme*, 23). Sous les dehors si variés, le

---

[28] Cf. Servois, I, pp. 431-435.

fond des hommes est partout le même (*Des Grands*, 53). Ce pessimisme n'est guère nouveau, nous ne nous y arrêterons pas. Ce qui frappe ici davantage, c'est l'insistance sur la raison, mot-clé dans cette édition. « Un homme sage... veut que la raison gouverne seule et toujours »: voilà pratiquement tout ce qui est ajouté au chapitre du *Cœur* (71). Les portraits des différents « curieux » (*De la Mode*, 2) sont autant de variations autour d'un thème annoncé dès le début, à propos de l'amateur de tulipes: « Cet homme *raisonnable*, qui a une âme, qui a un culte et une religion, revient chez soi fatigué, affamé, mais fort content de sa journée: il a vu des tulipes. » La longue harangue de *Démocrite*, on l'a vu, s'en prend à de prétendus « animaux raisonnables » (*Des Jugements*, 119). Les additions très nombreuses au chapitre *De la Mode* dénoncent toutes « notre légèreté » (15): c'est formuler les mêmes critiques en changeant les termes. Il ne s'agit pas d'une dénonciation purement négative. Une morale de l'effort est pour la première fois proposée, dans laquelle il s'agit d'« être continuellement aux prises avec soi-même » (*De l'Homme*, 42). Il faut résister à tout ce qui aliène le cœur et l'esprit. L'aliénation est précisément le danger le plus grave dans la vie de cour. « Un homme qui vient d'être placé ne se sert plus de sa raison et de son esprit pour régler sa conduite et ses dehors à l'égard des autres; il emprunte sa règle de son poste et de son état... » (*De la Cour*, 51; cf. aussi 22). Ainsi se dessine un idéal de sagesse, que La Bruyère appelle déjà « philosophie », qui « nous exempte de désirer, de demander, de prier, de solliciter, d'importuner et qui nous sauve même l'émotion et l'excessive joie d'être exaucés » (*Des Jugements*, 69). La critique presque systématique de tout ce qu'il y a en l'homme de déraisonnable a pour contrepartie un idéal où l'indépendance joue un rôle essentiel. Au lieu de nous détourner de nous, « sachons perdre dans l'occasion » (*Des Grands*, 51) et abandonner la grandeur à ceux qui en ont fait leur raison d'être. Alors, tel homme en place, tel ministre, « je ne le hais plus, je ne lui porte plus d'envie; il ne me fait aucune prière, je ne lui en fais pas; nous sommes égaux, si ce n'est peut-être qu'il n'est pas tranquille, et que je le suis ». Les attaques, déjà notées, contre les « directeurs » ne sont qu'une autre manière d'exalter l'indépendance. Le « goût de la solitude », dont il était question dès 1688, se trouve du même coup confirmé: « La ville dégoûte de la province; la cour détrompe de la ville, et guérit de la cour » (*De la Cour*, 101). Ainsi — nouvel et dernier élément d'équilibre dans cette édition — tout en poursuivant l'analyse des faiblesses de l'homme, La Bruyère tente de construire une sagesse. L'indépendance qu'il prône ne se limite pas aux biens matériels, elle doit s'étendre aux choses de l'esprit. Dans cette voie, nous l'avons vu, il donne lui-même l'exemple, en s'affranchissant de l'autorité de Molière. Dans un remarquable passage sur « l'étude des textes », il exhorte les lecteurs à écarter la « fastueuse érudition » des commentateurs: « Ayez les choses de la première main; puisez à la source » (*De quelques Usages*, 72). Il donne l'impression, à maintes reprises, d'attribuer à notre goût pour la société, pour les jugements, pour les modes d'autrui, toute notre légèreté, et d'assimiler la parfaite raison à l'indépendance de l'esprit.

Septième édition (1692)

A lire les additions que La Bruyère apporte à son ouvrage en 1692, on se demande si son livre n'avait pas déjà trouvé, dans l'édition précédente, sa forme définitive. Le nombre des remarques nouvelles est pratiquement le même dans les deux cas: 74 en 1691 et 76 l'année suivante (9 numéros sont complétés). Mais alors que la sixième édition, par la valeur des portraits et l'exposé de plusieurs idées maîtresses, représente un apport important et original, la septième donne assez souvent une impression de déjà vu. Elle consiste, pour une large part, à reprendre des observations anciennes, et à les reformuler parfois avec moins de bonheur. Il est pourtant juste d'ajouter que l'insistance avec laquelle l'auteur revient sur certains thèmes présente l'intérêt considérable de nous aider à mieux saisir les aspects essentiels de sa pensée.

Pour la première fois, on assiste à un renversement de la tendance dans la répartition entre les diverses catégories. La proportion des portraits, qui n'avait cessé d'augmenter, diminue fortement (15% environ), pendant que les maximes connaissent un regain de faveur (un peu plus de 50%), les réflexions représentant toujours près d'un tiers des additions. Ce sont surtout les chapitres très peu retouchés l'année précédente qui sont augmentés cette fois: *Des Femmes, Du Cœur, De la Ville, Des Esprits forts. De la Chaire* acquiert sa véritable signification, que M. Truchet a analysée avec précision [29]. D'autres chapitres, que La Bruyère n'avait cessé de développer jusque-là, ne sont plus que faiblement complétés *(Des Grands, Des Biens de fortune)*. On peut donc, non sans un peu de bonne volonté, estimer que l'écrivain a soin, dans cette édition, de donner un certain équilibre à son œuvre. Mais le souci des proportions n'a jamais dû lui tenir fortement à cœur: il continuera à gonfler jusqu'à la fin le chapitre *Des Jugements*, véritable élément de démesure, au même titre que *De l'Homme*. Enfin, l'examen des clefs montre que 32% seulement des numéros nouveaux ont fait les délices des médisants (contre 62% l'année précédente).

Bien que l'édition VII présente un certain nombre de portraits nouveaux — *Ménippe, Lise, Zélie*, entre autres [30] — La Bruyère se contente souvent d'apporter des retouches à ses créations les plus célèbres, comme *Ménalque (De l'Homme,* 7), *Pamphile (Des Grands,* 50), *Onuphre (De la Mode,* 24). Il a tendance à se tourner vers le passé; c'est ainsi qu'il fait le portrait du Grand Condé six ans après la mort de celui-ci *(Du Mérite p.,* 32). Son inspiration paraît s'épuiser: *Des Jugements* 61 n'est qu'une nouvelle version d'*Eustrate (De la Mode,* 9); *De quelques Usages* 40 est une peinture édulcorée de *Giton (Des Biens de f.,* 83); *De la Chaire* 23 reprend « C'est un métier que de faire un livre... » *(Des Ouvrages de l'e.,* 3). Bien souvent, il y a un retour à des thèmes ou à des personnages déjà très familiers: la vanité *(Des Jugements,* 80), la fausse dévotion *(Des Femmes,* 44), les directeurs *(ibid.,* 36), la vie de cour *(De la Cour,* 8 et 33). Même absence d'innovations

---

[29] J. Truchet, «Place et signification du chapitre «De la Chaire» dans les *Caractères* de La Bruyère », *L'Information littéraire*, XVII (1965), 93-101.

[30] *Du Mérite*, p. 40; *Des Femmes*, 8; *De la Mode*, 25.

dans les procédés. Certaines additions sont assurément de grandes réussites artistiques, comme le portrait de *Lise*, qu'on ne peut résister au plaisir de rappeler :

Lise entend dire d'une autre coquette qu'elle se moque de se piquer de jeunesse, et de vouloir user d'ajustements qui ne conviennent plus à une femme de quarante ans. Lise les a accomplis ; mais les années pour elle ont moins de douze mois, et ne la vieillissent point : elle le croit ainsi, et pendant qu'elle se regarde au miroir, qu'elle met du rouge sur son visage et qu'elle place des mouches, elle convient qu'il n'est pas permis à un certain âge de faire la jeune, et que *Clarice* en effet, avec ses mouches et son rouge, est ridicule (*Des Femmes*, 8).

Mais *Du Souverain ou de la R.* 29 (le berger et le peuple), et *De la Ville* 21 (la ville et la campagne) présentent le même procédé d'antithèse un peu facile. On peut trouver aussi que La Bruyère abuse des définitions [31], en particulier lorsqu'il aboutit à des énoncés assez fades : « La liberté n'est pas oisiveté ; c'est un usage libre du temps, c'est le choix du travail et de l'exercice » (*Des Jugements*, 104). Cependant, c'est en 1692 que l'auteur donne sa définition à juste titre la plus célèbre : « Un dévot est celui qui sous un roi athée serait athée » (*De la Mode*, 21). Enfin, les confidences de l'auteur sont toujours du même ordre. Il revient sur le mérite personnel (*De la Chaire*, 27) et cède à son pessimisme : « Le monde est plein d'Euthyphrons » (*De la Société et de la c.*, 24). Mais il s'agit cette fois d'un pessimisme radical. De là l'allusion à un mépris qui est certainement le sien : « Qui méprise la cour, après l'avoir vue, méprise le monde » (*De la Cour*, 100 ; cf. aussi 59, 61, 73).

Les thèmes nouveaux sont intéressants mais peu nombreux. Dans la longue réflexion sur l'évolution du vocabulaire, La Bruyère manie les mots avec l'amour d'un artisan pour ses outils. Cet « essai » ne porte d'ailleurs pas seulement sur un point de linguistique : c'est, d'une manière plus générale, une très fine analyse de l'usage dans ses rapports avec la raison (*De quelques Us.*, 73). Les considérations sur l'organisation de la société gagnent en profondeur. Avec beaucoup de lucidité, l'auteur note la montée de la bourgeoisie (*Des Grands*, 24), définit le despotisme (*Du Souverain ou de la R.*, 4), met en garde le roi contre les théories des légistes (*ibid.*, 28). Ainsi, il se détourne de l'actualité immédiate et essaie de saisir les grands courants de l'histoire contemporaine. Toutefois il conserve, en politique, des vues assez paternalistes, et son idéal — affection réciproque du peuple et du prince — relève peut-être davantage de sa nostalgie d'un âge d'or que du réalisme (*ibid.*, 26, 29, 31). Un autre thème, assez rare au XVIIe siècle pour mériter d'être relevé, est celui de la nature : « Il n'y a si vil praticien, qui, au fond de son étude sombre et enfumée, et l'esprit occupé d'une plus noire chicane, ne se préfère au laboureur, qui jouit du ciel, qui cultive la terre, qui sème à propos, et qui fait de riches moissons ; et s'il entend quelquefois parler des premiers hommes ou des patriarches, de leur vie champêtre et de leur économie, il s'étonne qu'on ait pu vivre en de tels temps, où il n'y avait encore ni offices, ni commissions, ni présidents, ni procureurs ; il ne com-

---

[31] Cf. *Du Cœur*, 47 ; *Des Biens de f.*, 49 ; *Du Souverain ou de la R.*, 27 ; *Des Jugements*, 55.

prend pas qu'on ait jamais pu se passer du greffe, du parquet et de la buvette » (*De la Ville*, 21). Ailleurs, la sagesse (que l'auteur, en vrai moraliste, s'empresse d'oublier) est déjà toute rousseauiste : « Le monde est pour ceux qui suivent les cours ou qui peuplent les villes ; la nature n'est que pour ceux qui habitent la campagne : eux seuls **vivent**, eux seuls du moins connaissent qu'ils vivent » (*Des Jugements*, 110).

Voilà presque les deux seuls moments, dans les *Caractères*, où nous sortons du cadre étroit de la cour et de la ville : brèves échappées. Il y en a pourtant une autre, mais qui reste, elle aussi, à l'état d'évocation vague. La Bruyère y parle, précisément, d'aller au-delà de son univers familier, où « le commerce du monde et la politesse donnent les mêmes apparences » : « Celui au contraire qui se jette dans le peuple ou dans la province y fait bientôt, s'il a des yeux, d'étranges découvertes, y voit des choses qui lui sont nouvelles, dont il ne se doutait pas, dont il ne pouvait avoir le moindre soupçon : il avance par des expériences continuelles dans la connaissance de l'humanité » (*De l'Homme*, 156). La fin du passage — « il calcule presque en combien de manières différentes l'homme peut être insupportable » — laisserait entendre que La Bruyère a tenté ces « expériences ». Il n'y paraît pas dans son livre. Ainsi, la nature et le peuple, domaines neufs aux vastes perspectives, apparaissent un instant comme une tentation. Mais La Bruyère était trop homme de lettres de son siècle pour s'aventurer longtemps hors de Versailles et de Paris.

Il semble, d'après tout ce qui précède, que l'édition VII apporte passablement de redites et peu d'éléments nouveaux. Toutefois, si l'on examine de près les additions de 1692, on constate que presque toutes s'ordonnent autour de quelques thèmes essentiels. Par là, les idées maîtresses, déjà ébauchées dans les éditions antérieures, gagnent du poids, et une pensée ferme se constitue.

Ainsi, au premier regard, les additions au chapitre *Des Femmes* paraissent bien frivoles. On se demande si la description des coquettes (7, 8, 33), de la prude (48), de la femme volage (73) ne sont pas des « trouvailles » un peu faciles, qui marquent un appauvrissement de l'inspiration. C'est oublier, peut-être, l'élément essentiel. Tous ces personnages veulent « paraître selon l'extérieur contre la vérité » (5), et c'est le thème de la « menterie » (5) qui est développé dans chacune de ces remarques. C'est beaucoup moins aux femmes que le moraliste s'en prend qu'à la fausseté : « Il y a une fausse modestie qui est vanité, une fausse gloire qui est légèreté, une fausse grandeur qui est petitesse, une fausse vertu qui est hypocrisie, une fausse sagesse qui est pruderie » (48). Nous ne cherchons pas à prêter à tout prix à La Bruyère un corps d'idées fermes et cohérentes. Mais ici, par exemple, les personnages ne sont que des prétextes. La Bruyère poursuit son combat contre les faux semblants et les parades. Il est très significatif que cette sévérité à l'égard des femmes éclate, brusquement, dans l'édition de 1692. Rien ne l'a annoncée dans les éditions précédentes. Mais la lutte contre les travestissements et l'artifice, l'écrivain l'a entreprise du jour où il a pris la plume. C'est dans l'édition VII qu'apparaît la forte expression d'« homme vrai » (*Du Mérite p.*, 32). Voilà une des véritables clefs des *Caractères* : la description d'un personnage se fait toujours par référence à cet idéal.

Dans un passage remarquable, La Bruyère analyse en détail les processus par lesquels la volonté vient à s'incliner et la personnalité à abdiquer devant une personnalité plus forte (*Du Cœur*, 71). *Troïle* n'est pas seulement le portrait d'un parasite: c'est tout autant celui du malheureux maître de maison qui se laisse gouverner (*De la Société et de la c.*, 13). En maint autre endroit, La Bruyère revient au thème de l'indépendance de l'esprit, qui paraît occuper maintenant une place centrale dans sa pensée (*Du Mérite p.*, 11; *Des Jugements*, 110).

Enfin, il consacre tous ses soins à consolider le chapitre *Des Esprits forts*, augmenté dans des proportions considérables. Ironie, dialectique serrée, arguments scientifiques, emprunts à Pascal: il semble avoir voulu réunir dans ces additions un faisceau de preuves doublement irréfutables, par la valeur propre de chacune d'elles, et par la variété qui résulte de cette juxtaposition (18, 22, 43-45, 47-49). Ph. A. Wadsworth écrit très justement: « Ainsi, après un développement peu marqué dans les 4e, 5e et 6e éditions, l'auteur reprend maintenant ses attaques contre les libertins avec vigueur nouvelle... Quelles étaient les raisons de cette nouvelle campagne? D'une part, sans doute, la grande vague de découvertes scientifiques, que La Bruyère a exploitée, mais dans laquelle il a vu un danger pour la religion. Car à ce moment-là, les revues scientifiques se multipliaient, de même que les controverses dans le domaine de l'exégèse biblique, les études sur la valeur des oracles et des miracles... Une autre raison, sans aucun doute, était le progrès de la « fausse dévotion », sous un roi devenu excessivement pieux dans ses dernières années [32]. » Il est à remarquer que la véritable conclusion du livre — car le dernier numéro du chapitre est un « épilogue », qu'au XVIIe siècle on distinguait d'ailleurs toujours par la typographie — sont ces lignes datant de 1692: « Les extrémités sont vicieuses, et partent de l'homme: toute compensation est juste, et vient de Dieu » (49). (Réflexion, soit dit en passant, d'un accent tel qu'elle paraît à elle seule résoudre le problème de la sincérité de La Bruyère en matière de religion).

Ainsi, le bilan de cette édition semble d'abord assez négligeable; mais en dernière analyse, elle est bien davantage qu'une simple mise au point.

Huitième édition (1694)

Le 16 mai 1693 La Bruyère est élu à l'Académie. En juin de la même année, il prononce son fameux *Discours de réception* qui provoque une levée de boucliers. De juin 1693 date aussi l'article injurieux que le parti des Modernes fait insérer dans le *Mercure galant*. On y lit, par exemple: « L'ouvrage de M. de la Bruyère ne peut être applé livre, que parce qu'il a une couverture et qu'il est relié comme les autres livres... Rien n'est plus aisé que de faire trois ou quatre pages d'un portrait, qui ne demande point d'ordre, et il n'y a point de génie si borné qui ne soit capable de coudre ensemble quelques médisances de son prochain et d'y ajouter ce qui lui paroît capable

---

[32] Ph. A. Wadsworth, *op. cit.*, pp. 231-232.

de faire rire. Ainsi il n'y a pas lieu de croire qu'un pareil recueil, qui choque les bonnes mœurs, ait fait obtenir à M. de la Bruyère la place qu'il a dans l'Académie... Il a dit qu'elle ne lui avait coûté aucunes sollicitations, aucune démarche, quoiqu'il soit constant qu'il ne l'a obtenue que par les plus fortes brigues qui aient jamais été faites. » Nouvelle polémique au sujet de la publication du *Discours*, intrigues et procès. Assurément La Bruyère goûtait peu tout cet « ail de basse cuisine », ces petitesses dont les écrivains sont si prodigues entre eux. Il se jette dans la polémique avec une énergie farouche, et il a dû prendre cette affaire à peu près comme Alceste son procès. Auteur d'un seul ouvrage, dans lequel, peu à peu, il a glissé toutes ses idées, tous ses sentiments, toute son expérience, son livre a fini par mieux être lui que lui-même. Son énergie à se défendre a quelque chose d'émouvant par l'extrême sérieux, l'ardeur presque trop grande avec lesquels il se bat, et ses gestes un peu démesurés. Les dimensions de l'affaire n'exigeaient peut-être pas un engagement si entier. Mais il protège un bien qui lui est sans nul doute aussi précieux que la vie. Cet acharnement lui vaut d'être vainqueur sur toute la ligne. Son *Discours*, fait exceptionnel, est édité, dès 1693, par deux libraires différents. En 1694, il n'est pas encore apaisé. « Vos portraits ressemblent à de certaines personnes... [Ceux de Théophraste] ne ressemblent qu'à l'homme », avait dit Charpentier en recevant notre auteur à l'Académie. La Bruyère répond à ce parallèle désobligeant en reprenant sa *Préface*. Il rappelle hautement que son « plan » a bien été de « peindre les hommes en général ». Et de faire hardiment allusion à « l'ordre des chapitres » et à « une certaine suite insensible des réflexions qui les composent ». (Bien des commentateurs trouvent que, sur ce dernier point, La Bruyère exagère. Il faut reconnaître qu'il n'avait jamais auparavant parlé de cet « ordre ». Ici, il s'agit d'un plaidoyer *pro domo*. Cela diminue assurément la valeur de l'argumentation). En outre, il ajoute son *Discours* à la nouvelle édition des *Caractères*, et encore une *Préface* à ce *Discours*, le tout polémique à souhait, pour bien perpétuer la vilenie des *Théobaldes* (entendez des Fontenelle, des Thomas Corneille, des Donneau de Visé). Les accents polémiques sont donc un premier caractère qui frappent dans l'édition de 1694 (voir encore *Des Ouvrages de l'e.*, 24; *De la Société et de la c.*, 75). Nous ne nous y arrêterons pas parce que toutes les polémiques, avec le temps, se ternissent, et que les qualités que La Bruyère met au service de sa cause ne sont autres que celles que nous lui connaissons depuis 1688. Peut-être, d'ailleurs, La Bruyère n'a-t-il réellement qu'une arme unique qui est l'ironie; mais il la manie de mille façons diverses, tel un maître d'armes son épée.

Cette huitième édition n'enrichit le livre que de 47 numéros nouveaux. (Trois des anciennes remarques sont complétées.) La proportion des maximes diminue de nouveau (environ 45 %) au bénéfice des portraits (à peu près 30 %), la part des réflexions restant plus ou moins constante (25 %). Les clefs n'« identifient » que 25 % de prétendus modèles. Quatre chapitres seulement (si l'on prend comme référence l'édition I) sont augmentés d'une manière appréciable: *De la Ville*, *Du Souverain ou de la République*, *Des Jugements*, *De quelques Usages*.

Une dizaine de personnages viennent se joindre à la « comédie » de La Bruyère, pour reprendre le terme d'Ed. Fournier. Ces nouveaux venus frappent par leur diversité et leur perfection artistique. *Théonas* approche certainement de ce que La Bruyère a fait de meilleur en ce genre: l'équilibre entre les éléments concrets et la signification morale, entre la condensation trop grande de la formule lapidaire et le portrait-inventaire à la manière de *Ménalque*, confèrent à cette peinture une rare puissance suggestive:

> *Théonas*, abbé depuis trente ans, se lassait de l'être. On a moins d'ardeur et d'impatience à se voir habillé de pourpre, qu'il en avait à porter une croix d'or sur sa poitrine, et parce que les grandes fêtes se passaient toujours sans rien changer à sa fortune, il murmurait contre le temps présent, trouvait l'Etat mal gouverné, et n'en prédisait rien que de sinistre. Convenant en son cœur que le mérite est dangereux dans les cours à qui veut s'avancer, il avait enfin pris son parti, et renoncé à la prélature, lorsque quelqu'un accourt lui dire qu'il est nommé à un évêché. Rempli de joie et de confiance sur une nouvelle si peu attendue: «Vous verrez, dit-il, que je n'en demeurerai pas là, et qu'ils me feront archevêque» (*De la Cour*, 52).

« Comédie aux cent actes divers », aussi. Jusqu'à la fin, La Bruyère note de nouveaux travers. C'est *Irène* qui se croit immortelle (*De l'Homme*, 35), *Antagoras* le plaideur, « vieil meuble de ruelle » (*ibid.*, 125), le charlatan *Carro Carri* (*De quelques Us.*, 68), *Arrias*, l'homme universel (*De la Société et de la c.*, 9). Tous ces portraits se distinguent encore par la précision du coup de pinceau, la « présence » du personnage: Cydias-Fontenelle, « après avoir toussé, relevé sa manchette, étendu la main et ouvert les doigts, débite gravement ses pensées quintessenciées et ses raisonnements sophistiqués » (*ibid.*, 75). Il est intéressant de voir La Bruyère donner, précisément cette année, la définition: « tout écrivain est peintre, et tout excellent écrivain excellent peintre» (*Préface* du *Discours à l'Académie*). Le portrait d'*Arthénice* fait oublier bien des sévérités de l'édition précédente (*Des Jugements*, 28). Il nous confirme dans la pensée que la misogynie de l'auteur est plus apparente que réelle (voir *supra*, édition VII). *Arthénice* paraît à certain égards une idéalisation. Cependant, dans le même chapitre, la même année, l'amertume de La Bruyère éclate encore: «Le monde ne mérite point qu'on s'en occupe » (75). Les *Caractères* sont le livre d'un homme trompé par le monde.

L'ensemble de ces remarques donne plus de force à la pensée de La Bruyère. Il se plaît à mettre l'accent sur la futilité de presque toutes nos occupations, sur l'éclat trompeur des biens auxquels les hommes consacrent leur vie. Le symbole de ces valeurs fausses, plus que la cour, est ici l'argent. Ce n'est pas seulement dans le chapitre *Des Biens de fortune* que cette idolâtrie moderne est dénoncée. *Du Souverain ou de la République* en traite encore (8, 22), et de même *De la Ville* (15). C'est pourtant à propos d'un courtisan que La Bruyère trouve ses formules les plus saisissantes: « Un homme qui s'est livré à la cour », et un peu plus loin: « martyr de son ambition » (*De la Cour*, 62). On retrouve ainsi le thème de l'aliénation. L'homme libre est le philosophe, proposé en modèle, et auquel s'oppose *Clitiphon*, uniquement occupé à paraître (*Des Biens de f.*, 12). Etre soi, refuser les contrefaçons: valeur suprême, idéal que la plupart de ces additions suggèrent. Tels « contrefont les simples et les naturels »: ce sont « gens d'une taille médiocre » (*Du Mérite p.*, 17). Paris, le singe de la cour, « ne sait pas toujours la contrefaire »: c'en est assez pour condamner ces gens qui n'osent pas être vrais

(*De la Ville*, 15). Les cérémonies religieuses sont devenues des spectacles, la « maison du Seigneur » imite le théâtre : tout est contaminé par les valeurs fausses et La Bruyère est choqué profondément dans son respect de la religion (*De quelques Us.*, 19). Les faux dévots lui paraissent plus condamnables mille fois que les libertins qui ont au moins le mérite d'être eux-mêmes : « Deux sortent de gens fleurissent dans les cours, et y dominent dans divers temps, les libertins et les hypocrites : ceux-là gaiement, ouvertement, sans art et sans dissimulation ; ceux-ci finement, par des artifices, par la cabale » (*Des Esprits f.*, 26).

Ainsi, la diversité qui règne dans cette galerie de tableaux, toute la variété qu'offre le travail du style, sont au service d'un petit nombre d'idées toujours les mêmes. En fait, La Bruyère rejette les valeurs de son siècle. Dans *Antagoras*, une de ses dernières remarques, il décrit fort bien le néant auquel elles mènent. L'homme y est figé, pétrifié comme un « saint de pierre ». Sa démarche et ses propos sont mécaniques. En fait, il est devenu chose, conséquence directe de la vie stérile qu'il mène depuis quarante ans (*De l'Homme*, 125). Devant tant d'erreurs et de faux-semblants, « les plus sages prennent leur parti et s'en vont » (*Des Esprits f.*, 26). L'écrivain lui-même a choisi depuis longtemps.

* * *

La huitième édition est la dernière dont nous tiendrons compte dans cette étude. La neuvième, paraissant trois semaines après la mort de La Bruyère (11 mai 1696) n'apportera pas de remarques nouvelles, mais seulement des variantes sans grande importance. (On les trouvera facilement dans les éditions Benda ou Garapon.) Le *Discours* de réception à l'Académie, et surtout la *Préface* sont des morceaux utiles pour la connaissance de La Bruyère ; mais ces œuvres de circonstance, détachées du corps des *Caractères*, n'entrent pas dans le propos de la présente étude.

Enumérons brièvement les conclusions qui se dégagent des analyses précédentes. Chemin faisant, nous les confronterons à celles auxquelles d'autres sont arrivés.

CONCLUSIONS

1. *La prudence de La Bruyère*

En 1688, il se garde de tout dire, ne lance qu'un ballon d'essai. Des cartons suppriment des remarques compromettantes. Il s'enhardit par degrés. La satire est très peu « personnelle » au début. Il camoufle ses audaces sous la prétention d'« instruire ». En 1691 encore, il préfère éliminer la remarque sur les favoris disgrâciés. D'une manière générale, on trouve chez lui un curieux mélange d'impatience, de manque de résignation, de courage à dire haut et fort ce qu'il pense, et de ruses, de subtiles précautions. C'est un homme spontané qui avance à petits pas. R. Jasinski conclut : « Il se tempère, quelquefois en opportuniste selon son intérêt bien entendu, mais plus souvent par de généreux mouvements, selon les impulsions de son cœur, et, s'il le faut, contre son cœur selon sa raison [33]. »

2. Le « roman secret de La Bruyère » (sic) ?

E. Henriot dans Le Temps du 17 novembre 1936, à propos de Des Femmes et Du Cœur: « C'est un roman de la quarantaine: ... une femme insensible d'abord, mais faible, et troublée, et qui s'abandonne; puis capricieuse, et puis perfide; un rival médiocre, le rebut de la cour, mais aimé, et qui fait effet sur une femme de province; la femme enfin qui s'en remet à un directeur; galante et dévote; dont on est vengé par un mari laid et indigne... Je ne crois point forcer les textes, en proposant cette lecture dans l'interligne. » Plutôt que les interlignes, nous avons tenté de lire le texte. et nous n'avons pu trouver trace de cette très touchante histoire.

3. Le pessimisme de La Bruyère

Tempéré au début, refoulé sous une amertume toute mondaine. Bien plus manifeste dans l'édition IV. Eclate par moments à l'état brut: « dégoût »; tentation de fuir; « le monde ne mérite point qu'on s'en occupe » (Des Jugements, 75). Mais les portraits sont un moyen de dépasser le pessimisme, d'échapper à la laideur ambiante. Rapport étroit entre l'approfondissement du pessimisme et l'augmentation du chapitre Des Esprits forts. L'affirmation de R. Barthes: « Son pessimisme ne dépasse guère la sagesse d'un bon chrétien et ne tourne jamais à l'obsession » [34] n'est pas corroborée par une analyse minutieuse des textes.

4. Originalité et indépendance

La première édition est l'œuvre d'un disciple de Montaigne et de La Rochefoucauld. Le nombre des maximes atteste cela stylistiquement, ainsi que la plupart des thèmes choisis. La Bruyère s'affranchit peu à peu de ses modèles jusqu'à corriger Molière sans ménagement (Timon, Onuphre). Parallèlement, l'indépendance de l'esprit devient un point central de sa morale. L'insistance sur la « raison » et la dénonciation de l'aliénation sous toutes ses formes trahissent un approfondissement de la pensée. La critique un peu extérieure et superficielle donne progressivement naissance à une morale cohérente.

5. Composition du livre

Il augmente toujours son livre, ne retranche pratiquement rien (au contraire de La Rochefoucauld). Mais la perfection, qu'il recherche dans le détail de chaque remarque, lui importe fort peu pour l'ensemble de l'ouvrage. La structure du livre, fortement déséquilibrée dès le début (« ex-

---

[33] R. Jasinski, Histoire de la littérature française, tome I, p. 325.

[34] R. Barthes, « La Bruyère: du Mythe à l'Ecriture », préface à l'édition des Caractères (Paris: Union générale d'éditions, coll. 10/18, 1963). Préface rééditée dans les Essais critiques (Paris: Le Seuil, 1964).

croissance » du chapitre *De l'Homme*), le sera encore davantage à la fin
(« monstruosité » nouvelle au chapitre *Des Jugements*). Seule la variété
compte. Un effort consenti pour donner plus de « rondeur » à un chapitre
ne donne généralement pas de résultat appréciable (contraste des chapitres
De la Ville et *De la Cour*). Cependant, P. Richard a raison d'écrire: « Pour
des raisons artistiques d'équilibre et d'harmonie, il modifiait, d'une fois à
l'autre, la disposition des matières dans chaque chapitre: alternance de
portraits et de maximes, de tableaux brefs et de tableaux plus larges » [35].

6. *Généralité et individualité*

De très générale au début, la peinture se fait de plus en plus précise,
particulière et concrète. A ceci correspond une évolution qui va presque
toujours dans le même sens: la proportion des *réflexions* demeure à peu près
fixe dans chaque « train » de remarques nouvelles (30 % environ); mais les
maximes perdent constamment du terrain au profit des portraits. Michel
Lebaillif formule à ce sujet une ingénieuse hypothèse. Après la première
édition, dit-il, « il est certain que peu à peu, en s'étendant au grand public,
le succès, selon le mot de M. Cayrou, « changea de caractère ». On se rua
sur quelques embryons de portraits... on chercha à trouver dans La Bruyère
le virtuose d'un jeu de salon à la mode... La Bruyère était désormais le
prisonnier de ces mondains, de ce faux succès, de sa propre légende » [36].

Mais, encore un fois, le passage de la généralité à l'individualité marque
plutôt un approfondissement. La prépondérance que prend peu à peu le
portrait sur la maxime n'est pas sans rappeler l'évolution que l'on constate
chez La Fontaine, dont les fables « humaines » (par opposition à celles qui
mettent en scène des animaux) sont sensiblement plus nombreuses dans les
Livres VII à XI.

7. *Des apparences aux « ressorts cachés »*

Le monde et la société sont d'abord vus d'une manière tout extérieure,
et La Bruyère est dupe des apparences. Comme disent les Anglais, « he takes
them for granted »: c'est le monde comme il va. Peu à peu, toute l'organisation sociale lui paraît arbitraire et factice. Il prend conscience de la fragilité
de l'ordre humain: « Je dirai presque de moi: « Je ne serai pas voleur ou
meurtrier. » — « Je ne serai pas un jour puni comme tel », c'est parler bien
hardiment » (*De quelques Us.*, 52). La société lui apparaît comme une construction artificielle. Sa seule raison d'être est de pallier nos vices, et son
existence est la preuve même de notre débilité. Sur ce point, et dans la mesure
où il annonce le XVIIIe siècle, La Bruyère serait beaucoup plus près de
Rousseau que de Voltaire.

---

[35] P. Richard, *La Bruyère et ses « Caractères »*, *Essai biographique et critique*, nouvelle
édition revue et corrigée (Paris: Nizet, 1965), p. 72.

[36] M. Lebaillif, « Pensées et portraits dans l'œuvre de La Bruyère », *Revue universitaire*,
LV (1946), p. 218. — Il est excessif, toutefois, d'affirmer qu'à l'époque à laquelle écrit
La Bruyère, les portraits constituent encore « un jeu de salon à la mode ».

8. *Evolution de la critique sociale*

Parallèlement, la critique des institutions et des abus se fait plus ferme. Elle n'est, elle aussi, qu'un élément parmi bien d'autres dans la première édition. La quatrième ne se contente pas de parler du seul souverain : la « république », les maux dont souffre l'Etat, le procès intenté aux grands prennent une importance croissante. Plus tard, ce seront des réflexions sur le peuple, des considérations sur les devoirs du prince, et enfin des conseils au roi, à la manière de Fénelon et de Vauban. Sans souscrire entièrement à la conclusion de M. Lange : « C'est peut-être le principal titre de son œuvre à l'immortalité qu'il rêva pour elle que de refléter mieux qu'aucune autre les sentiments qui animèrent la France en ces désastreuses années », nous demeurons d'accord avec ce critique pour déceler chez La Bruyère une « tendance d'esprit qui, d'édition en édition, l'incline de plus en plus à la critique sociale » [37].

9. *Thèmes permanents, idées nouvelles*

A côté d'une sorte de capital fixe d'idées, présentes dès 1688, et reprises à chaque édition nouvelle, il y a annexion de thèmes nouveaux à chaque réimpression de l'ouvrage. Parmi les thèmes permanents : critique sociale, art d'écrire, défense de la religion, observation des ridicules, dénonciation de valeurs vaines. Avec quelques autres, ils forment la « matière » du livre, ils ressurgissent d'année en année. Parallèlement — encore par souci de variété, sans doute — l'auteur élargit le champ de sa curiosité et aborde à chaque édition des questions nouvelles (actualité politique, questions de langage, la nature, rapports familiaux, débats précieux, nature de l'enfance, etc.).

10. *Sensibilité permanente, journal d'impressions*

Il en va de même pour la présence de l'auteur dans son livre. La blessure du mérite personnel est exposée dans chaque édition nouvelle (sans que cela soit nécessairement dans le chapitre qui porte ce titre). A cet étalage sans cesse renouvelé, l'amour-propre trouve son compte. Autres aspects permanents de la sensibilité : nostalgie d'un âge d'or, sens de la relativité et de la précarité de toutes choses, sentiment d'inadaptation dans la société, dû sans doute à la timidité et à la maladresse. L'esprit mordant et satirique apparaît souvent comme une réaction de défense, par laquelle ce sentiment d'inadaptation est surmonté. A côté de cela, des réactions plus épidermiques ou des impressions plus éphémères. La Bruyère vit aussi dans son livre au jour le jour : apitoiement devant des malheureux, indignation devant les usurpateurs, fierté froissée par les censeurs. A des moments privilégiés, un étonnement devant ses frères humains, une humilité profonde [38].

---

[37] M. Lange, p. 395.

[38] Cf. le très intéressant chapitre consacré par H. Peyre aux autobiographies et journaux intimes dans *Literature and Sincerity* (New Haven and London : Yale University Press, 1963). Sur les moralistes français, voir en particulier pp. 213-214.

11. Une « lutte intérieure » ?

Laissons encore une fois la parole à un des critiques qui ont le mieux jugé La Bruyère. Pour R. Jasinski, plusieurs chapitres « attestent une lutte intérieure au cours de laquelle s'affirme progressivement l'effort pour résister aux sollicitations de la richesse, rompre avec le perfide attrait de la cour, garder vis-à-vis des grands une attitude juste et digne. Sagesse précaire peut-être, chèrement acquise et qui n'exclut pas les regrets, mais qui ne manque pas de beauté »[39]. Il s'agit ici d'une nouvelle explication de l'œuvre par l'homme, infiniment plus discrète que celle d'E. Henriot. Nous avons eu l'impression, quant à nous, que la sagesse de La Bruyère doit moins aux circonstances, davantage à une conviction. Mais la question est complexe, il faut le reconnaître, et à ce stade, toute lecture des *Caractères*, toute réponse, se dégagent mal de la subjectivité.

12. Bonne foi, plus que « paratonnerre »

Depuis toujours on s'interroge sur la sincérité de La Bruyère en matière de religion. Et c'est Sainte-Beuve, on le sait, qui traita le chapitre *Des Esprits forts* de simple « paratonnerre ». Mais l'importance de la pensée religieuse dès l'édition I, le patient développement du chapitre tout au long de la formation des *Caractères*, les fréquentes allusions à la religion ailleurs dans le livre, et toujours un accent dont il est difficile de douter (cf. analyse de l'édition VII) montrent une parfaite sincérité religieuse chez cet auteur d'ailleurs conformiste en d'autres domaines. Par cette conclusion, nous rejoignons celle de Ph. A. Wadsworth.

Jetons, pour finir, un regard sur le livre tel que La Bruyère l'abandonne enfin à la « postérité »[40]. Le petit ouvrage de 1688 a pratiquement triplé de volume. L'essai est devenu une somme. Somme de l'expérience de l'auteur, traduite d'une manière toute impersonnelle, mais néanmoins perceptible. Somme de ses jugements, en matière de littérature, d'esthétique, de politique, etc. Sous la netteté d'une division factice, très arbitraire, c'est un ouvrage diffus. Des conseils au roi y voisinent avec les preuves de la religion, une coquette avec Corneille. Sans s'annoncer, un original vient interrompre de graves maximes, et Ptolémée doit s'accommoder d'un diseur de phœbus. Rien de moins construit, de moins cohérent, que cet édifice où l'on peut entrer de toutes parts, et sortir n'importe où. Malgré les chapitres, les « pieds-de-mouche », les « mains », il faut bien le dire : l'ouvrage fait figure de fourre-tout, et à tout prendre, le mot de somme paraît un peu noble.

Cependant, voici d'abord le style, et c'est ce qui donne une même couleur à l'ensemble et un premier élément d'unité. Un style qui ressemble à un mousquetaire, étincelant toujours, et brusquement on s'écrie : « Touché ! »

---

[39] R. Jasinski, pp. 325-326.

[40] Le fait qu'après l'édition VIII, La Bruyère s'attelle à un autre ouvrage autorise à penser qu'il n'aurait plus augmenté ses *Caractères*.

Mais le ciment du livre, ce sont aussi quelques idées qui prennent corps peu à peu. Elles n'étaient qu'effleurées au début, on passait outre. D'édition en édition, on les voit croître, s'assembler, soutenir l'œuvre dont elles deviennent les piliers. Les remarques si disparates s'ordonnent autour de leitmotive. Mépris du paraître, indépendance de l'esprit, condamnation des valeurs que les contemporains mettent au pinacle : telles sont quelques-unes des idées-maîtresses. Elles confèrent au livre un second élément d'unité. En 1694, rien de ce qui conserne les mœurs de son siècle ne demeure étranger à La Bruyère. A l'aube du XVIIIe siècle, il laisse sur son époque un témoignage aux vastes perspectives. Et parce qu'il élargit souvent son enquête à l'homme de tous les temps, c'est bien à une somme que son œuvre fait songer.

Une dernière observation. Tout au long de cette étude, nous avons employé avec une extrême prudence le mot évolution. Lorsqu'on compare les différentes éditions des *Caractères*, il ne faut jamais oublier que La Bruyère est âgé de 42 ans déjà quand il se fait publier pour la première fois. C'est un âge auquel il est permis de croire que sa pensée, lentement formée, est fixée dans ses grandes lignes. Son livre unique est une œuvre de la maturité. Un auteur qui attend si longtemps avant de publier son ouvrage, qui le complète ensuite en six ans, n'a pas dû modifier essentiellement sa manière de juger. A ce point de vue, on peut opposer La Bruyère à Diderot par exemple, dont l'œuvre morale, entre l'*Essai sur le mérite et la vertu* et l'*Essai sur les règnes de Claude et de Néron* s'échelonne sur une bonne trentaine d'années, ce qui lui a donné, comme on sait, le loisir de se contredire sur presque tout.

L'histoire que nous avons essayé de retracer n'est donc pas celle d'une pensée qui se cherche, mais d'une pensée qui s'étend. Elle n'évolue pas, pour se trouver enfin. Elle ne saisissait d'abord le monde que de la façon la plus immédiate ; la variété des choses vues lui donnait un caractère superficiel. Au fur et à mesure que le livre se forme, elle enserre toute la diversité du monde dans le cadre ferme de quelques idées maîtresses. Elle a prise maintenant sur la multiplicité des choses, au lieu d'être dominée par elles. Point d'évolution, au sens habituel du terme ; mais transformation d'une œuvre en chef-d'œuvre, assurément.

II

L'UNIVERS DES *CARACTÈRES*

A. — Clarté et cartésianisme
B. — Ordre
C. — Transparence

« Par l'art seulement nous pouvons sortir de nous, savoir ce que voit un autre de cet univers qui n'est pas le même que le nôtre, et dont les paysages nous seraient restés aussi inconnus que ceux qu'il peut y avoir dans la lune. Grâce à l'art, au lieu de voir un seul monde, le nôtre, nous le voyons se multiplier, et autant qu'il y a d'artistes originaux, autant nous avons de mondes à notre disposition, plus différents les uns des autres que ceux qui roulent dans l'infini et, bien des siècles après qu'est éteint le foyer dont il émanait, qu'il s'appelât Rembrandt ou Ver Meer, nous envoient encore leur rayon spécial », affirme Proust dans *Le Temps retrouvé* [1]. A première vue, il peut paraître téméraire d'appliquer aux *Caractères* ce que suggèrent à Proust la *Ronde de Nuit* ou la *Vue de Delft*. Et pourtant, l'admiration de Proust pour La Bruyère ne s'est jamais démentie, il le cite, va jusqu'à l'imiter: tout cela atténue quelque peu la hardiesse du rapprochement. Il y a plus: à la page qui précède immédiatement les lignes célèbres que l'on vient de rappeler, Proust lui-même considère La Bruyère comme un de ces maîtres privilégiés, créateur d'un univers bien à lui, fixe, pour ainsi dire, et inaltérable:

Et quant à la jouissance que donne à un esprit parfaitement juste, à un cœur vraiment vivant, la belle pensée d'un maître, elle est sans doute entièrement saine, mais, si précieux que soient les hommes qui la goûtent vraiment (combien y en a-t-il en vingt ans?), elle les réduit tout de même à n'être que la pleine conscience d'un autre. Si tel homme a tout fait pour être aimé d'une femme qui n'eût pu que le rendre malheureux, mais n'a même pas réussi, malgré ses efforts redoublés pendant des années, à obtenir un rendez-vous de cette femme, au lieu de chercher à exprimer ses souffrances et le péril auquel il a échappé, il relit sans cesse, en mettant sous elle « un million de mots » et les souvenirs les plus émou-

[1] M. Proust, *Le Temps retrouvé* (Paris: Gallimard [Bibliothèque de la Pléiade], 1954) pp. 895-896.

vants de sa propre vie, cette pensée de La Bruyère: « Les hommes souvent veulent aimer et ne sauraient y réussir, ils cherchent leur défaite sans pouvoir la rencontrer, et, si j'ose ainsi parler, ils sont contraints de demeurer libres. » Que ce soit ce sens ou non qu'ait eu cette pensée pour celui qui l'écrivit (pour qu'elle l'eût, et ce serait plus beau, il faudrait « être aimés » au lieu d'« aimer »), il est certain qu'en lui ce lettré sensible la vivifie, la gonfle de signification jusqu'à la faire éclater, il ne peut la redire qu'en débordant de joie, tant il la trouve vraie et belle, mais il n'y a malgré tout rien ajouté, et il reste seulement la pensée de La Bruyère [2].

Ainsi, l'univers de La Bruyère possède bien ce « rayon spécial », cette *unicité* des grandes œuvres. L'admirateur le plus « juste » ne saurait que « confirmer » cet univers par son expérience personnelle. Son admiration, quand bien même elle serait enthousiaste, se borne à être un reflet. Comme celle de Rembrandt, comme celle de Vermeer, il ne peut que reprendre cette vision à son compte: l'univers de La Bruyère, autant que le leur, est immuable. Il appartient, dirait Valéry, au « ciel des fixes ».

Voici pourtant une différence essentielle. L'univers de La Bruyère n'offre pas de thème unificateur qui ordonne le disparate et toutes les contradictions qui nous entourent, selon un grand courant ou un ressort essentiel. La Bruyère ne décrit pas, comme La Rochefoucauld, les métamorphoses d'un agent unique. Il ne fait pas, comme Proust, de découverte primordiale sur laquelle toute sa création s'édifie. D'un autre côté, sa personnalité, au contraire de celle d'un Rousseau, ne présente pas de problèmes qui soient une des clefs de l'œuvre. Il manque donc à celle-ci l'unité et la cohésion, immédiatement perceptibles, d'autres univers créés par l'art. La Bruyère ne réduit pas le multiple à l'un, il accepte la diversité, et ne connaît jamais la tentation de recréer le monde selon un ordre nouveau. Il est, dans la littérature française, un des observateurs les plus attentifs des différences individuelles. S'il annonce le XVIIIe siècle, c'est, dans une large mesure, par son sens de la relativité. « Dans les choses, tout est *affaires mêlées*; dans les hommes, tout est *pièces de rapport*. Au moral et au physique, tout est mixte. Rien n'est un, rien n'est pur », écrira Chamfort [3]. Telle est déjà la pensée de La Bruyère. Non seulement il ne propose pas de système; il n'introduit même pas de *convergence* dans la masse de ses observations. Il n'adopte, pour peindre les hommes, aucun angle privilégié, à la manière d'un Bossuet écrivant l'Histoire. Il brosse de la société un tableau purement impressionniste, ne suit que sa verve ou son caprice, et aboutit à une fragmentation, à une *divergence* illimitées. Si donc on veut saisir l'originalité de l'univers des *Caractères*, on doit renoncer à toute explication de type unitaire: les *Caractères* n'ont pas de clef. Ce qui nous est offert, c'est d'abord une expérience individuelle élargie. Derrière la discrétion classique, toute de façade, le moi de La Bruyère est partout présent. Le mérite personnel méconnu prend sa revanche et s'affirme en s'opposant. L'aventure, ou plutôt la mésaventure individuelle est à la source d'une protestation contre les valeurs qui ont

---

[2] *Le Temps retrouvé*, p. 894.

[3] Chamfort, *Maximes et Pensées, Caractères et Anecdotes*, éd. P. Grosclaude (Paris: Imprimerie Nationale, 1953), tome I, p. 116.

cours. En ce sens, l'univers de La Bruyère s'explique d'abord par une blessure personnelle. C'est un univers presque préromantique, où dominent le sentiment, la subjectivité. De là cet accent mis constamment sur le « cœur ». La sensibilité de La Bruyère, et la manière dont elle vient sans cesse colorer sa vision du monde ont fait l'objet de quelques remarques pénétrantes de R. Jasinski et de W. Moore. « Nombre d'accents, écrit le premier de ces critiques — aveux peut-être — dans les chapitres « Du Cœur » et « Des Femmes » décèlent des regrets mal étouffés, de troublants appels. Ce refoulement chagrin, cette adhésion sourdement insatisfaite, rompent avec la sérénité classique : sous l'apparente modestie, raidie malgré elle en un orgueil ombrageux, l'âme soumise, non domptée, répond secrètement aux inquiétudes nouvelles [4]. » Nous analyserons nous-même en détail cette sensibilité dans notre dernier chapitre.

En revanche, on est loin d'avoir noté la part qui revient, dans l'élaboration de cet univers, à l'intellect. En d'autres termes, on a bien entrevu l'importance de l'affectivité dans les *Caractères*, mais, de cet univers de La Bruyère, on n'a ni défini les structures, ni énoncé les lois. Or, ce qui frappe, c'est l'extraordinaire rigueur que l'écrivain impose à sa pensée. L'esprit de La Bruyère n'est pas moins à l'œuvre que son cœur. Et cet esprit obéit constamment à des habitudes, à des types de raisonnement et d'analyse très particuliers. D'autre part, si La Bruyère impose un cadre à sa pensée, il est en même temps prisonnier de certaines catégories de la pensée de son temps. Quelque effort qu'il fasse pour être cet esprit « droit et perçant » dont il parle [5], il n'échappe pas aux perspectives, aux modes de raisonnement familiers à son époque. C'est cet aspect-là de l'univers des *Caractères* qui va nous retenir. Cette construction arbitraire de l'esprit, réglée comme une horloge, cohérente comme un système de géométrie, est pleine d'enseignements : elle met dans une lumière nouvelle à la fois l'originalité de La Bruyère, et ses limites.

A. — CLARTÉ ET CARTÉSIANISME

Dès l'édition de 1688, la structure de l'ensemble est au point : seize compartiments bien cloisonnés correspondant à autant de chapitres. Tout pourra évoluer au fil des neuf éditions qui se succèdent en huit ans — le nombre des « remarques », la composition des chapitres, les thèmes abordés — sauf cette architecture générale. Cela même est déjà révélateur de la manière de La Bruyère, en même temps que de son arbitraire. En l'espace de quelques années, sept cents numéros nouveaux viennent grossir

[4] R. Jasinski, *Histoire de la littérature française*, nouvelle édition revue et complétée (Paris: Nizet, 1965), tome I, p. 323. Cf. aussi : W. G. Moore, *French classical literature, an Essay* (Oxford: Oxford University Press, 1961), pp. 132 sq.

[5] *De l'Homme*, 14.

le volume, qui n'en comptait que 420 à l'origine. Or, sur le nombre considérable de ces additions, il n'y en aura pas une seule qui ne trouve sa place dans l'un des seize compartiments établis une fois pour toutes. La Bruyère pourra annexer à la matière de son livre les sujets les plus divers: hors du cadre qu'il impose et qu'il s'impose, il n'en concevra jamais d'autre. Lui-même a été victime tout le premier de cette opération quasi scolastique. Dans sa belle édition des « Grands Ecrivains de la France », Gustave Servois a relevé les transpositions de remarques d'un chapitre à l'autre; ces migrations sont en elles-mêmes la preuve qu'il y avait bien de l'artifice à fractionner d'une manière si rigide tant de mœurs et de caractères. Même sous la forme définitive qu'il donne à son livre, la classification, bien souvent, n'atteint pas à cette clarté qui est pourtant sa raison d'être. Nombreuses restent les observations qui participent simultanément de plusieurs catégories. Par exemple celle-ci, qui se trouve au chapitre *Des Jugements*: « La faveur des princes n'exclut pas le mérite, et ne le suppose pas aussi » (*Des Jugements*, 6). Cette pensée aurait pu, tout aussi bien, trouver sa place au chapitre *Du Mérite personnel* ou *Des Grands*. C'est la clarté, assurément, que La Bruyère recherche en introduisant dans son univers des zones de partage. Mais ses hésitations et son arbitraire témoignent combien cette clarté est factice. Montaigne avait été plus habile, à ce point de vue, et La Rochefoucauld de même. Ni l'un ni l'autre n'avaient mesuré à l'avance, à la manière des arpenteurs, les terres qu'ils allaient explorer. La Bruyère, une fois sa division faite, perdra de sa disponibilité. Il épuise, pour ainsi dire, par avance la complexité et la richesse de sa matière. Il accepte la diversité, disions-nous. Sans doute: mais à l'intérieur d'un schéma préétabli. La Bruyère ne sera fin qu'après avoir été géomètre.

On songe ici aux dangers des systèmes que Buffon dénoncera quelque soixante ans plus tard. La Bruyère, du reste, tient d'une certaine manière du naturaliste. Mais sa méthode présente exactement les défauts contre lesquels Buffon mettra en garde: « ... L'inconvénient est de vouloir trop allonger ou trop resserrer la chaîne, de vouloir soumettre à des lois arbitraires les lois de la nature, de vouloir la diviser dans des points où elle est indivisible, et de vouloir mesurer ses forces par notre faible imagination... Le moule commun de toutes ces choses si dissemblables entre elles est moins dans la Nature que dans l'esprit étroit de ceux qui l'ont mal connue, et qui savent aussi peu juger de la force d'une vérité que des justes limites d'une analogie comparée... N'est-ce pas porter dans la réalité des ouvrages du Créateur les abstractions de notre esprit borné, et ne lui accorder, pour ainsi dire, qu'autant d'idées que nous en avons? Cependant on a dit, et on dit tous les jours, des choses aussi peu fondées, et on bâtit des systèmes sur des faits incertains, dont l'examen n'a jamais été fait, et qui ne servent qu'à montrer le penchant qu'ont les hommes à vouloir trouver de la ressemblance dans les objets les plus différents, de la régularité où il ne règne que de la variété, et de l'ordre dans les choses qu'ils n'aperçoivent que confusément » (*Premier Discours de l'Histoire naturelle*).

Il faut rendre à La Bruyère cette justice, d'ailleurs, que les catégories qu'il choisit sont parfois vagues à souhait. (Elles n'ont du reste pas non plus le mérite de l'originalité, comme le montre l'étude de l'abondante littérature morale tout au long du XVIIᵉ siècle [6].) *De l'Homme*, cela veut très exactement tout dire, et *Des Jugements* aussi. Ce sont des frontières vagues, à l'intérieur desquelles on conserve une grande liberté de circulation. D'autres sont comme étroitement gardées: *Du Souverain ou de la République*, par exemple, ou *De la Chaire*. Au fond, c'est surtout à un cartographe que La Bruyère ressemble ici. Il cherche à donner de l'univers réel une représentation avant tout complète. Le procédé n'est pas différent, dans son principe, de celui par lequel, une trentaine d'années plus tôt, Mˡˡᵉ de Scudéry faisait dresser « la Carte de Tendre ». Même désir d'embrasser le réel dans sa totalité, même besoin de localiser, de définir, de séparer avec rigueur (on trouve, surtout aux chapitres *Des Femmes* et *Du Cœur*, d'autres affinités entre La Bruyère et les Précieux). Avant de décrire les hommes, La Bruyère éprouve le besoin de mettre au point un instrument de travail commode: une sorte de mappemonde qui couvre toutes les régions où s'exerce leur activité ou leur esprit.

Le monde de La Bruyère est un monde fini. De division en division, il établit toute une infrastructure. Nous verrons tout à l'heure, à propos de la société, comment sont introduits des niveaux, une hiérarchie, une sorte de verticalité. Mais auparavant, La Bruyère se livre à un découpage qui n'implique aucun ordre de préséance, aucune appréciation qualitative de supériorité ou d'infériorité. C'est une répartition d'abord, et pas encore un organigramme. La première zone découpée, forcément la plus vague et la plus vaste, est celle de la *nature humaine*. Les deux chapitres « fourre-tout » *De l'Homme* et *Des Jugements* lui correspondent. Puis viennent quatre *champs* entre lesquels se répartissent toutes les activités de l'esprit et du cœur: l'art, l'amour, la société, la religion. Ces champs seront sub-divisés à leur tour, et voici un nombre plus grand de *classes*. La religion, par exemple, sera découpée en *Chaire* et en *Esprits forts*; l'amour en *Femmes* et en *Cœur*; à l'art ne correspondent que les *Ouvrages de l'esprit*; mais la société, objet principal de l'enquête de l'auteur, bénéficiera des distinctions les plus précises et les plus nombreuses. Rapports de la société et du moi: *Du Mérite personnel*; comportements et société: *De la Société et de la conversation*; organisation de la société: *Du Souverain ou de la République*; société et relativité: *De la Mode, De quelques Usages*; société et lutte pour la vie: *Des Biens de fortune*; rapports sociaux des hommes entre eux: *De la Ville, De la Cour, Des Grands*. Enfin, à chacune de ses classes, La Bruyère fait correspondre un *type* qui en est le représentant. Le libertin incarne la classe des esprits forts, l'écrivain celle des ouvrages de l'esprit, « l'homme de bien » celle du mérite, l'ami celle du cœur, Louis XVI celle du souverain, le bourgeois celle de la ville, le partisan celle des biens de fortune, etc. Et voilà enfin toute l'infrastructure au point. On le voit: c'est un appareil lourd et complexe. L'entreprise de La Bruyère est plus didactique que subtile. Il est clair qu'il veut faire de son livre une somme, un microcosme.

---

[6] Cf. R. Toinet, « Les écrivains moralistes au XVIIᵉ siècle », *RHLF*, XXIII (1916), 570-610; XXIV (1917), 296-306 et 656-675; XXV (1918), 310-320 et 655-671; XXXIII (1926), 395-407.

Mais il adopte d'entrée de jeu un cadre fait d'une infinité de clôtures. Il a l'ambition d'être universel, mais son univers est jalonné de bornes. C'est un espace clos. Mlle de Scudéry et La Rochefoucauld avaient, là encore, été plus adroits, qui prenaient soin de laisser subsister des « terres inconnues » [7]. Il ne s'agit pas, dans le cas de La Bruyère, d'un simple oubli sans conséquence: l'univers, pour lui, est entièrement connaissable. Point de zones d'ombre ou de mystère. L'homme et l'univers sont, on le verra, en quelque sorte transparents à ses yeux: de là cette représentation presque trop claire.

Cette tendance à classer, à introduire partout des catégories est fondamentale; on la retrouve à tel point dans le détail de chaque chapitre qu'un critique n'hésite pas à parler de «l'inspiration géométrique» dans les *Caractères* [8]. S'il est parfaitement vain de vouloir découvrir à chaque page une « suite de nombres » ou, à plus forte raison, « une addition en bonne et due forme », « une soustraction en règle », M. Hankiss a pourtant raison d'attirer l'attention sur ce qu'il y a d'«arithmétique » dans la manière de La Bruyère. Voici par exemple une série de divisions qui sépare une espèce en apparence homogène — celle des sots — en une infinité de sous-espèces: « Un sot est celui qui n'a pas même ce qu'il faut d'esprit pour être fat. » — « Un fat est celui que les sots croient un homme de mérite. » — « L'impertinent est un fat outré... il commence où l'autre finit. » — « Le fat est entre l'impertinent et le sot: il est composé de l'un et de l'autre. » — « L'homme ridicule est celui qui, tant qu'il demeure tel, a les apparences du sot. » — «Le stupide est un sot qui ne parle point...» (*Des Jugements*, 44-47 et 49). Une remarque de J. Starobinski à propos de La Rochefoucauld pourrait fort bien s'appliquer, *mutatis mutandis*, à La Bruyère: « La Rochefoucauld prend plaisir à dissocier et à subdiviser. Et au lieu de voir l'amour-propre derrière toutes nos passions, comme les cartésiens voient le mouvement derrière tous les phénomènes matériels, il entreprend d'indiquer la variété foisonnante des types, des genres, des espèces — qu'il prend quelquefois la peine d'isoler et de dénombrer. On remonte ainsi à des différences fines, à des composantes qui ne sont pas exemptes d'impuretés, et au-delà desquelles l'analyse s'ingénie à progresser. Par exemple, il va falloir distinguer les différentes qualités d'esprit, les nombreuses variétés de goût, « les diverses sortes d'hypocrisie », ou de colère, ou de silence [9]. » On retrouve d'ailleurs ici sur La Bruyère (comme sur La Rochefoucauld) l'influence des Précieux, leur goût pour les définitions et les contrastes. La préciosité, selon M. Lathuillère, « aime distinguer, opposer, disséquer, par un effort cérébral et lucide... Ce faisant, elle espère atteindre à la nature profonde des choses, à leur essence, par une abstraction progressive, tout en établissant des hiérarchies ingénieuses, comme par exemple entre les diverses sortes d'amour,

[7] La Rochefoucauld, *Maximes*, éd. J. Truchet (Paris: Garnier, 1967), max. 3.

[8] J. Hankiss, « Inspiration géométrique dans les *Caractères* de La Bruyère », *Neophilologus*, XXXVI (1952), 65-75.

[9] J. Starobinski, « Complexité de La Rochefoucauld », *Preuves*, N° 135 (mai 1962), p. 36.

d'estime ou de reconnaissance... Elle isole, elle classe, elle spécifie »[10]. Même attitude chez La Bruyère. Que d'efforts, au chapitre *Du Cœur*, pour distinguer clairement l'amour de l'amitié (4-9 ; 25-28) ! Cette opposition traditionnelle n'étant pas encore assez fine pour lui, il préfère créer une troisième classe, « une classe à part » (2). Une catégorie, d'ailleurs, ne se définit parfaitement que par rapport à d'autres : on l'a vu pour les fats et les sots. Ces confrontations sont très fréquentes : « Les femmes sont extrêmes : elles sont meilleures ou pires que les hommes. » — Voici même un « doublet » : « Les *femmes* vont plus loin en *amour* que la plupart des *hommes* ; mais les hommes l'emportent sur elles en *amitié* » (*Des Femmes*, 53 et 55)[11]. Ce procédé systématique finit par devenir une véritable manie classificatrice. Le passage suivant montre à quelles subtilités la méthode finit par aboutir :

L'honnête homme tient le milieu entre l'habile homme et l'homme de bien, quoique dans une distance inégale de ces deux extrêmes.

La distance qu'il y a de l'honnête homme à l'habile homme s'affaiblit de jour à autre, et est sur le point de disparaître.

L'habile homme est celui qui cache ses passions, qui entend ses intérêts, qui y sacrifie beaucoup de choses, qui a su acquérir du bien ou en conserver.

L'honnête homme est celui qui ne vole pas sur les grands chemins, et qui ne tue personne, dont les vices enfin ne sont pas scandaleux.

On connaît assez qu'un homme de bien est honnête homme ; mais il est plaisant d'imaginer que tout honnête homme n'est pas homme de bien.

L'homme de bien est celui qui n'est ni un saint ni un dévot, et qui s'est borné à n'avoir que de la vertu (*Des Jugements*, 55).

Il faut insister sur ce rôle de l'opposition dans les *Caractères* : tout l'univers de La Bruyère se construit peu à peu à l'aide de ce procédé. Stylistiquement, cela se traduit par le recours à l'antithèse, dont l'auteur use et abuse. Bien qu'il semble la déconsidérer par moments — « Les jeunes gens sont éblouis de l'éclat de l'antithèse, et s'en servent » (*Des Ouvrages de l'e.*, 55) — il met constamment en application le précepte d'Aristote, dont il est, par l'intermédiaire de Théophraste, un héritier spirituel. « Quand il faut sur deux questions opposées conseiller ou déconseiller », la *Rhétorique* préconise l'emploi de l'antithèse[12]. « Conseiller et déconseiller », c'est le dessein, la fonction même du moraliste : La Bruyère mettra constamment en balance de « grandes extrémités » (misère et richesse), « les deux conditions des hommes les plus opposées » (les grands et le peuple), le « berger » et les « brebis » (le souverain et les sujets), ou encore « l'éloquence du barreau » et « l'éloquence de la chaire »[13]. Mais il importe de voir qu'il ne s'agit pas seulement d'une figure de style. L'antithèse n'est chez lui, comme plus tard chez Hugo, que l'expression d'un mode de pensée beaucoup plus général. Il raisonne constamment par couples : tout le chapitre des *Esprits forts*

---

[10] R. Lathuillère, *La Préciosité, Etude historique et linguistique* (Genève : Droz, 1966), tome I, p. 678 et p. 680.

[11] La Bruyère fait à plusieurs reprises allusion directement aux Précieux : *De la Cour*, 61 ; *De la Société et de la c.*, 6, 65, 68, 69. Le fait qu'il parle souvent d'eux sans tendresse ne l'empêche pas d'avoir subi leur influence.

[12] Aristote, *Rhétorique*, éd. M. Dufour (Paris : Les Belles Lettres, 1960), II, 23, 1399a.

[13] *Des Biens de f.*, 47 ; *Des Grands*, 25 ; *Du Souverain ou de la R.*, 29 ; *De la Chaire*, 26.

eloppe l'opposition pascalienne entre le « cœur » et la « raison ». Ailleurs, on trouve le couple cœur-esprit: « L'on est plus sociable et d'un meilleur commerce par le cœur que par l'esprit » (*Du Cœur*, 78). Pour venir véritablement à l'être, une catégorie doit être opposée à son contraire, qui lui sert de support. La Cour et la Ville se mettent ainsi réciproquement en valeur. Quand, par exception, on nous parlera de la campagne, celle-ci ne pourra pas être décrite pour elle-même. Il faut qu'à son tour, elle soit définie par opposition: « On s'élève *à la ville* dans une indifférence grossière des choses rurales et champêtres... », et tout le passage repose sur des contrastes (*De la ville*, 21). De la même façon, les « caractères » vont eux aussi la plupart du temps par paires antithétiques: *Giton* et *Phédon*, *Clitiphon* et le philosophe, le fripon et l'honnête homme, le partisan et l'auteur[14]. Bref, la tendance d'esprit de La Bruyère est profondément dualiste. Son univers est antagonique. Il est par là, encore une fois, schématique et, on serait tenté de dire: extrémiste. Car avant de s'arrêter au juste milieu — « le milieu est dignité », « le milieu est justice pour soi et pour les autres » (*Des Jugements*, 29; *Des Biens de f.*, 66) — il se plaît toujours à confronter violemment les contraires.

Ces dernières citations montrent que même quand La Bruyère se livre à son découpage géométrique du monde, il ne se départ jamais de son attitude de moraliste. Sa tendance est de superposer aussitôt, aux catégories par exemple sociologiques qu'il vient de distinguer, des jugements de valeur. Il ne crée pas des divisions purement intellectuelles ou logiques: son éthique intervient et lui fait accoler à chacune de ses classes et de ses sous-classes une appréciation qualitative. Analysons un exemple: « Dans toutes les conditions, le pauvre est bien proche de l'homme de bien, et l'opulent n'est guère éloigné de la friponnerie » (*Des Biens de f.*, 44). On a d'abord une de ces dichotomies que l'auteur affectionne: l'ensemble des « conditions » peut être divisé en deux classes, celle des pauvres, celle des opulents. Mais avec cette première distinction, d'ordre purement économique, vient coïncider un deuxième découpage, d'ordre éthique cette fois: « toutes les conditions » sont aussi formées de la classe des fripons et de celle des gens de bien. Les expressions « bien proche » et « guère éloigné » montrent que la correspondance, sans être parfaite, l'est presque. Au total, par deux fois, on a distingué, dans un même ensemble, deux catégories; et tout l'effort de La Bruyère a consisté à les faire coïncider aussi exactement que possible. Ici encore, la méthode est appliquée avec rigueur. Il suffit de tourner la page, on retrouve la même suite: catégories A (encore d'ordre économique) — catégories B (morales) — fusion (F):

Celui-là est riche, qui reçoit plus qu'il ne consume;	A
celui-là est pauvre, dont la dépense excède la recette...	A
S'il est vrai que l'on soit riche de tout ce dont on n'a pas besoin,	B
un homme fort riche, c'est un homme qui est sage.	F
S'il est vrai que l'on soit pauvre par toutes les choses que l'on désire,	B
l'ambitieux et l'avare languissent dans une extrême pauvreté.	F

(*Des Biens de f.*, 49.)

---

[14] *Des Biens de f.*, 83, 12, 75, 56.

La conclusion qui se dégage de tout ce qui précède est le cartésianisme de La Bruyère. Ce point a échappé à la grande majorité des commentateurs. Après Lanson, dont la remarque est très générale [15], seul R. Jasinski, dans une savante étude sur les « Influences sur La Bruyère », y fait incidemment allusion. Analysant les numéros 44 à 46 du chapitre des *Jugements*, où sont discriminées des « notions connexes » — par exemple talent, goût, bon sens, esprit — R. Jasinski pose bien cette question: « Témoignage de l'influence alors accrue de Descartes? » Mais il n'entre pas plus avant, et poursuit en rapprochant le goût de La Bruyère pour les définitions claires et distinctes d'une tendance analogue chez Furetière, Bouhours, Charles Sorel, Arnauld, Pascal et Nicole [16]. Or il est clair que la méthode de La Bruyère, telle qu'on vient de l'exposer, procède en droite ligne des préceptes cartésiens. Examinons cette filiation de plus près.

Maint passage de La Bruyère fait allusion directement à Descartes. Ici on a un témoignage de son admiration: « Que deviendront les *Fauconnets*? iront-ils aussi loin dans la postérité que Descartes, né Français et *mort en Suède*? » (*Des Biens de f.*, 56) Là, il reprend à son compte la théorie des animaux-machines (*De l'Homme*, 142; *Des Esprits f.*, 38). Pour prouver l'existence de Dieu, il paraphrase le *Cogito*: « Je pense, donc Dieu existe » (*Des Esprits f.*, 36). Les comptes rendus passablement embarrassés qu'il envoie à Condé pour le renseigner sur les progrès du duc de Bourbon font état à deux reprises des *Principes de Philosophie*: « Nous avons achevé de M. Descartes ce qui concerne le mouvement », « Nous lûmes hier les *Principes* de M. Descartes, où nous marchons lentement » [17]. L'allusion que fait le *Discours sur Théophraste* aux auteurs « contents que l'on réduise les mœurs aux passions et que l'on explique celles-ci par le mouvement du sang, par celui des fibres et des artères » vise le *Traité des Passions de l'âme* tout autant que *Les Caractères des Passions* de Marin Cureau de la Chambre. Il n'y a donc pas le moindre doute à nourrir, ni sur les sentiments du moraliste pour le philosophe — une admiration nuancée par quelques critiques — ni sur la familiarité qu'il a avec son œuvre. Mais la référence à coup sûr la plus importante est ce fragment publié dès la première édition des *Caractères*, et qui semble placer tout l'ouvrage sous le patronage de Descartes:

La règle de Descartes, qui ne veut pas qu'on décide sur les moindres vérités avant qu'elles soient connues clairement et distinctement, est assez belle et assez juste pour devoir s'étendre au jugement que l'on fait des personnes (*Des Jugements*, 42).

[15] « Pour ces deux-là [Boileau et La Bruyère] l'influence de Descartes se détermine aisément: il leur a donné tout ce qu'ils ont eu de philosophie. Il a été la source de pensée philosophique où ils ont constamment puisé, lorsqu'ils se sont préoccupés des problèmes que leur culture intellectuelle ne leur fournissait pas les moyens de résoudre par une création originale » (« L'influence de la philosophie cartésienne sur la littérature française », *Revue de Métaphysique*, IV [1896]. Article réédité dans *Essais de méthode de critique et d'histoire littéraire*, rassemblés et présentés par Henri Peyre [Paris: Hachette, 1965]).

[16] R. Jasinski, « Influences sur La Bruyère », *Revue d'Histoire de la Philosophie*, X (1942), p. 306.

[17] Lettres à Condé du 9 février 1685 et du 6 avril 1685 dans *Œuvres complètes*, éd. J. Benda (Paris: Gallimard [Bibliothèque de la Pléiade], 1951), p. 633 et p. 637.

L'auteur lui-même nous renvoie ainsi directement à la Deuxième Partie du *Discours de la Méthode*.

Et en effet, dans cet univers qu'il édifie, qu'il crée à l'image de celui qu'il observe, comme une sorte de fidèle reproduction, les lois qui président à la construction sont les règles cartésiennes. L'« ordre des chapitres » et « la suite insensible des réflexions qui les composent », en d'autres termes le plan des *Caractères*, point aujourd'hui encore si controversé, pourrait bien s'expliquer par la troisième règle de la Méthode. Dans la progression qu'il adopte, il semble que La Bruyère ne cherche qu'à « conduire par ordre [ses] pensées, en commençant par les objets les plus simples et les plus aisés à connaître, pour monter peu à peu, comme par degrés, jusques à la connaissance des plus composés ». Ce n'est pas ici le lieu de discuter en détail la composition des *Caractères*, et nous sommes prêt, d'ailleurs, a admettre que dans l'organisation du plan, d'autres facteurs aient pu jouer [18]. Il reste que la structure générale marque bien ce passage des « objets les plus simples » (la littérature, le mérite, la société) aux plus « composés » (l'homme, les jugements, Dieu).

De la même façon, il convient d'examiner à la lumière de la quatrième règle de la Méthode le caractère d'universalité que La Bruyère a voulu donner à son livre. Son ouvrage est une somme. L'analyse des éditions successives et l'étude des sujets nouveaux que La Bruyère annexe à son livre au fil des années trahissent un dessein bien arrêté de ne rien laisser dans l'ombre, d'examiner tous les aspects de la société, de faire, aussi complètement que possible, le tour du siècle. Comment ne pas songer, en voyant cela, à la quatrième règle de Descartes, qui prescrit de « faire partout des dénombrement si entiers, et des revues si générales, que [l'on soit] assuré de ne rien omettre »? [19]

Toutefois, ce n'est pas des deux dernières règles de la Méthode que La Bruyère s'inspire le plus. Et, très paradoxalement, celle que nous l'avons vu directement invoquer — la première — n'est pas non plus celle qu'il observe le mieux. Rappelons-en la formulation précise: « Le premier était de ne recevoir jamais aucune chose pour vraie, que je ne la connusse évidemment être telle; c'est à dire d'éviter soigneusement la précipitation et la prévention; et de ne comprendre rien de plus en mes jugements, que ce qui se présenterait si clairement et si distinctement à mon esprit, que je n'eusse aucune occasion de le mettre en doute. » Les termes qui semblent avoir frappé le plus La Bruyère sont « clairement » et « distinctement »: ce sont les seuls qu'il reprenne tels quels dans sa propre remarque citée plus haut. Il emprunte à Descartes ses deux adverbes, et les encadre si fortement au milieu de sa phrase, qu'ils en forment le pivot: les notions qu'ils expriment paraissent de loin les plus importantes. Descartes n'insistait pas moins sur

---

[18] Certaines suites de chapitres s'expliquent vraisemblablement par la seule affinité des sujets: *Des Femmes* et *Du Cœur; De la Chaire* et *Des Esprits forts*. Sur la question du plan, outre l'étude de P. Laubriet citée à la p. 17, voir la très fine analyse de Th. Goyet, « La composition d'ensemble du livre de La Bruyère », *L'Information littéraire*, VII (1955), 1-9.

[19] Les citations du *Discours de la Méthode* sont tirées de l'édition E. Gilson (Paris: Vrin, 1961), pp. 68-71.

la nécessité de l'évidence. Il met encore fermement en garde contre la
« précipitation » et la « prévention ». De tout cela, comme sélectivement,
La Bruyère retient les avantages de la clarté et des distinctions. Le véritable
précepte de Descartes s'appliquait sans doute trop bien à lui, qui écrit peut-
être bien « par humeur » (*Des Ouvrages de l'e.*, 64) et dont les portraits sont
autant d'exécutions sommaires. (Tant il est vrai que les moralistes, pas plus
que les hommes ordinaires, ne tirent de profit des règles qu'on leur propose !)
Dans la première règle de la Méthode — ou plutôt dans le « clairement et
distinctement » — La Bruyère voit une confirmation, un encouragement
à pratiquer sa méthode des divisions à l'infini. Aussi bien, la règle de
Descartes qui l'influence le plus est la suivante, la seconde, qui précisément reprend, pour les systématiser, les notions de clarté et de division :
« ... diviser chacune des difficultés que j'examinerais, en autant de parcelles
qu'il se pourrait et qu'il serait requis pour les mieux résoudre. » C'est, à la
lettre, la méthode que nous avons vu La Bruyère appliquer si laborieusement
tout au long de son livre. Quand on songe à l'admiration qu'il professe
pour Descartes, à l'habitude qu'il a de pratiquer son œuvre, comment ne
pas voir, dans tant de définitions, de classifications, de catégories et de sub-
divisions, bref, dans toute cette méthode si particulière pour un moraliste,
l'application généralisée de la seconde règle du *Discours* ?

« De fait, malgré l'hostilité de l'Ecole, de nombreux savants..., de la
plupart des jésuites, du Parlement de Paris lui-même, les idées de Descartes
se sont largement répandues, et l'on ne peut retracer l'histoire de la pensée
française, et même européenne, à partir de 1650, sans leur accorder la plus
large place », écrit F. Alquié dans une « Note sur le cartésianisme au XVIIe
siècle [20]. » Si Pascal, qui combat Descartes — « Descartes inutile et incer-
tain » — subit en même temps son influence [21], comment n'en serait-il pas
ainsi pour La Bruyère ? En vérité, l'auteur des *Caractères* est tout comme
ces païens dont parle La Fontaine, qui eussent de Descartes « fait un
Dieu » [22].

B. — ORDRE

D'un côté, La Bruyère se livre donc sur le réel à une opération purement
arbitraire et intellectuelle. Il aboutit à une désintégration de la réalité
vivante, qu'il fragmente à l'infini. Le processus fait penser à une sorte
d'atomisation. Puis, dans cet ensemble disparate, il introduit seize points
fixes, choisis sans originalité, et très scolastiquement imposés à cette réalité
désagrégée, au lieu de se dégager d'elle. Ce sont autant de « noyaux », et,
vaille que vaille, chaque remarque devra venir graviter autour d'un de ces

---

[20] F. Alquié, « Note sur le cartésianisme au XVIIe siècle », dans : *Descartes, l'homme
et l'œuvre* (Paris: Hatier-Boivin, 1956).

[21] Cf. J. Laporte, *Le cœur et la raison selon Pascal* (Paris: Elzévir, 1950).

[22] Bien d'autres passages, dans les *Caractères*, peuvent encore être rapprochés de
Descartes. Cf., par exemple: *Des Jugements*, 94 (où La Bruyère s'oppose cependant à un
aspect de la doctrine cartésienne); *Des Esprits forts*, 15; *De l'Homme*, 156; *Des Jugements*, 4.

pôles. Mais, parallèlement à ce découpage si artificiel et si laborieux, l'univers des *Caractères* s'édifie selon d'autres principes, et le résultat, cette fois, va être non pas un ordre factice, mais le reflet d'un ordre réel. Car le monde de La Bruyère est aussi à l'image des structures sociales de son temps. Il est le décalque d'une donnée historique, et, à ce point de vue, la première loi qui régit cet univers est la hiérarchie, la verticalité. Une figure, empruntée encore à la géométrie, représente clairement ce type d'organisation: c'est celle d'une pyramide. Ce n'est pas assez de dire que La Bruyère décrit, reprend à son compte les structures de la société de son temps: avec la seule restriction, importante il est vrai, que nous verrons tout à l'heure, il les défend, il les assimile, elles aussi, à des valeurs morales indiscutables. Et les changements qu'il proposera, ici et là, ne constituent pas des réformes, mais des améliorations apportées au seul système qu'il conçoive. L'univers qu'il peint est très exactement ce « tout régulier » dont parlera Voltaire à propos du siècle de Louis XIV [23]. Tout émane du roi, tout aboutit au roi. Voilà pourquoi le chapitre *Du Souverain ou de la République* figure au centre des *Caractères* (« chaque ligne aboutit au centre », dira encore Voltaire). Dans le chapitre final de son livre, tout l'effort de La Bruyère consistera pourtant à nous convaincre qu'« il y a deux mondes », et que le « mépris » de celui-ci « sert pour le second » (31). Mais naturellement, entre le tout qu'est Dieu et cet autre tout qu'est le Prince, il n'y a pas conflit, mais participation harmonieuse, l'un n'étant que l'« image » de l'autre: « Si toute religion est une crainte respectueuse de la Divinité, que penser de ceux qui osent la blesser dans sa plus vive image, qui est le Prince? » (28). Ainsi, ce qui régit encore l'univers de La Bruyère est une loi d'ordre, établie par Dieu, confiée à la monarchie pour être équitablement appliquée. Sans doute, le respect de l'ordre est chez lui, comme chez Montaigne ou Pascal, un élément parmi d'autres d'une morale pratique dictée par le bon sens. Dans les *Caractères*, l'ordre devient pourtant une loi aussi fondamentale que celles de Newton. Le monde est assimilé à une mécanique parfaitement réglée: la moindre entorse à l'ordre met aussitôt en question la cohésion, la stabilité de cet univers. De là l'éminente valeur morale de la soumission à la hiérarchie, considérée en fin de compte non plus comme une coutume dont il faut s'accommoder, mais comme un des premiers commandements de Dieu: « Une certaine inégalité dans les conditions, qui entretient l'ordre et la subordination, est l'ouvrage de Dieu, ou suppose une loi divine » (*Des Esprits f.*, 49). C'est par cette inégalité, ce désordre apparent que, précisément, « tout ordre est rétabli, et Dieu se découvre » (*ibid.*, 48). On reconnaît sans peine ce qu'une telle vision de l'univers doit à l'enseignement que proposait l'Eglise. Aussi bien, A. Adam a-t-il raison d'insister sur ce qu'il y a chez La Bruyère de « fidélité au parti religieux » [24]. Dieu, le Prince, les grands, les petits, les misérables, voilà comment s'organise, du sommet

---

[23] Voltaire, *Le Siècle de Louis XIV*, éd. R. Pomeau (Paris: Gallimard [Bibliothèque de la Pléiade], 1957), chap. XXIX, p. 980. Cité par H. Peyre, *Qu'est-ce que le classicisme?*, édition revue et augmentée (Paris: Nizet, 1965), p. 38.

[24] A. Adam, *Histoire de la littérature française au XVIIe siècle* (Paris: del Duca, 1962), tome V, p. 194.

à la base, la pyramide dont nous parlions, et pour définir les rapports qui doivent s'établir entre ces différents niveaux, La Bruyère adapte l'apologue de la tête et des membres, d'origine stoïcienne, mais développée surtout par saint Paul et Pascal: « Il y a un commerce ou un retour de devoirs du souverain à ses sujets, et de ceux-ci au souverain... » (*Du Souverain ou de la R.*, 28). Le tableau qui nous est proposé est quelquefois consternant par ce qu'il a d'idyllique: « Il ne laisse pas d'y avoir comme un charme attaché à chacune des différentes conditions... et tous sont contents » (*Des Grands*, 5).

A tous ces passages qui établissent que tout est bien, on est naturellement tenté d'opposer les remarques plus nombreuses encore où l'auteur paraît réclamer un autre ordre. Il n'y a pourtant pas de contradiction. Si paradoxal que cela semble, ce n'est jamais un ordre nouveau que La Bruyère appelle de ses vœux, mais bien le retour à l'ordre ancien. Son approbation enthousiaste de la Révocation de l'Edit de Nantes est significative à cet égard (*Du Souverain ou de la R.*, 21 et 35). Parce que dans le fond, nous le verrons, il se désintéresse des questions d'idéologie et de doctrine, il n'y a pour lui qu'un ordre possible: celui dicté par Dieu et réalisé, suggère-t-il, dans ces âges d'or — Arcadie, Athènes, Rome — auxquels il fait volontiers allusion [25]. Dans l'univers de La Bruyère, chaque homme a sa place marquée. Chez Pascal on décelait déjà une tendance analogue, dans son habitude de classer les hommes, ici selon trois « ordres », là selon trois conditions [26]. Mais dans le cas de La Bruyère, on serait tenté de parler d'une prédestination sociale. Un homme né dans telle classe a exactement tels droits et tels devoirs. S'il appartenait à une autre classe, ses devoirs et ses droits seraient autres, mais tout aussi clairement codifiés. Ainsi tout est parfaitement ordonné, et si l'on analyse les abus que La Bruyère dénonce, on constate qu'il s'agit toujours d'hommes qui sont sortis du rang, de la place qui leur revenaient, *qui se sont rendus coupables de trop de mouvement.* C'est en effet à un univers très statique que La Bruyère aboutit. Il admet assurément que la société doive évoluer, mais il ne conçoit le changement que lent et entouré de précautions de toutes sortes. Tout mouvement lui est suspect *a priori*, parce qu'il craint d'en voir sortir un bouleversement. Tout ce qui détruit ou simplement dérange la belle vision d'équilibre, de hiérarchie, d'harmonie qu'il aime à contempler, suscite son indignation et ses anathèmes. Il a la nostalgie d'un ordre parfait, impossible dans la pratique. A propos des grands, il écrit: « Nous devons les honorer, parce qu'ils sont grands et que nous sommes petits, et qu'il y en a d'autres plus petits que nous qui nous honorent » (*Des Grands*, 52). L'ordre des préséances, minutieusement stipulé, est revu et corrigé au besoin: « Un homme en place doit aimer sa femme, ses enfants, son prince », lit-on dans les éditions IV et V; mais à partir de l'édition VI: « son prince, sa femme, ses enfants » (*ibid.*, 34). Chez les Romains, il y avait « des distinctions extérieures qui empêchaient qu'on ne prît la femme du praticien pour celle du magistrat, et le roturier ou le simple valet pour le gentilhomme » (*De la Ville*, 22). Heureux temps, où nul ne

---

[25] *Des Jugements*, 118; *Discours sur Théophraste; De la Ville*, 22.

[26] *Pensées*, éd. L. Brunschvicg *minor* (Paris: Hachette, 1963), *fr.* 793 et *fr.* 194, en particulier p. 423, n. 1.

pouvait se méprendre sur les distances. Mais celles-ci, à présent, sont abolies, tout est confondu : « Il semble qu'on livre en gros aux premiers de la cour l'air de hauteur, de fierté et de commandement, afin qu'ils le distribuent en détail dans les provinces » : détestable course au paraître, plus personne ne se contentant de simplement être à sa place ! (*De la Cour*, 12.)

L'ordre étant ainsi assimilé, dans le monde de La Bruyère, à des structures presque figées, tout ce qui est mouvement va être condamné. C'est ainsi que seront dénoncées avec une âpreté extrême deux formes de mouvement, deux forces de désordre, qui constituent de graves menaces pour l'édifice social : la cupidité et l'ambition. (On peut être tenté de leur adjoindre la vanité, mais à bien considérer les choses, l'ambition et la cupidité viennent se fondre en elle, un peu comme chez La Rochefoucauld « les vertus se perdent dans l'intérêt, comme les fleuves se perdent dans la mer ».) Certes, il arrive très souvent à La Bruyère d'étudier ces deux vices du seul point de vue du moraliste. Il montre alors en quoi ils portent atteinte à la dignité de la personne. Mais fréquemment aussi, il adopte un point de vue, non de sociologue, mais de *moraliste de la société*. Ainsi dans la remarque suivante : « Si certains morts revenaient au monde, et s'ils voyaient leurs grands noms portés, et leurs terres les mieux titrées avec leurs château et leurs maisons antiques, possédées par des gens dont les pères étaient peut-être leurs métayers, quelle opinion pourraient-ils avoir de notre siècle ? » (*Des Biens de f.*, 23). L'attitude est encore bien celle du moraliste, puisqu'il y a jugement de valeur. Mais l'effet néfaste de l'argent est de bousculer la hiérarchie traditionnelle. Ces richesses trop rapidement acquises, cette ascension brutale, sont une force de désordre qui sape la base même de la pyramide sociale. La verticalité, l'unité sont rompues : dans son univers, La Bruyère n'admet qu'un ordre parfait, immuable. D'innombrables passages vont dans le même sens. Qu'on se reporte, par exemple, au chapitre *De quelques Usages* (1, 3, 5, 7) : l'indignation est toujours la même devant l'ordre bafoué.

On connaît, d'autre part, l'attitude de La Bruyère à l'égard de Guillaume d'Orange. Cet homme « pâle et livide... met tout en combustion... En un mot, il était né sujet, et il ne l'est plus ; au contraire il est le maître » (*Des Jugements*, 119). Mais que dire des rois d'Europe, qui d'eux-mêmes renversent l'ordre qu'ils ont la charge de sauvegarder ? La Bruyère, scandalisé, leur prête des propos qui, à ses yeux, sont une véritable trahison : « Qu'il n'y ait plus de différence entre de simples particuliers et nous ; nous sommes las de ces distinctions : apprenez au monde que ces peuples que Dieu a mis sous nos pieds peuvent nous abandonner, nous trahir... et qu'ils ont moins à craindre de nous que nous d'eux et de leur puissance. » Et l'auteur de conclure, plein d'amertume : « Il n'y a point de charges qui n'aient leurs privilèges... la dignité royale seule n'a plus de privilèges ; les rois eux-mêmes y ont renoncé » (*ibid.*, 118).

R. Jasinski a parfaitement raison de qualifier la critique de La Bruyère de « gouvernementale » [27]. Il est aisé de voir qu'il se sent à l'aise dans le système politique et social de la France de son temps et que l'univers des *Caractères* est, à ce point de vue, bâti exactement sur le modèle de la société

---

[27] R. Jasinski, *Histoire de la littérature française*, éd. cit., p. 324.

dont l'auteur fait partie. Ceci se trouve comme picturalement illustré dans l'« image naïve des peuples et du prince qui les gouverne »: tout, dans le cadre, les attitudes, et jusqu'à l'heure de la journée, y suggère le calme. Le peuple, tel « un nombreux troupeau... répandu sur une colline vers le déclin d'un beau jour, paît tranquillement le thym et le serpolet... le berger, soigneux et attentif, est debout auprès de ses brebis » (*Du Souverain ou de la R.*, 29). L'idéal est la fixité, une subordination parfaite, l'immobilité d'un univers théorique. Si mouvement il y a, il ne peut être que majestueux et réglé. L'ordre est dans le *statu quo ante* [28]. Il serait tentant de rapprocher, ici encore, l'attitude de La Bruyère de celle de Descartes. « Le changement ou la nouveauté, qui est un mal, et fort dangereux », dit La Bruyère (*Du Souverain ou de la R.*, 7). Et Descartes, dans les maximes de sa morale par provision: « La première était d'obéir aux lois et aux coutumes de mon pays... » Toutefois, il serait téméraire de pousser le parallèle trop loin, car une telle attitude peut aussi bien avoir sa source dans le conservatisme pratique de Montaigne, la « pensée de derrière la tête » de Pascal ou, tout simplement, dans un fonds de sagesse commun aux « honnêtes gens ».

Ainsi, comme il est naturel chez un moraliste, l'univers de La Bruyère est fait d'un continuel affrontement entre la réalité et l'idéal. Il est toujours la mesure de l'écart entre le rêve et la réalité. Il est issu d'un idéal humaniste que l'observation des faits venait démentir quotidiennement, douloureusement. La réalité blesse toujours La Bruyère parce qu'elle est mouvement, action, réaction. Ce contemplatif, que choque la laideur de l'ambition, rêve d'un univers théorique, aux structures rigides. Le monde des *Caractères* est fait de réalisme et de cette nostalgie. C'est un monde mêlé. Les descriptions réalistes ne sont jamais uniquement telles: toujours on y sent des références à un univers d'où tout heurt serait exclu. Le départ est rarement parfait entre « les mœurs de ce siècle » et celles d'un siècle autre, parfait, soustrait au temps. L'originalité de cet univers tient pour beaucoup à cette fusion, à cette interpénétration constantes:

> J'appelle mondains, terrestres ou grossiers ceux dont l'esprit et le cœur sont attachés à une petite portion de ce monde qu'ils habitent, qui est la terre; qui n'estiment rien, qui n'aiment rien au delà: gens aussi limités que ce qu'ils appellent leurs possessions ou leur domaine, que l'on mesure, dont on compte les arpents, et dont on montre les bornes... L'ordre et la décoration [sont] la seule chose selon eux qui mérite qu'on y pense (*Des Esprits f.*, 3).

La part de l'idéal étant ainsi définie, il reste à nous demander de quelles réalités le monde de La Bruyère est le reflet. D'une réalité scientifique d'abord. L'univers est décrit d'après Ptolémée (la terre est « un grain de sable qui ne tient à rien, et qui est suspendu au milieu des airs ») ou d'après Copernic (« La terre elle-même est emportée avec une rapidité inconcevable autour du soleil, le centre de l'univers » [*ibid.*, 43]) [29]. Ce réalisme cosmique,

---

[28] Sur le rôle et la nature du mouvement dans les *Caractères*, on peut consulter: J. Marmier, « Le sens du mouvement chez La Bruyère », *Les Lettres romanes*, XXI (1967), 222-237. Mais l'auteur s'attache surtout à l'étude des attitudes et des gestes.

[29] Sur cette réalité scientifique, cf. *Des Esprits f.*, l'ensemble du numéro cité (43), 36 et 44.

La Bruyère le doit surtout à Pascal: il reprend, en l'affadissant — on reviendra la-dessus — le fragment sur les deux infinis (*Des Esprits f.*, 43, 44). La réalité sociale, nous le savons, est celle de la France contemporaine. Le champ d'observation de La Bruyère est à vrai dire limité: la Cour et la Ville [30]. Comme pour la plupart des classiques, l'étendue du champ compte moins que sa culture en profondeur. Que de mépris pour tout ce qui est de la province, pour ses petites villes et ses nobles! [31] Et pourtant, il lui est arrivé d'écrire: « Celui qui se jette dans le peuple ou dans la province y fait bientôt, s'il a des yeux, d'étranges découvertes... il avance par des expériences continuelles dans la connaissance de l'humanité » (*De l'Homme*, 156). Mais ce beau programme n'a jamais été mis à exécution.

Ainsi, l'univers de La Bruyère, peut-être par ce qu'il a de trop clair, de trop bien ordonné, présente aussi une certaine étroitesse. « L'ordre règne dans la vie: pourquoi tenter, en dehors du système clos qu'on a reconnu pour excellent, des expériences qui remettraient tout en cause? On a peur de l'espace qui contient les surprises; et on voudrait, s'il était possible, arrêter le temps », écrit P. Hazard à propos de la génération de La Bruyère [32]. De là, dans les *Caractères*, des lignes comme celles-ci, où l'attaque vise, plus que les voyages, l'esprit critique qu'ils favorisent: « Quelques-uns achèvent de se corrompre par de longs voyages, et perdent le peu de religion qui leur restait. Ils voient de jour à autre un nouveau culte, diverses mœurs, diverses cérémonies... » (*Des Esprits f.*, 4). A presque tous les points de vue, La Bruyère est étroitement conservateur. Qu'il s'agisse de la structure de la société, de la vision du monde de Pascal, du milieu où le sort l'a jeté: avec une grande fidélité, il se tient à cela. Il assimile ce qu'il trouve établi. Il ne le respecte pas toujours aveuglément, mais il l'accepte, il l'incorpore à sa propre pensée, il en fait sa propre manière de voir.

Toutefois, et fort heureusement, lui-même se sent par moments à l'étroit dans ce cadre déjà constitué qui lui est légué de toutes pièces. Il se plaît alors à prendre une certaine distance, il se détache de l'univers qu'il a si fidèlement décrit et le considère du point de vue de Sirius. Il se fait annaliste ou se divertit à faire la chronique d'un autre monde: « *L'on a vu, il n'y a pas longtemps*, un cercle de personnes des deux sexes, liées ensemble par la conversation et par un commerce d'esprit. Ils laissaient au vulgaire l'art de parler d'une manière intelligible », note-t-il dans une allusion probable au salon de Mlle de Scudéry (*De la Société et de la c.*, 65). « *Il a régné pendant quelque temps* une sorte de conversation fade et puérile... », lit-on un peu plus loin (*ibid.*, 68). Mais le passage le plus caractéristique de cette manière est certainement la très ironique description du pays de la cour:

L'on parle d'une région où les vieillards sont galants, polis et civils; les jeunes gens au contraire, durs, féroces, sans mœurs ni politesse... Ceux qui habitent cette contrée ont

---

[30] Voir l'essai d'E. Auerbach, « La Cour et la Ville », dans: *Vier Untersuchungen zur Geschichte der französischen Bildung* (Berne: A. Francke, 1951).

[31] *De la Société et de la conversation*, 47, 49, 50.

[32] P. Hazard, *La Crise de la conscience européenne, 1680-1715* (Paris: Fayard, 1961), p. 3.

une physionomie qui n'est pas nette, mais confuse, embarrassée dans une épaisseur de cheveux étrangers, qu'ils préfèrent aux naturels... Ces peuples d'ailleurs ont leur Dieu et leur roi: les grands de la nation s'assemblent tous les jours, à une certaine heure, dans un temple qu'ils nomment église; il y a au fond de ce temple un autel consacré à leur Dieu, où un prêtre célèbre des mystères qu'ils appellent saints, sacrés et redoutables; les grands forment un vaste cercle au pied de cet autel, et paraissent debout, le dos tourné directement au prêtre et aux saints mystères, et les faces élevées vers le roi, que l'on voit à genoux sur une tribune, et à qui ils semblent avoir tout l'esprit et tout le cœur appliqués. On ne laisse pas de voir dans cet usage une espèce de subordination; car ce peuple paraît adorer le prince, et le prince adorer Dieu. Les gens du pays le nomment ***; il est à quelque quarante-huit degrés d'élévation du pôle, et à plus d'onze cents lieues de mer des Iroquois et des Hurons (*De la Cour*, 74).

Ce qu'il y a en La Bruyère d'orthodoxe et de « gouvernemental » se trouve encore tempéré par une réflexion comme celle-ci: « Il me semble que l'on dépend des lieux pour l'esprit, l'humeur, la passion, le goût et les sentiments » (*Du Cœur*, 82). Ailleurs, il semble concevoir bien d'autres ordres possibles, et mesurer la relativité de celui qu'il défend. G. Michaut, à propos de la critique littéraire dans les *Caractères*, rendait déjà hommage au « sens du mouvement », au « sentiment historique » de l'auteur [33]. On trouve la même attitude dans le *Discours sur Théophraste*, et cette fois, c'est d'une relativité à beaucoup plus vaste échelle qu'il s'agit: « Nous, qui sommes si modernes, serons anciens dans quelques siècles... Les hommes n'ont point d'usages ni de coutumes qui soient de tous les siècles... elles changent avec les temps... nous sommes trop éloignés de celles qui ont passé, et trop proches de celles qui règnent encore, pour être dans la distance qu'il faut pour faire des unes et des autres un juste discernement ». Implicitement, c'est la notion d'ordre même, qui est pourtant au centre de sa vision du monde, que La Bruyère remet ici en question. « La prévention du pays, convient-il encore, jointe à l'orgueil de la nation, nous fait oublier que la raison est de tous les climats, et que l'on pense juste partout où il y a des hommes » (*Des Jugements*, 22). Et, tout comme Montesquieu, quelque trente ans plus tard, se servira de ses Persans pour donner une saine leçon de relativité et de modestie, La Bruyère fait déjà appel aux Siamois, alors à la mode [34].

On le voit: l'ordre, dans cette vision du monde, est dominant et souverain; mais la conscience de ce que tout ordre a de relatif élargit quelque peu la perspective. Le brusque recul qu'à des moments privilégiés La Bruyère se montre capable de prendre sauve son univers d'une conformité par trop servile à tous les ordres établis.

[33] G. Michaut, *La Bruyère* (Paris: Boivin, 1936), p. 106 et p. 116.
[34] *Des Jugements*, 22, 24; *Des Esprits forts*, 29.

C. — TRANSPARENCE

Après le fractionnement, qui fait éclater le réel en une infinité de catégories, et l'ordre, qui établit une structure verticale passablement figée, un
troisième caractère définit l'univers de La Bruyère : c'est la notion de transparence. Ni Dieu ni la nature, ni le temps ni l'infini, ni autrui ni lui-même
ne posent de véritables problèmes pour La Bruyère : l'univers est clair. Il
y a ceux qui acceptent l'autorité de la tradition, et cette humble soumission,
que La Bruyère appelle, significativement, « docilité »[35], leur procure un
sentiment de sécurité profonde, la sécurité des évidences. Notre auteur est
de ceux-là. Autour de lui, il sent s'agiter les « esprits forts » qu'irritent les
dogmes ou que laisse indifférents la révélation. Pas un instant, La Bruyère
ne se met à leur place, ne les devine. Il ne lui vient pas à l'idée qu'il existe
des âmes tourmentées : dans ceux qui ne croient pas comme lui, ne se
soumettent pas comme lui, il ne voit que des hommes à plaindre, des hommes
à qui l'évidence a manqué, et l'évidence joue ici le rôle que dans le jansénisme
joue la grâce. Le pessimisme de La Bruyère, qui éclate dans tant de pages,
n'a rien d'un pessimisme philosophique. C'est de l'amertume : le cœur y
tient une grande place, mais non l'intellect. Sur le plan de la raison, il y a
chez lui une sorte d'allègre confiance. Il a l'humeur mélancolique et l'esprit
serein. Devant autrui, il est Héraclite, devant l'univers, il est Pangloss[36].
Il sait, par la foi, « quel est le principe de son être, de sa vie, de ses sens,
de ses connaissances, et quelle en doit être la fin » (*Des Esprits f.*, 1). Sur
aucune de ces grandes questions, il n'éprouve le moindre doute : il a l'esprit
tranquille sur toutes les « grandes règles »[37]. Ce n'est point qu'il prétende
tout expliquer ni saisir Dieu dans son mystère. Mais il est tout prêt à faire
ce « désaveu de la raison » que réclamait Pascal. Il ne *sent* pas le mystère ;
il admet, sans qu'aucune angoisse le traverse, une part d'inconnaissable.
Il y a, dit-il, « des choses qui ne demandent des hommes qu'un sens droit
pour être connues jusques à un certain point, et qui au delà sont inexpli-
cables » (*ibid.*, 23). Mais cette soumission de la raison ne lui a jamais coûté.
Quand Pascal écrit : « La dernière démarche de la raison est de reconnaître
qu'il y a une infinité de choses qui la surpassent, elle n'est que faible, si elle
ne va jusqu'à connaître cela »[38], la soumission de la raison représente un
sacrifice. Sacrifice consenti sans regrets, certes, mais ressenti comme d'autant plus glorieux que la pensée est « une chose admirable et incomparable
par sa nature »[39]. En d'autres termes, au moment même où il se propose
d'« humilier la raison »[40] Pascal lui rend hommage. Par sympathie, il a

---

[35] *Des Esprits forts*, 2.

[36] *Des Jugements*, 118.

[37] *Des Esprits forts*, 10.

[38] *Pensées, fr.* 267.

[39] *Ibid., fr.* 365.

[40] *Ibid., fr.* 282.

ressenti ce que l'affrontement entre le cœur et la raison du libertin pouvait avoir de pathétique. Il est probable, d'ailleurs, que Pascal ait quelquefois prêté aux libertins une angoisse qui n'était pas la leur. Entre son âme tourmentée et leur âme indifférente, il s'est peut-être créé des échanges complexes. Mais de cette angoisse, La Bruyère est incapable. Il ne l'a ni éprouvée ni imaginée. Le désaveu de la raison est chez lui un acte d'une simplicité élémentaire. La raison est toute disposée à déposer ses armes. La nécessité de s'incliner s'impose à elle, non au terme d'une lutte, mais lui apparaît, tout naturellement, comme une évidence supplémentaire. Pour saisir à quel point l'esprit de La Bruyère est exempt de toute inquiétude, à quel point sa représentation de l'univers est claire, il n'est que de relire, au chapitre des *Esprits forts*, le discours qu'il tient au libertin *Lucile* :

... Il est démontré qu'il ne peut pas y avoir de la terre au soleil moins de dix mille diamètres de la terre, autrement moins de trente millions de lieues : peut-être y a-t-il quatre fois, six fois, dix fois plus loin ; on n'a aucune méthode pour déterminer cette distance.

Pour aider seulement votre imagination à se la représenter, supposons une meule de moulin qui tombe du ciel sur la terre ; donnons-lui la plus grande vitesse qu'elle soit capable d'avoir, celle même que n'ont pas les corps tombant de fort haut ; supposons encore qu'elle conserve toujours cette même vitesse, sans en acquérir et sans en perdre ; qu'elle parcoure quinze toises par chaque seconde de temps, c'est à dire la moitié de l'élévation des plus hautes tours, et ainsi neuf cents toises en une minute ; passons-lui mille toises en une minute, pour une plus grande facilité ; mille toises font une demi-lieue commune ; ainsi en deux minutes la meule fera une lieue, et en une heure elle en fera trente, et en un jour elle fera sept cent vingt lieues : or elle a trente millions à traverser avant que d'arriver à terre ; il lui faudra donc quarante-un mille six cent soixante-six jours, qui sont plus de cent quatorze années, pour faire ce voyage. Ne vous effrayez pas, Lucile, écoutez-moi : la distance de la terre à Saturne est au moins décuple de celle de la terre au soleil ; c'est vous dire qu'elle ne peut être moindre que de trois cents millions de lieues, et que cette pierre emploierait plus d'onze cent quarante ans pour tomber de Saturne en terre (*Des Esprits f.*, 43).

Ce passage, que G. Michaut appelait un « sermon laïque », prend toute sa signification lorsqu'on le rapproche du fragment des *Pensées* sur les deux infinis, dont La Bruyère s'inspire de près ; tout connu qu'il est, il vaut mieux en citer quelques lignes, pour que la comparaison soit vraiment éloquente :

Qui se considérera de la sorte s'effrayera de soi-même, et, se considérant soutenu dans la masse que la nature lui a donnée, entre ces deux abîmes de l'infini et du néant, il tremblera dans la vue de ces merveilles ; et je crois que, sa curiosité se changeant en admiration, il sera plus disposé à les contempler en silence qu'à les rechercher avec présomption...

Nous voguons sur un milieu vaste, toujours incertains et flottants, poussés d'un bout vers l'autre. Quelque terme où nous pensions nous attacher et nous affermir, il branle et nous quitte ; et si nous le suivons, il échappe à nos prises, nous glisse et fuit d'une fuite éternelle (*fr.* 72).

Qu'est devenue la frayeur dont parle Pascal ? « Ne vous effrayez pas », est-il dit à *Lucile*. Devant les « abîmes de l'infini et du néant », c'est tout naturellement le silence qui s'impose à l'auteur des *Pensées*. L'auteur des

Caractères n'a pas ce sens du sacré, toute incertitude lui est étrangère: il se livre tranquillement au plus prosaïque des calculs. L'angoisse qui si souvent se dégage des *Pensées* n'est sans doute pas non plus toujours celle de Pascal lui-même. (Tourneur a bien montré, par exemple, que les mots fameux: « Le silence éternel de ces espaces infinis m'effraie » traduisent le sentiment, non de Pascal, mais du libertin.) Il reste que même dans ce cas, par l'imagination ou par la sympathie, Pascal peut partager une inquiétude qui n'effleure pas même La Bruyère.

Il faut examiner de près le chapitre des *Esprits forts*, parce que c'est le seul où soient abordés les problèmes de l'origine et de la fin de l'univers. Là seulement, La Bruyère délaisse la peinture des existences pour s'interroger sur l'essence des choses. Or, force est de constater que sa pensée n'y porte aucune marque personnelle. A Pascal toujours sont empruntés les arguments du pari (31 et 35), de la beauté de la doctrine chrétienne (34), de la grandeur de la pensée (45). « C'est le cœur qui sent Dieu, et non la raison », dit Pascal [41]. « Je sens qu'il y a un Dieu... tout le raisonnement du monde m'est inutile », écrit La Bruyère (15). Ailleurs, il reprend à son compte la distinction cartésienne entre la matière et l'esprit (36-42) et paraphrase le *cogito* (36) [42], ou bien il adapte la pensée de Gassendi (43). Enfin, la manière dont, d'après L. Hudon, il assimile les idées exposées par Montaigne dans l'*Apologie de Raimond Sebond* traduit encore parfaitement ce qu'il y a de passif dans sa manière de concevoir l'univers: « Là où Montaigne avait tourné et retourné toutes les idées possibles pour arriver à une conclusion à lui, La Bruyère s'est contenté de vulgariser la pensée de ses devanciers... Dans la masse des raisonnements philosophiques empruntés qui font le corps de sa défense du christianisme, il a écrit presqu'un résumé des arguments, de Montaigne dans l'*Apologie* [43]. » On objectera que tout le chapitre des *Esprits forts* est une apologie de la religion, et que, par conséquent, les certitudes y sont mieux à leur place que les doutes, les affirmations mieux que les questions. Mais — et c'est cela que nous avons voulu mettre en relief — l'attitude de La Bruyère est révélatrice de son état d'esprit. Il fait une synthèse et une vulgarisation des idées de ses prédécesseurs, et à aucun moment, on ne le voit lui-même interroger l'univers. Il ne se dit jamais, au sujet de Pascal (ou de Descartes, ou de Montaigne): « Pascal a très bien fait, mais il a fait pour lui. » Il acquiesce et adopte [44]. Il emprunte à d'autres toutes ses réponses parce que lui-même n'éprouve pas le besoin de formuler les questions: l'univers, pour lui, est transparent.

Mais que se passe-t-il, lorsque abandonnant les spéculations et la recherche des causes finales, La Bruyère s'en tient au domaine qui est vraiment le sien,

---

[41] *Pensées, fr.* 278.

[42] Sur ces emprunts faits à Descartes, cf. l'article de Ph. A. Wadsworth, « La Bruyère against the libertines », *Romanic Review*, XXXVIII (1947), 226-233.

[43] L. Hudon, « La Bruyère et Montaigne », *Studi Francesi*, VI (1962), p. 222.

[44] Les emprunts se retrouvent au niveau du style, beaucoup moins personnel que celui de Pascal. Dans la plus grande partie du chapitre *Des Esprits forts*, La Bruyère s'efforce (sans grand succès) d'imiter le ton de Bossuet.

à l'étude de l'homme? Sa curiosité sera-t-elle davantage en éveil, et surtout, de quelle qualité cette curiosité est-elle? Car après tout, il y a une manière de s'interroger sur l'homme qui met toutes choses en question. Ce sont, ici encore, les comparaisons qui nous renseigneront le mieux, et que La Bruyère nous invite lui-même à faire, lorsqu'il se réfère, dans le *Discours sur Théophraste*, à Pascal et à La Rochefoucauld.

Pascal ne s'étonne pas moins devant l'homme que devant l'univers, et au nombre des mots-clés des *Pensées*, il faut à coup sûr compter des termes comme « incompréhensible », « monstrueux », « énigme », « prodige »: « Quelle chimère est-ce donc que l'homme? Quelle nouveauté, quel monstre, quel chaos, quel sujet de contradiction, quel prodige! » (*fr.* 434). Ou encore: « L'homme est à lui-même le plus prodigieux objet de la nature » (*fr.* 72), un « monstre incompréhensible » (*fr.* 420). On serait bien en peine de découvrir chez La Bruyère un pareil leitmotiv. « L'on est enfin étonné de se trouver dur et épineux », écrit-il quelque part (*De l'Homme*, 15). Ou bien: « Je suis étonné de voir jusques à sept ou huit personnes se rassembler sous un même toit, dans une même enceinte, et composer une seule famille » (*ibid.*, 16). Mais on voit aisément que la nature de cet étonnement est bien différente. C'est, dans les deux cas, un amer constat, émouvant, certes, lorsque La Bruyère paraît découvrir son propre cœur, mais où plus rien ne rappelle le saisissement de Pascal devant l'énigme de notre nature. Observons ce changement sur un exemple très précis, où l'idée est la même — sans doute La Bruyère l'emprunte-t-il encore à l'auteur des *Pensées* — mais où l'un va au cœur des choses, tandis que l'autre se désintéresse, ou se montre incapable de cet approfondissement:

Rien n'est si important à l'homme que son état, rien ne lui est si redoutable que l'éternité; et ainsi, qu'il se trouve des hommes indifférents à la perte de leur être et au péril d'une éternité de misères, cela n'est pas naturel. Ils sont tout autres à l'égard de toutes les autres choses: ils craignent jusqu'aux plus légères, ils les prévoient, ils les sentent... C'est une chose monstrueuse de voir dans un même cœur et en même temps cette sensibilité pour les moindres choses et cette étrange insensibilité pour les plus grandes. C'est un enchantement incompréhensible... (*Pensées, fr.* 194).

Ecoutons maintenant La Bruyère:

Nous n'avons pas trop de toute notre santé, de toutes nos forces et de tout notre esprit pour penser aux hommes ou au plus petit intérêt: il semble au contraire que la bienséance et la coutume exigent de nous que nous ne pensions à Dieu que dans un état où il ne reste en nous qu'autant de raisons qu'il faut pour ne pas dire qu'il n'y en a plus (*Des Esprits f.*, 17).

Seul le rôle de la « bienséance » et de la « coutume » paraît ici intriguer quelque peu La Bruyère, c'est-à-dire que l'homme est toujours considéré du point de vue social. Mais plus rien ne se retrouve du frisson pascalien. L'auteur des *Caractères* ne s'inquiète pas davantage de l'essence de notre nature que du sens de l'univers.

Ce point devient plus clair encore quand on examine l'œuvre dans son ensemble. La Rochefoucauld n'avait pas hésité à écrire: « Il y a une infinité de conduites qui paraissent ridicules, et dont les raisons cachées sont très sages et très solides [45]. » Sans doute est-il arrivé à La Bruyère de noter qu'« il ne faut pas juger des hommes comme d'un tableau ou d'une figure, sur une seule et première vue : il y a un intérieur et un cœur qu'il faut approfondir » (*Des Jugements*, 27). Mais cet approfondissement est chez lui l'exception. Il s'en tient à ce qu'il voit — l'allusion à la « vue », dans cette dernière citation, n'est pas le fait du hasard — aux attitudes, aux gestes, aux regards, et si l'une de ses remarques devait servir à définir sa méthode, ce serait bien plutôt celle-ci : « Il n'y a rien de si délié, de si simple et de si imperceptible, où il n'entre des manières qui nous décèlent » (*Du Mérite p.*, 37). Il est, en un sens, le précurseur de la psychologie du comportement, dont le domaine, dit P. Naville, « ne consiste qu'en mouvements observables » [46]. L'étude des physionomies constitue, bien qu'il s'en défende [47], une part essentielle de sa méthode, car « les traits découvrent la complexion et les mœurs » (*Des Biens de f.*, 53). Plutôt que de donner, de l'ambition par exemple, comme La Rochefoucauld, une définition tout abstraite (« La modération est la langueur et la paresse de l'âme, comme l'ambition en est l'activité et l'ardeur » [48]), il préfère en faire l'étude *in vivo*, par les traits « altérés », la manière d'embrasser ou de rire ; il observe comment un *Ménophile* « masque toute l'année, quoique à visage découvert » (*De la Cour*, 48). La Bruyère n'a pas la curiosité des profondeurs troubles, des « raisons cachées » dont parlait La Rochefoucauld : de même que l'univers, tout l'homme est pour lui connaissable, et s'offre sans ambiguïté au regard qui l'interroge : « On le reconnaît », dit-il à propos du même *Ménophile*, « et on sait quel il est à son visage ». Ce qui était pour Pascal « la grimace » et pour La Rochefoucauld « les mines » [49] mérite pour La Bruyère de fixer toute l'attention. L'orgueil du favori est étudié dans ses yeux, le ton de sa voix et jusque dans sa démarche (*De l'Homme*, 94). Un *Gnathon*, comme l'a bien vu R. Jasinski, est tout entier peint par le dehors : « La Bruyère montre dans ses manifestations extérieures la goujaterie qui résulte de l'égoïsme, plus qu'il n'analyse l'égoïsme lui-même... Le caractère se compose, mais suggéré plus qu'éclairé dans ses profondeurs [50]. » Ainsi, l'homme de La Bruyère est bien encore un homme fait de clarté. Tout, en lui, est encore apparent et définissable, et cette limpidité peut quelquefois paraître trop grande. La psychologie, dans les *Caractères*, est « immédiate », à une dimension, serait-on tenté de dire. A propos des « écrivains naturalistes du XVIIe siècle », et en particulier de la Rochefoucauld, P. Bénichou a noté qu'ils « assoient volontiers [la] notion d'inconscient, qui pourrait paraître

---

[45] *Maximes*, éd. cit., max. 163.

[46] P. Naville, *La psychologie du comportement*, nouvelle édition augmentée (Paris : Gallimard [coll. Idées], 1967), p. 23.

[47] *Des Jugements*, 31 : « La physionomie n'est pas une règle qui nous soit donnée pour juger des hommes : elle nous peut servir de conjecture. »

[48] Max. 293.

[49] *Pensées, fr.* 82 ; max. 256.

[50] R. Jasinski, « Influences sur La Bruyère », p. 297.

une hypothèse gratuite, sur l'observation du *comportement* humain... La distinction dans l'âme humaine de la surface et du fond risquerait, sans ce recours au critère objectif de la conduite, de tourner à la mythologie » [51]. Il faut admettre que La Bruyère n'a jamais soupçonné les abîmes de l'inconscient, ou bien que sa méfiance à l'égard du « fond de l'âme » est bien plus grande encore que celle de La Rochefoucauld, puisqu'il ne se fie précisément qu'au critère de la conduite.

Dans le même ordre d'idées, ce qui frappe encore, dans le monde de La Bruyère, c'est la primauté du concret. C'est un univers fait pour l'œil. Le seul critère du vrai, pour La Bruyère, est le particulier. De même qu'il ne peint la nature humaine qu'à travers des individus, dont il fait voir le « teint verdâtre », le « ris forcé » ou l'« œil fixe et assuré » [52], de même il ne se contente jamais d'une couleur locale vague, d'un décor neutre ou simplement suggéré. Il faut que tout accroche le regard, que l'on voie jusqu'au « flou » d'une médaille, aux encoignures d'une demeure [53]. Mais il s'agit ici de tout autre chose que d'un souci de vérisme ou de simple pittoresque. Ces détails ne sont pas uniquement des détails: ils finissent par constituer une manière, non plus seulement de représenter, mais de comprendre le monde. A notre avis, ce souci constant de La Bruyère de montrer ce qu'un homme a de typique, un décor de particulier, doit être rapproché de son manque de curiosité à l'endroit des questions fondamentales, de son acceptation des ordres établis et de son indifférence à ordonner ses idées en système. Bien des lecteurs concluent de cette attitude que La Bruyère s'attache davantage à la forme qu'au fond, qu'il se tient, pour reprendre l'expression de Bénichou, à la « surface » de l'âme et des choses. Or, La Bruyère est humaniste au sens le plus étymologique du mot. Il n'explique pas l'homme à partir de vastes théories ou de grands principes, à partir de l'esprit et de la matière, ou de sa dignité première et de sa corruption, ou des mille formes d'un élan premier toujours le même. Ou plutôt, il reprendra ce type d'explications parce qu'elles sont parfaitement au point, prêtes à être endossées. Mais pour lui, tout doit partir de l'homme, c'est-à-dire de la diversité. Et, dans le passage de cette diversité à l'universel, il s'est toujours montré d'une prudence extrême. Le chrétien qu'il est, sous un roi athée, aurait été athée. Non par flagornerie, cela s'entend, mais par manque d'inquiétude véritable. Il aurait défendu la république s'il était né dans un pays depuis longtemps républicain. Non par conviction profonde, mais parce que les grands cadres lui importent peu. En matière de théories et de doctrines, il est bien de ces classiques pour qui, dit Sartre, « il ne s'agit en aucun cas de découvrir des terres nouvelles à la pensée », et qui n'ont pas souci d'« échafauder des hypothèses » [54]. En revanche, ce qui lui importe, et au plus haut point, c'est

---

[51] P. Bénichou, *Morales du grand siècle* (Paris: Gallimard [coll. Idées], 1967), pp. 172-173, n. 2.

[52] *De l'Homme*, 124; *De la Cour*, 62; *Des Biens de fortune*, 83.

[53] *De la Mode*, 2; *De l'Homme*, 124.

[54] J.-P. Sartre, « Qu'est-ce que la littérature ? » dans: *Situations II* (Paris: Gallimard, 1948), pp. 138-139.

de *voir juste*: il n'a de confiance que dans le regard [55]. Philosopher, pour lui, se ramène encore à « observer les hommes » [56], et l'honneur qu'il revendique, selon une formule très significative, est d'être du « très petit nombre de connaisseurs qui *discerne*, et qui soit en droit de prononcer » (*Des Jugements*, 27). Barbey d'Aurevilly a vu parfaitement juste, en le qualifiant de « grand spectateur » [57]. Quoique sa sincérité ne soit nullement en cause, il n'adhère profondément, passionnément, à aucune grande explication de l'univers, parce que la vérité, étant abstraite, ne se laisse pas objectivement cerner. Il refuse de marcher sur les traces de La Rochefoucauld, pas seulement pour faire du neuf, mais parce que le système des *Maximes*, comme tous les systèmes, conduit encore à l'abstraction. La grande tâche qu'il s'impose est de saisir, dans tout ce qui l'entoure, la part d'unicité. Si quelquefois il généralise — mais de moins en moins souvent, comme le prouve le nombre des maximes, qui va en diminuant à mesure que les éditions se succèdent — c'est en écartant tous les *a priori*. Toujours témoin, se voulant toujours lucide, sa suprême ambition est qu'« il n'échappe rien à [ses] yeux » (*De la Ville*, 1). Tout ce qu'on ne saurait « démêler » [58] des yeux lui inspire une méfiance instinctive, et, s'il est le précurseur de la psychologie du comportement, il l'est naturellement aussi du positivisme. Sa religion et ses idées sociales ou politiques ne sont dans le fond qu'une morale par provision. Seul ce que l'œil a confirmé, dépassant le vraisemblable, atteint au vrai.

Inutile de souligner tout ce qu'une telle vision du monde porte en elle de hautement subjectif, au moment même où elle se croit parfaitement objective. Et toute la morale de La Bruyère, dans laquelle les intuitions du cœur se fondent sur ce que les yeux ont d'abord enregistré, est de la sorte revêtue du même sceau subjectif et impressionniste. Ainsi, par une ironie qui paraît attachée à son interprétation du monde, La Bruyère, qui se voulait avant tout attentif et prudent, retombe dans l'esprit de système auquel il a toujours cru échapper.

Par ce qu'il a de rigueur mathématique, l'univers de La Bruyère, pour un moraliste, est déconcertant. Parce qu'il est le reflet d'un ordre historique bien connu, cet univers est familier, classique. Par ce qu'il a de trop limpide enfin, il paraît quelquefois décevant. Le bilan, si l'on s'en tenait à ces trois caractéristiques, serait au total assez mince. Il resterait à La Bruyère sa verve, son pittoresque. Le style seul serait sa marque vraiment personnelle, et l'originalité des *Caractères* tiendrait surtout à la forme. C'est là précisément, depuis Charpentier qui reçut de mauvaise grâce l'auteur à l'Académie, jusqu'à nos jours, en passant par Taine, par Brunetière, une opinion cou-

---

[55] Sur l'importance du regard dans les *Caractères*, on lira avec intérêt: M. Guggenheim, « L'Homme sous le regard d'autrui ou le monde de La Bruyère », *PMLA*, LXXXI (1966), 535-539.

[56] *Des Ouvrages de l'esprit*, 34.

[57] Barbey d'Aurevilly, « La Bruyère », dans: *Femmes et Moralistes* (Paris: Lemerre, 1906), p. 114.

[58] *Des Ouvrages de l'esprit*, 34.

rante. L'admiration fervente de Proust, les analyses pénétrantes de Jasinski semblent à plusieurs faire trop d'honneur à un auteur estimable mais secondaire. Il est vrai que son gros volume est rarement lu jusqu'au bout, et que par la lecture de fragments épars, l'essentiel échappe. L'essentiel, dans les *Caractères*, comme dans un grand roman, ne se révèle que par des correspondances et des échos. Tel fragment, par lui-même, peut paraître superficiel : c'est qu'on a tort de l'isoler. Il est mis en lumière par un ensemble, complété par telle autre pensée qui peut se trouver à l'autre bout du livre, il n'acquiert sa signification totale que par des idées-maîtresses et une vision qui s'élaborent peu à peu. On lit trop souvent les Caractères comme on lit *Gil Blas*, qui leur doit tant. On parcourt la galerie de portraits, on se divertit des anecdotes, et on manque de voir le dessein de l'auteur. Mais pour être discrète, l'ambition de La Bruyère n'en est pas moins haute.

L'exemple le plus récent en date d'une lecture partielle est fourni par un des chefs de file de la critique dite nouvelle. Roland Barthes a proposé, en 1963, une « lecture moderne de La Bruyère » [59]. On ne saurait qu'applaudir à cette entreprise, bien que l'attitude soit d'emblée assez condescendante à l'égard du moraliste : « La modernité, est-il dit, toute prête à s'approprier les auteurs anciens, semble avoir le plus grand mal à le récupérer... » Les vues de M. Barthes sont d'ailleurs souvent neuves et stimulantes, telles les considérations sur la technique qui « tend toujours à masquer le concept sous le percept », ou celles sur « l'*inland* de la mondanité ». Mais voyons de plus près ce qui concerne l'univers de La Bruyère, et qui nous paraît surtout contestable :

Le monde de La Bruyère est à la fois *nôtre* et *autre*; *nôtre*, parce que la société qu'il nous peint est à ce point conforme à l'image mythique du XVIIe siècle que l'école a installée en nous, que nous circulons très à l'aise parmi ces vieilles figures de notre enfance, Ménalque, l'amateur de prunes, les paysans-animaux farouches, le « tout est dit et l'on vient trop tard », la ville, la cour, les parvenus, etc.; *autre* parce que le sentiment immédiat de notre modernité nous dit que ces usages, ces caractères, ces passions même, ce n'est pas nous; le paradoxe est assez cruel. La Bruyère est nôtre par son anachronisme, et il nous est étranger par son projet même d'éternité; la mesure de l'auteur (qu'on appelait autrefois médiocrité), le poids de la culture scolaire, la pression des lectures environnantes, tout cela fait que La Bruyère nous transmet une image de l'homme classique qui n'est ni assez distante pour que nous puissions y goûter le plaisir de l'exotisme, ni assez proche pour que nous puissions nous y identifier : c'est une image familière et qui ne nous concerne pas.

Une fois de plus, La Bruyère est jugé sur des morceaux d'anthologie. On ne relèverait plus le fait, puisque aussi bien il s'agit là d'une habitude très répandue. Mais les conclusions auxquelles aboutit le critique paraissent, cette fois, parfaitement erronées. Elles se ramènent à deux :

1. La Bruyère est anachronique. L'intérêt qu'il continue à présenter pour des lecteurs du XXe siècle provient de ce qu'il a peint une société. La société

---

[59] R. Barthes, « La Bruyère : du Mythe à l'Ecriture », préface à l'édition des *Caractères* (Paris : Union générale d'éditions, coll. 10/18, 1963). Préface rééditée dans les *Essais critiques* (Paris : Le Seuil, 1964).

du XVIIe siècle, nous avons tendance à nous la représenter à travers ses tableaux. Il est nôtre scolairement. Mais quant à « son projet même d'éternité », c'est-à-dire son ambition de peindre l'homme de tous les temps, il est bien périmé. Les hommes qui peuplent son univers sont devenus des étrangers pour nous. L'identification est devenue impossible et les réflexions morales n'ont plus rapport à nous. Le peintre demeure et le moraliste est dépassé.

2. Mais la véritable actualité de La Bruyère, et son vrai mérite, sont autres : « C'est donc en définitive lorsque nous croyons avoir atteint en La Bruyère l'extrême lointain de nous-mêmes, qu'un personnage surgit brusquement en lui, qui nous concerne au plus proche et qui est tout simplement l'*écrivain*... La structure sémantique du fragment est si forte, chez La Bruyère, qu'on peut la rattacher sans peine à l'un des deux aspects fondamentaux que le linguiste R. Jakobson a heureusement distingués dans tout système de signes... Et c'est bien au niveau du langage (et non du style) que les *Caractères* peuvent peut-être le plus nous toucher. On y voit en effet un homme, y [*sic*] mener une certaine expérience de la littérature [60]. » Voilà donc en quoi consiste la « récupération ». Non sans bonne volonté, on découvre dans les *Caractères* l'illustration de certaines théories du langage et de la littérature qui ont l'heur de plaire au critique. Toute la « lecture moderne de La Bruyère » est orientée par des doctrines totalement étrangères à l'œuvre, et selon le plus ou moins de souplesse avec laquelle elle se coulera dans ce moule, elle sera jugée bonne ou mauvaise. On ne lit pas l'œuvre, on la récrit. Si c'est bien des *Caractères* que nous parlons, ce sont avant tout des réflexions et des peintures de moraliste. On est surpris d'avoir à écrire pareil truisme. Cela paraît nécessaire, toutefois : comment s'expliquer autrement que dans une longue étude, M. Barthes passe pratiquement sous silence l'aspect primordial de l'œuvre ?

En fait, si l'univers de La Bruyère se définissait seulement par les trois caractéristiques que nous avons analysées dans ce chapitre, encore une fois, le bilan serait mince : on voit mal comment l'œuvre aurait résisté au temps. Si d'autre part, on réduit le mérite essentiel de La Bruyère à ses qualités de styliste, on sera encore loin de compte. C'est qu'un dernier trait est propre à l'œuvre et fait passer l'auteur au rang des maîtres. C'est le symbolisme. A. Maurois l'a noté de la façon la plus juste :

Je ne sais pas ce que seront les hommes qui vivront dans deux mille ans... mais ce que je prédis sans crainte d'erreur, c'est qu'ils ressembleront à ceux que peint La Bruyère... La nature humaine, depuis La Bruyère, n'a pas changé. La Cour ne s'appelle plus la Cour, le souverain n'est plus un roi, mais l'homme au pouvoir, ses flatteurs, ses solliciteurs, gardent les mêmes caractères... Nous disons *arriver* au lieu de *cheminer* mais, si les mots varient, le comportement demeure.

Les caractères sont définis et modelés par les rapports entre les hommes. Posez un maître, une Cour, des sujets ; tout le reste peut s'en déduire. Changez le nom et le titre du maître ; nommez la Cour : *Cabinet, entourage* ; les rapports resteront semblables et les

---

[60] R. Barthes, p. 18 et p. 21.

mêmescauses produiront les mêmes effets. La pérennité des caractères assure l'immortalité de celui qui les peignit...

Aucun classique n'est plus moderne [61].

L'inconvénient est évidemment que Maurois appartient à une école critique bien ancienne, bien dépassée. Pour juger d'une œuvre, il se souciait peu des théories de Jakobson. Apparemment, aujourd'hui comme jadis, « tout se règle par la mode » (*De la Mode*, 16).

Le « symbolisme » de La Bruyère — on emploie le mot à défaut d'un meilleur terme — n'a que peu de choses en commun avec les théories esthétiques de ce nom. Le symbolisme chez lui n'a rien de doctrinaire et ne prétend pas capter l'essence des choses. On peut le définir: une facilité ménagée au lecteur pour opérer des transpositions. Quand La Bruyère écrit par exemple: « L'on s'accoutume difficilement à une vie qui se passe dans une antichambre, dans des cours, ou sur l'escalier » (*De la Cour*, 7), il est clair que, par l'emploi de l'impersonnel, des indéfinis, tout tend à permettre au lecteur de prolonger, de développer, de *détailler* une situation qui n'est qu'ébauchée. Le décor est seulement suggéré, le personnage est absent. Seul, dans cette atmosphère estompée et vague, favorable au jeu de l'imagination, « l'escalier » se dresse avec une certaine netteté (c'est le seul terme à être précédé d'un article défini). La Bruyère, ici, ne fait que fournir des éléments: c'est au lecteur de faire le reste, de mettre un visage sur ce « on », de localiser plus précisément le décor, de se représenter plus en détail une vie ainsi perdue. (Tout cela, s'il veut, s'il en éprouve le besoin, car la remarque a aussi une beauté intrinsèque qui tient, précisément, à ce qu'elle a de général.) C'est donc en définitive à un univers poétique que l'on aboutit. « Bien que je les tire souvent de la cour de France et des hommes de ma nation », écrit l'auteur à propos de ses « caractères », « on ne peut pas néanmoins les restreindre à une seule cour, ni les renfermer en un seul pays, sans que mon livre ne perde beaucoup de son étendue... » *(Préface)*. Le lecteur est ainsi sollicité constamment à contribuer, à fondre sa propre expérience, les images qu'il porte en lui, dans les « remarques » qu'il a sous les yeux. C'est précisément à ce genre de transfert et d'approfondissement que se livre le lecteur dont parlait Proust. Par ce qu'il a d'inachevé, par le rôle de créateur qu'il permet au lecteur de jouer, par la réflexion qu'il invite constamment chacun à faire sur *sa* destinée, sur *son* aventure individuelle, l'univers de La Bruyère finit par se dérober à l'analyse critique pour ne plus procurer qu'un très délicat plaisir.

---

[61] A. Maurois, *De La Bruyère à Proust* (Paris: Fayard, 1964), pp. 20-22 et p. 32.

III

LA BRUYÈRE ET CASTIGLIONE *

A. La morale mondaine de La Bruyère
B. Au-delà de l'honnêteté: du jeu du *Courtisan*
   à la désillusion des *Caractères*
C. Esthétique et morale

A l'égal de celle de Boccace ou de Pétrarque, l'influence de Baldesar Castiglione sur les lettres françaises fut profonde et durable. Entre 1537 et 1690 paraissent au moins vingt-deux éditions françaises du *Cortegiano*, traduit dans cinq versions différentes[1]. Une bonne étude d'ensemble de cette influence nous fait toujours défaut[2]. Tout au début de ce siècle, P. Toldo tenta bien de dresser la liste de tous les auteurs français — théoriciens de la vie de cour, moralistes, romanciers et dramaturges même — redevables de leur inspiration au chef-d'œuvre italien[3]. Cet inventaire — près de trente auteurs, de Claude Chappuys à Saint-Evremond — est sans doute encore utile. Mais il apparaît aujourd'hui à la fois incomplet et discutable. D'une part, depuis 1900, des rapprochements nouveaux ont été

---

* Les citations du *Cortegiano* renvoient à l'édition suivante: *Le Parfait Courtisan du Comte Baltasar Castillonois*, Es deux Langues, respondans par deux colomnes, l'une à l'autre, pour ceux qui veulent avoir l'intelligence de l'une d'icelles. De la traduction de Gabriel Chapuis Tourangeau. A Paris, par Nicolas Bonfons, 1585. — Nous modernisons l'orthographe des citations. — Les chiffres arabes entre crochets renvoient aux numéros des paragraphes, en lesquels il est aujourd'hui d'usage de répartir le texte du *Cortegiano*.

[1] L'histoire de ces traductions et l'évolution de leur style ont récemment été mises en lumière par R. Klesczewski, *Die französischen Übersetzungen des « Cortegiano » von Baldassare Castiglione* (Heidelberg: Winter [Annales Universitatis Saraviensis, Philosophische Fakultät, Band 7], 1966).

[2] Ce que devrait être le programme d'une telle étude a été excellemment défini par Klesczewski, pp. 17-18.

[3] P. Toldo, « Le courtisan dans la littérature française et ses rapports avec l'œuvre du Castiglione, » *Archiv für das Studium der neueren Sprachen und Literaturen*, CIV (1900), 75-121 et 313-330, CV (1900), 60-85.

suggérés, principalement avec des auteurs du XVIe siècle[4]. Héroët[5], Du Bellay[6], Rabelais[7], Louise Labé[8], Des Périers[9] auraient, eux aussi, contracté une dette envers l'auteur italien, et celle de Montaigne serait plus grande qu'on ne le soupçonnait[10]. En ce qui concerne de plus près, d'autre part, l'influence du Castiglione sur notre XVIIe siècle, deux interprétations s'opposent. Pour Toldo, elle est universelle, exclusive et constante. Universelle, car elle se serait exercée sur chacun des auteurs qui ont parlé du courtisan ou de l'honnête homme. Pasquier comme La Rochefoucauld, Du Refuge comme Méré, Grenaille comme La Bruyère deviennent ainsi les fidèles disciples d'un même maître. Exclusive, car le moindre précepte donné par un écrivain français en matière de civilité est rapporté au *Courtisan*. C'est là perpétuer une erreur souvent commise à propos du XVIe siècle : la « tendance à tout attribuer au *Cortegiano* », contre laquelle J. Baillou s'élèvera[11]. Constante enfin, car pour Toldo l'œuvre de Castiglione est aussi connue en France durant tout le XVIIe siècle que vers 1550, hypothèse que la chronologie des éditions pourrait infirmer.

La thèse de Magendie s'accorde mieux avec les faits. L'influence de Castiglione n'est plus artificiellement isolée. Pour tous ceux qui allaient s'interroger sur la conversation, la politesse, la conduite de l'homme du monde, il est vrai que Plutarque, Cicéron, Sénèque, Quintilien constituaient depuis toujours une source commune[12]. A la période qui nous intéresse,

---

[4] Sur l'influence du *Cortegiano*, et plus précisément de son néo-platonisme, sur le XVIe siècle en général, cf. J. Baillou, « L'influence de la pensée phisolophique de la Renaissance italienne sur la pensée française, Etat présent des travaux relatifs au XVIe siècle », *Revue des Etudes italiennes*, I (1936), 116-153. Voir aussi le livre de J. Festugière cité à la p. 101, note 82.

[5] Cf. A. Héroët, *Œuvres poétiques*, éd. F. Gohin (Paris: Droz, 1943), pp. XXI-XXXVIII.

[6] N. Addamiano, « Quelques sources italiennes de la « Deffense » de Joachim Du Bellay », *Revue de Littérature comparée*, III (1929), 177-189.

[7] W. Folkierski, « Rabelais lecteur de B. Castiglione », dans: *Mélanges d'histoire littéraire générale et comparée offerts à Fernand Baldensperger* (Paris: Champion, 1930), tome I, pp. 313-320.

[8] E. Giudici, *Influssi italiani nel « Débat » di Louise Labé* (Roma: Porfiri, 1953).

[9] J. Woodrow Hassell Jr., « Des Périers' indebtedness to Castiglione », *Studies in Philology*, L (1953), 566-572.

[10] L. Laurini, « Montaigne ed alcuni scrittori italiani del secolo XVI », *Rivista pedagogica*, XIV (1921), 183-190; M. Ziino, « Castiglione e Montaigne », *Convivium*, X (1938), 56-60.

[11] J. Baillou, p. 151.

[12] M. Magendie, *La politesse mondaine et les théories de l'honnêteté en France au XVIIe siècle, de 1600 à 1660* (Paris: Alcan, 1925), pp. 305-307. — Pour l'influence des anciens, en particulier de Cicéron, sur Castiglione, cf. L. Valmaggi, « Per le fonti del *Cortegiano* », *Giornale Storico della Letteratura Italiana*, XIV (1899), 72-93; V. Cian, *Un illustre nunzio pontificio del Rinascimento, Baldassar Castiglione* (Città del Vaticano: Biblioteca apostolica vaticana [studi e testi 156], 1951), pp. 246 sqq. — Pour l'influence des anciens sur La Bruyère, cf. R. Jasinski, « Influences sur La Bruyère », *Revue d'Histoire de la Philosophie*, X (1942), 193-229 et 289-328; E. de Saint-Denis, « Sénèque et La Bruyère », *Etudes Classiques*, XXI (1953), 379-395; voir aussi p. 116, n. 19.

d'autres théoriciens étrangers connurent un vaste rayonnement: della Casa, Guazzo, Guevara, Gracián. Dans ce concert, l'influence du *Courtisan* fut assurément un temps prépondérante: sur les *Diverses Leçons* (1604) de Louis Guyon, sur *Le Gentilhomme* (1611) de Nicolas Pasquier ou sur le *Courtisan français* publié anonymement en 1612. Dès cette époque, pourtant, des auteurs comme Du Souhait, Nervèze, De Refuge manifestent une plus grande indépendance [13]. Si dans l'*Honnête homme* (1630) de Faret, ouvrage « intermédiaire entre la traduction et l'adaptation » [14], la marque de Castiglione se fait partout sentir, elle est moins manifeste dans les écrits de Bardin et de Grenaille [15]. Les derniers livres, enfin, où Magendie décèle des traces d'une transposition directe sont la *Maison des jeux* (1642) de Sorel et la *Fortune des gens de qualité* (1658) de Caillères. Quant à Méré, Magendie s'indigne du traitement que lui fait subir Toldo: « rien n'est plus pauvre, plus dépourvu de valeur critique ». Il est vrai que, trop souvent, Toldo se fonde sur des ressemblances parfaitement superficielles. Méré, le « chevalier professeur de bienséances », serait infiniment plus proche de Montaigne que de Castiglione [16]. Ainsi, vers le milieu du siècle, l'influence du *Cortegiano* se ferait de moins en moins sentir. Beaucoup de ses éléments, ayant perdu de leur originalité, seraient devenus traditionnels, et l'honnête homme français, dont Magendie s'attache à décrire la formation, devrait peu de choses au courtisan italien. Citons ici M. Pintard, qui condense avec clarté une évolution bien complexe: « La somme des emprunts faits par nos théoriciens de l'*honnêteté* aux auteurs italiens est considérable; mais ces emprunts voisinent avec des textes tirés des philosophes latins, avec des citations de Montaigne, avec des analyses morales ou des réflexions sur l'importance de la vie religieuse; des préoccupations bourgeoises, vertueuses, chrétiennes, viennent s'y mêler à l'exaltation de la noblesse, de la bonne grâce, de la *virtú*, et en altèrent le sens: dans les livres mêmes où le Castiglione est suivi de près, voire copié, ce n'est plus un homme de cour que l'on s'efforce de former, mais un sage... On se garderait cependant de faire trop bon marché d'une action qui, pour n'être pas aussi profonde ni aussi durable qu'on l'avait d'abord cru, n'en a pas moins été efficace. Il reste au contraire évident que les Italiens ont été, avec les anciens et Montaigne, les instituteurs de l'homme de cour français. Seulement leur élève a grandi; stimulé par leurs leçons, il a appris à réfléchir par lui-même sur sa conduite; et dans les principes qu'il s'est formés les conseils de ses maîtres n'ont plus joué que le second rôle. Nourri d'un idéal italien, il s'est constitué une

---

[13] Du Souhait, *Le Parfait gentilhomme* (Paris: Gilles Robinot, 1600); Nervèze, *La Guide des Courtisans* (Paris: A. du Brueil, 1606); De Refuge, *Traité de la Cour* (Paris: s.l., 1616).

[14] Magendie, p. 329.

[15] Bardin, *Le Lycée* (Paris: J. Camusat, 1632-1634); Grenaille (de), *L'honnête fille* (Paris: T. Quinet et A. de Sommaville, 1639-1640), *L'honnête mariage* (Paris: T. Quinet, 1640); *La Bibliothèque des dames* (Paris: A. de Sommaville et T. Quinet, 1640), *L'honnête garçon* (Paris: T. Quinet, 1642).

[16] Magendie, pp. 785-787.

sagesse à la française. En s'émancipant le jeune *courtisan* est devenu l'*honnête homme* [17]. »

Comparée à celle de Toldo, l'interprétation de Magendie est beaucoup plus nuancée et respectueuse de l'histoire littéraire. Dans le cadre très précis de son enquête sur les théories de l'honnêteté en France de 1600 à 1660, on peut sans risque d'erreur accepter ses conclusions. Si nous paraissons les négliger, dans la présente étude, ce n'est pas par inconséquence: notre point de vue est autre, et la perspective adoptée différente.

Les *Caractères* ne mentionnent pas Castiglione. Cela suffit-il pour affirmer que La Bruyère ne l'ait pas connu ? Non, bien entendu, car à ce compte il aurait systématiquement ignoré tout auteur qui ne fût ni ancien ni français: ceux-là sont les seuls qu'il désigne nommément. Une telle discrétion de la part d'un homme si curieux des « ouvrages de l'esprit » peut d'abord surprendre. Mais qu'elle ne prouve rien, il suffit de penser à nombre d'écrivains du temps pour s'en convaincre. Faret — pour ne rappeler que lui — s'inspire du *Cortegiano* à chaque page mais se garde bien de le citer. Nous pourrions même, sans forcer les faits, avancer que cette lecture du *Courtisan*, La Bruyère peut fort bien l'avoir faite. Car la traduction de Duhamel est de 1690, et la parution de cette version nouvelle peut être l'indice que l'ouvrage n'a jamais perdu la faveur du public. A cette date, les *Caractères* sont loin d'être définitivement constitués: ils étaient donc ouverts encore à des influences diverses. On ignore quelle connaissance au juste La Bruyère pouvait avoir des langues étrangères, mais il est fort plausible que, comme bien des honnêtes gens du temps, il sût à la fois l'espagnol et l'italien [18]. Du reste, comme le rappelle opportunément M. H.-J. Martin, la diffusion des livres étrangers s'est poursuivie de mille façons pendant tout le cours du siècle [19]. Enfin, convenons que sur l'italianisme en France au cours de la seconde moitié du siècle, nos connaissances demeurent fort incomplètes. C'est ce qu'un congrès mettait récemment encore en lumière, et ce manque d'informations est flagrant quand on songe à tant de travaux portant sur les périodes antérieures [20]. On voit que les arguments de critique externe ne manqueraient guère à celui qui voudrait à tout prix démontrer l'existence d'un rapport entre les deux auteurs. Bien plus, si la comparaison des textes ne fournit aucune preuve décisive, les ressemblances sont cependant, comme on le verra, assez nombreuses [21].

Mais telle ou telle analogie sur un point de civilité ou sur l'art de la conversation n'est pas ce qui nous intéresse: ces rencontres sont trop

---

[17] R. Pintard, « L'influence de la pensée philosophique de la Renaissance italienne sur la pensée française, Etat des travaux relatifs au XVIIe siècle », *Revue des Etudes italiennes*, I (1936), pp. 204-206.

[18] Cf. chap. IV, p. 115.

[19] H.-J. Martin, *Livre, pouvoirs et société à Paris au XVIIe siècle (1598-1701)* (Genève: Droz, 1969), en particulier tome I, pp. 296-330.

[20] Cf. *L'Italianisme en France au XVIIe siècle*, Actes du VIIIe congrès de la Société française de littérature comparée (Grenoble-Chambéry, 26-28 mai 1966), supplément au Nº 35 (mai-août 1968) de *Studi Francesi*. — Voir en particulier l'article de C. Rizza, « Etat présent des études sur les rapports franco-italiens au XVIIe siècle », pp. 11-19.

[21] Voir plus bas, pp. 89-91.

superficielles. Les rechercher par le menu serait une entreprise vaine dans son principe même: tant il est vrai que les préceptes du *Cortegiano* étaient depuis longtemps connus et répétés. D'ailleurs, si l'on s'en tient au seul enseignement de Castiglione que les auteurs finirent par extraire de son livre pour se le léguer de génération en génération, il s'agit d'une sagesse toute pratique, voire élémentaire. Un peu de tact, quelque bon sens aussi, pouvaient inspirer cette sorte de remarques à tout écrivain bien né. De fait, pour mesurer la vraie portée du *Cortegiano*, les règles de la politesse mondaine ne sauraient constituer un critère. Elles ne représentent que la lettre, et il convient de s'attacher à l'esprit.

Ce fait demeure pourtant incontestable: le *Cortegiano* a été le manuel de savoir-vivre de l'Europe [22]. Il a répandu un code de politesse, fixé des normes, des bienséances. Il a proposé un idéal et un modèle à tous ceux qui, en Italie [23], en Angleterre [24], en Espagne [25], en France [26], allaient se piquer de distinction, de belles manières, de tout ce que la génération de Méré appellera « le bon air ». Une fois assimilé, cet enseignement a passé dans les mœurs, et il est arrivé en effet que le maître lui-même fût oublié. Mais le modèle qu'il fournit est devenu partie d'un patrimoine, s'est intégré à la culture classique. Dans un livre comme les *Caractères*, cet héritage est encore reconnaissable, modifié certes, mêlé à d'autres. Malgré tout, pour la dernière fois, se manifeste une tradition: un écrivain réunit un ensemble d'observations dans lesquelles il convient de voir une morale mondaine. C'est elle que nous étudierons d'abord. L'idée ne nous effleurerait pas un instant de considérer cette morale comme directement issue des entretiens à la cour d'Urbin. Nous sommes frappés surtout de ce que La Bruyère

---

[22] Le livre de T. F. Crane, *Italian social customs of the sixteenth century and their influence on the literatures of Europe* (New Haven: Yale University Press, 1920), est nettement insuffisant en ce qui concerne le *Cortegiano*. Loin de traiter le beau sujet qu'annonce son titre, l'auteur se contente de noter, après de longs résumés, que l'histoire de l'influence du *Cortegiano* reste à être écrite (p. 205). Il vient de convenir qu'il s'agit de « l'œuvre la plus importante et la plus caractéristique » qui relève de son sujet (p. 193). — On se reportera bien plutôt aux travaux moins ambitieux mais plus rigoureux, cités dans les notes suivantes.

[23] J. W. Holme, « Italian courtesy-books of the sixteenth century », *Modern Language Review*, V (1910), 145-166; J. Crosland, « Italian courtesy-books » (discussion de l'article de Holme), *ibid.*, pp. 502-504. Voir par ailleurs B. Croce, « Libri sulle corti », dans : *Poeti e Scrittori del pieno e del tardo Rinascimento* (Bari: Laterza, 1945), vol. 2, pp. 198-207.

[24] W. Raleigh, Introduction à la réédition de la traduction anglaise de Sir Thomas Hoby (London: D. Nutt, 1900); R. Kelso, « The Doctrine of the English Gentleman in the sixteenth century », *University of Illinois Studies in Language and Literature*, XIV (1929), 1-288; W. Schrinner, *Castiglione und die Englische Renaissance* (Berlin: Junker und Dünnhaupt, 1940); W. B. Drayton-Henderson, « Note on Castiglione and English Literature », dans: *The Book of the Courtier*, done into English by Sir Thomas Hoby (London: Dent, New York: Dutton [Everyman's Library], 1966) pp. XI-XIV; E. R. Vincent, « Il *Cortegiano* in Inghilterra », dans : V. Branca, éd., *Rinascimento europeo e rinascimento veneziano* (Firenze: Sansoni, 1967), pp. 97-107.

[25] Cf. M. Menéndez y Pelayo, « Estudio sobre Castiglione y el *Cortesano* », *Revista de Filología Española*, XXV (1942), VII-LXIV, en particulier pp. L-LIII.

[26] Voir les travaux cités de P. Toldo et de M. Magendie. Outre une influence très directe qu'il est le premier à reconnaître, Magendie convient aussi d'une « influence diffuse capitale » (p. 308).

est le dernier auteur, peut-être, à formuler avec tant de soin des préceptes touchant « la société et la conversation », à détailler un code de la civilité. Déjà se font plus nettes, autour de lui, les manifestations de la crise de la conscience européenne. La pensée italienne pourra être présente à l'esprit de Bayle, mais pour un Voltaire, elle sera seulement une source d'arguments, de polémiques ou de curiosité[27]. Il en va de même de l'idéal du gentilhomme mantouan. Ainsi se précise notre projet. Il nous semble que la tradition que Castiglione inaugure s'achève avec La Bruyère. De même que mourront les genres du portrait et de la maxime, de même disparaîtront ces livres qu'inspira la croyance peut-être un peu naïve, mais généreuse, que les dehors « honnêtes » établiront enfin l'entente parmi les hommes. C'est donc d'abord une tradition littéraire remontant jusqu'au *Cortegiano* qui se perd avec les *Caractères*. D'un point de vue historique, cette évolution valait, nous semble-il, d'être notée.

Parallèlement se dessine une autre évolution. Chez des auteurs comme Castiglione ou La Bruyère, la civilité n'est que l'expression limitée, concrète et pragmatique d'un ensemble de vues plus générales et plus élevées[28]. C'est avant tout ce qui les distingue de théoriciens comme Bardin ou Grenaille: chez ceux-ci, toute perspective manque, la mondanité constitue un tout, une spécialité. Pour Montaigne, pour La Rochefoucauld (dont l'admiration pour le *Courtisan* est à la fois avouée et manifeste[29]), pour Méré même, l'honnêteté représente l'expression, dans la pratique, d'une conception plus large et plus philosophique de l'individu, de la société et de leurs rapports. Elle est en quelque sorte la mise en actes, dans la vie quotidienne, de leur pensée. Il en va exactement de même pour Castiglione et La Bruyère: une méditation plus vaste sur l'homme inspire et justifie l'élément proprement mondain de leurs écrits. Or, de l'un à l'autre, cet arrière-plan a singulièrement varié. Dans le *Courtisan*, la tendance à idéaliser est sous-jacente à toute pensée. Rappelons en passant le prodigieux attrait qu'exerça aussi dans toute l'Europe ce côté de l'œuvre, sur un public de lettrés, cette fois, plutôt que de mondains. De Ben Jonson[30] jusqu'à ce

---

[27] Cf. la « Discussion du rapport de R. Pintard », faisant suite à l'article cité à la p. 84, n. 17, et plus spécialement la « Conclusion de M. Hazard », pp. 226-227. Les mêmes idées sont plus amplement développées dans *La Crise de la conscience européenne* (Paris: Fayard, 1961), en particulier au chap. 3 de la Première partie.

[28] La critique a longtemps négligé ce point, comme le note R. E. Young dans une étude par ailleurs très générale, « Introduction to Castiglione and his *Courtier* », *Smith College Studies in Modern Languages*, XXI-XXII (1939-1941), p. 249.

[29] Dans la *Préface* de sa « traduction nouvelle », *Le Parfait Courtisan et la Dame de cour* (Paris: Loyson, 1690), l'abbé Duhamel écrit: « Car, pour me borner à un seul témoignage, mais qui est d'un poids à l'emporter sur mille autres, feu Monsieur le Duc de La Rochefoucauld, dont le génie élevé et la capacité étendue s'est attiré l'hommage des plus beaux esprits de son temps, rendait ce témoignage à ce livre, qu'il ne s'en trouvait point sur ces sortes de sujets qui fût comparable à celui-ci; aussi ce grand homme n'en parlait-il jamais que comme d'un chef-d'œuvre accompli. » — Cf. sur cette question H.-A. Grubbs, « The originality of La Rochefoucauld's *Maxims* », *RHLF*, XXXVI (1929), pp. 46-48.

[30] Cf. W. Bang, « Ben Jonson und Castigliones *Cortegiano* », *Englische Studien*, XXXVI (1906), 330-332.

même Gracián [31] dont nous analyserons ailleurs les rapports avec La Bruyère, en passant par Marlowe [32], Milton [33], Cervantes [34], Spenser [35] et tant d'auteurs français déjà nommés (auxquels il conviendrait d'ajouter au moins les noms de d'Urfé [36] et de La Fontaine [37]), le *Cortegiano* a entretenu la nostalgie d'une impossible perfection. Toutefois, c'est d'abord d'un jeu qu'il s'agit dans ce livre, et nous serons amenés à souligner cet aspect beaucoup trop négligé par la critique. Le « rêve prestigieux d'une imagination nourrie des splendeurs de la Renaissance » [38], recueilli par le siècle suivant, ne s'achève véritablement qu'avec la fin du monde classique. Mais l'évolution, ici encore, est patente. La perfectibilité que Castiglione croyait déceler en tout homme apparaît comme illusoire. Illusoire encore la noblesse des grands, la grandeur du courtisan. Illusoires, enfin, et utopiques, toute tolérance et toute entente dans la société. « Je suppose qu'il n'y ait que deux hommes sur la terre », écrit La Bruyère, « je suis persuadé qu'il leur naîtra bientôt quelque sujet de rupture » (*De la Société et de la c.*, 47). Cette dissolution d'un vieux rêve, la ruine de ce qui fut d'abord le fondement même de l'« honnêteté », constituera le second point de notre réflexion.

Enfin, du *Courtisan* aux *Caractères*, l'évolution se situe sur un dernier plan, celui de l'esthétique. La grâce, chez Castiglione, est plus essentielle que la politesse : elle en constitue le couronnement. Bien plus, dans la moindre de ses activités, dans tout ce qui touche à sa personne et à ses manières, le courtisan est invité à faire œuvre d'artiste. L'objet de l'art n'est pas autre chose, ici, que l'existence même, et la perfection exigée dans l'ensemble comme dans le détail n'est pas différente de celle qui s'attache à la composition comme à l'exécution d'un poème ou d'un tableau. Le

---

[31] Dans l'avertissement « Au Lecteur », en tête du *Héros*, Gracián se réclame lui-même de Sénèque, d'Esope, d'Homère, d'Aristote et de Castiglione, et déclare qu'il se contente de copier ses maîtres. Dans le chapitre du *Discreto* intitulé « El Hombre de todas horas », une anecdote est tirée directement du premier Livre du *Cortegiano*. — Certains rapprochements d'ordre philologique ont été proposés par M. Morreale, « Castiglione y « El Héroe » : Gracián y « despejo », dans : *Homenaje a Gracián* (Zaragoza: Institución « Fernando el Católico », 1958), pp. 137-143.

[32] Cf. T. M. Pearce, « Marlowe and Castiglione », *Modern Language Quarterly*, XII (1951), 3-12.

[33] Cf. T. P. Harrison, « The Latin Pastorals of Milton and Castiglione », *PMLA*, L (1935), 480-493. On trouve dans cette étude plusieurs rapprochements intéressants avec le *Cortegiano*.

[34] Cf. J. G. Fucilla, « The Role of the *Cortegiano* in the second part of *Don Quijote* », *Hispania*, XXXIII (1950), 291-296.

[35] Cf. F. Torraca, « La Grazia secondo il Castiglione e secondo lo Spenser », dans: *Antologia della nostra critica letteraria moderna*, compilata da L. Morandi (Milano: Soc. Ed. Dante Alighieri, 1926); J. T. Stewart, « Renaissance Psychology and the Ladder of Love in Castiglione and Spenser », *Journal of English and Germanic Philology*, LVI (1957), 225-230.

[36] Cf. A. Adam, *Histoire de la littérature française au XVIIe siècle* (Paris: del Duca, 1962), tome I, p. 129.

[37] Cf. A. Adam, tome IV, p. 68.

[38] Magendie, *op. cit.*, p. 321.

Cortegiano serait-il, comme De Sanctis semblait près de le croire, l'expression la plus frappante de ce culte de la forme pour elle-même qui caractériserait le « Cinquecento » à sa naissance ? Convient-il de considérer les nobles personnages qui répondent à l'invitation de la Duchesse comme adonnés au plus frivole des passe-temps ? « C'était une société toute de surface, dit encore De Sanctis, au milieu de laquelle vivaient Della Casa et Castiglione, et qui mettait la principale importance de la vie dans les usages et dans les manières. Même l'intellect, dans sa virilité oisive, mettait la principale importance de la composition dans les usages et les manières ou bien dans la présentation [39]. » Nous pensons au contraire que la parfaite correspondance entre une morale très concrète et une esthétique si raffinée, cette union du plus quotidien et du plus choisi, représente l'apport le plus personnel de Castiglione. Ne plus assigner à la beauté l'art comme son unique domaine, mais au contraire considérer la vie elle-même comme un des beaux-arts, c'était, loin de sacrifier le contenu aux formes, élever toute forme à la plus grande dignité. La croyance qu'une telle unité fût possible et durable, voilà la suprême illusion (mais pressentie, semble-t-il, au moins par Castiglione) des seigneurs d'Urbin. De même que se perdra la tradition littéraire des manuels de civilité dont le *Cortegiano* fut le modèle, de même que se dissiperont les illusions sur l'homme qui donnaient à l'« honnêteté » son sens le plus élevé, ainsi l'esthétique et la morale, loin de rester confondues, redeviendront deux branches distinctes du savoir, deux « disciplines », au mieux deux formes de la sensibilité. Le terme de cette évolution, nous le voyons encore tout à la fin du XVIIe siècle, et de nouveau les *Caractères* paraissent le marquer plus clairement qu'aucune œuvre du temps. On peut à coup sûr parler d'un La Bruyère esthète, et certainement notre auteur était doué d'un sens délicat de la beauté en toutes choses. Mais il ne croit plus que l'esthétique puisse être souveraine ni qu'une morale puisse s'inspirer de ses lois. L'amertume est devenue trop grande, et si l'on se refuse à composer avec les dures lois du monde, on refuse également de s'évader dans un univers de pures formes, à payer la jouissance artistique au prix de la lucidité. Ainsi la beauté devient source d'un plaisir délicat, mais éphémère, dans des moments soustraits aux réalités de la vie. Parfois on la surprend dans la laideur ambiante elle-même, mais irrémédiablement, l'existence et elle sont devenues deux domaines à part.

Finalement, une mise au point s'impose. L'évolution dont nous parlons n'a rien de simple, nous ne l'avons déjà que trop simplifiée dans le dessein d'être clair. Isoler nos œuvres comme deux points entre lesquels l'histoire des idées tracerait une ligne droite : qui ne verrait le caractère schématique d'une telle entreprise ? Bien des livres ont diffusé les mêmes idées que le *Cortegiano*, bien d'autres influences se sont exercées sur les *Caractères*.

---

[39] F. De Sanctis, *Storia della Letteratura italiana*, a cura di Benedetto Croce, Quarta edizione (Bari : Laterza [Scrittori d'Italia, 31-32], 1949), tome I, p. 413 et tome II, p. 78. — Ces opinions de De Sanctis, inspirées par l'esthétique de Hegel, sont combattues par L. Russo, « Baldassar Castiglione », *Belfagor*, XIII (1958), pp. 505-507, ainsi que par B. Maier, *Letteratura Italiana — I Minori* (Milano : Marzorati, 1961), pp. 918-919.

Ces deux œuvres ont surtout une valeur exemplaire: dans l'une comme dans l'autre, il semble qu'une même méditation ait trouvé une expression privilégiée. C'est, dans un temps où la vie de société acquiert une importance toujours croissante, la réflexion sur l'homme « civil » et sur l'art de la « civilité ». Quand cette réflexion sera usée et que les temps seront mûrs, à la fin du XVIIe siècle, alors ce sera véritablement un autre âge qui commence, et l'on mettra en question la notion même de toute « civilisation ».

A. — LA MORALE MONDAINE DE LA BRUYÈRE

On regrette que personne n'ait sérieusement poursuivi l'enquête de M. Magendie au-delà des limites que celui-ci s'était fixées [40]. L'honnête homme d'après 1660 n'est pas moins digne d'intérêt que celui des époques précédentes, et un Molière, un La Rochefoucauld, un Saint-Evremond ou un La Bruyère ont modifié en bien des traits un portrait traditionnel. Relevons rapidement, dans les *Caractères*, les éléments qui demeurent: l'évolution n'en apparaîtra qu'avec plus de clarté. *L'affectation* reste le défaut suprême. Toutes ses formes sont identifiées. La « hauteur ridicule et contrefaite » du courtisan est d'une même nature que les poses du « bel esprit de profession ». Quant aux femmes, si « elles étaient telles naturellement qu'elles le deviennent par un artifice... elles seraient inconsolables ». Comme des variations sur un thème, de chapitre en chapitre La Bruyère dénonce le désir d'« imposer aux yeux, et de vouloir paraître selon l'extérieur contre la vérité » [41]. Castiglione avait écrit de même que « la première règle » est de « fuir sur tout l'affectation » (II [8], p. 168). On a soutenu que l'affectation et l'art d'en éviter l'apparence constituent « l'essence du courtisanisme » [42]: l'affirmation est à peine exagérée. La nonchalance, en effet, qui est qualifiée de « vertu contraire à l'affectation » (I [28], p. 71), n'est qu'une manière subtile de se mettre en valeur et accorde beaucoup à la vanité [43]. Pour La Bruyère, *le naturel* et *la simplicité* seront des qualités cardinales. Voyons à titre d'exemple leur importance dans la conversation, dont le moraliste, à la suite de tant de théoriciens, fait le pivot de l'hon-

---

[40] L'étude de D. Parodi, « L'honnête homme et l'idéal moral du XVIIe et du XVIIIe siècle », *Revue Pédagogique*, LXXVIII (1921), 79-99, 178-193 et 265-282, représentait une tentative dans ce domaine, mais l'information critique manque souvent de précision.

[41] *De la Cour*, 17; *De la Société et de la c.*, 75; *Des Femmes*, 6 et 5.

[42] L. Lipking, « The Dialectic of *Il Cortegiano* », *PMLA*, LXXXI (1966), p. 360.

[43] « En toute chose qu'il [le courtisan] doit faire ou dire, s'il est possible, qu'il vienne toujours préparé et y ayant pensé, faisant néanmoins semblant que le tout soit à l'improuvu » (II [38], p. 241); « Et combien qu'il sache et entende ce qu'il fait, en ce cas veux-je encore qu'il dissimule son affection et la peine qui est nécessaire en toutes choses que l'on veut bien faire: je veux qu'il fasse semblant de ne tenir grand compte de telle chose, mais en la faisant très bien, et s'en acquittant excellemment, qu'il la fasse beaucoup estimer par les autres » (II [12], p. 180). — Sur la vanité dans les *Caractères*, voir par exemple *De l'Homme*, 64 et 104.

nêteté [44]. Voici successivement condamnés le « diseur de phœbus », le puriste, le phraseur, la précieuse, le pédant. L'idéal est ce qui « coule de source et avec liberté », « un langage simple », des pensées « prises dans le bon sens et la droite raison », de l'esprit où l'imagination n'ait pas trop de part. « Les plus grandes choses n'ont besoin que d'être dites simplement » : c'est la règle des règles [45]. Sur tous ces points, les *Caractères* ne font que reprendre les préceptes du *Courtisan*, qui fixaient dans le détail le code de la conversation polie [46], et insistaient aussi sur « cette pure et amiable simplicité, qui tant est agréable aux esprits humains » (I [27], p. 69) [47]. La notion de *mesure*, dans les *Caractères*, n'est guère plus nouvelle. Elle tient, du reste, de près au naturel, comme le montre cette réflexion: « Une gravité trop étudiée devient comique; ce sont comme des extrémités qui se touchent...; cela ne s'appelle pas être grave, mais en jouer le personnage; celui qui songe à le devenir ne le sera jamais: ou la gravité n'est point, ou elle est naturelle » (*Des Jugements*, 29). Bien entendu, il s'agit là d'un idéal déjà défendu par les anciens. D'ailleurs, les conclusions d'A. Menut sur l'importance des douze principales vertus de l'*Ethique de Nicomaque* dans le *Cortegiano* pourraient s'appliquer, *mutatis mutandis*, aux *Caractères*. Mais, comme le fait observer ce même critique, ces vertus constituaient, déjà à l'époque de Castiglione, « des lieux communs de la pensée éthique » [48]. *La délicatesse, le tact* sont naturellement de mise. Autant qu'au *Cortegiano*, plusieurs observations font ici penser au *Galateo* de Della Casa, qu'un critique qualifie non sans humour de « recueil de Faites et de Ne Faites Pas » [49]. Ainsi, La Bruyère recommande de ne pas s'étendre sur un repas magnifique que l'on vient de faire devant des gens qui sont réduits à épargner leur pain, de ne pas dire des merveilles de sa santé devant des infirmes, de ne pas entretenir de ses richesses un homme qui n'a « ni rentes ni domicile » (*De la Société et de la c.*, 23). Plus que ne l'avait fait son précurseur italien, La Bruyère insiste sur ce que l'honnêteté doit être la source d'un « délicat plaisir »: « L'esprit de la politesse est une certaine attention à

---

[44] Ainsi Méré: « De dire de bonnes choses sur tout ce qui se présente, et de les dire agréablement, tous ceux qui les écoutent s'en trouvent mieux; l'esprit ne peut aller plus loin, et c'est le chef-d'œuvre de l'intelligence » (« De la Conversation », dans: *Œuvres complètes*, éd. C.-H. Boudhors [Paris: F. Roches, 1930], tome II, p. 119).

[45] *De la Société et de la c.*, 7, 15, 17, 65 et 69, 73 et 76, 77.

[46] Cf., entre autres passages, I [29], p. 74; I [33-34], pp. 88-90; I [35], p. 94; II [8], p. 171; II [17 sqq.], pp. 189 sqq.; II [41 sqq.], pp. 247 sqq.

[47] Sur le naturel chez La Bruyère, voir encore une réflexion telle que celle-ci: « Une belle femme est aimable dans son naturel... De même un homme de bien est respectable par lui-même, et indépendamment de tous les dehors dont il voudrait s'aider pour rendre sa personne plus grave et sa vertu plus spécieuse » (*Des Jugements*, 29). Dans le premier terme de cette comparaison, les *Caractères* n'affirment pas autre chose que le *Courtisan* (I [40], pp. 107-109); dans le second terme, et dans la distinction établie entre personne et personnage, on aura naturellement reconnu l'influence de Montaigne.

[48] A. D. Menut, « Castiglione and the Nicomachean Ethics », *PMLA*, LVIII (1943), p. 319.

[49] H. Adams, « *Il Cortegiano* and *Il Galateo* », *Modern Language Review*, XLII (1947), p. 461.

faire que par nos paroles et par nos manières les autres soient contents de nous et d'eux-mêmes » (*ibid.*, 16 et 32). *L'accommodement*, enfin, est un aspect traditionnel de la morale mondaine. Quand La Bruyère dit : « Ne pouvoir supporter tous les mauvais caractères dont le monde est plein n'est pas un fort bon caractère : il faut dans le commerce des pièces d'or et de la monnaie » (*ibid.*, 37), le tour est piquant, mais non la pensée. « Que la discrétion assaisonne tout, conseillait Castiglione, ... qu'il [le courtisan] considère bien ce qu'il fait ou qu'il dit, le lieu où il fait quelque chose, en présence de quelles gens, en quel temps, la cause et pourquoi il la fait : son âge, sa profession, la fin où il tend, et les moyens qui le peuvent conduire à cela : et par telles considérations, qu'il s'accommode discrètement à tout ce qu'il veut faire ou dire » (II [13], p. 182 et [7], p. 168). La Bruyère ne raisonnera pas autrement : « L'on peut définir l'esprit de politesse, l'on ne peut en fixer la pratique : elle suit l'usage et les coutumes reçues ; elle est attachée aux temps, aux lieux, aux personnes, et n'est point la même dans les deux sexes, ni dans les différentes conditions » (*De la Société et de la c.*, 32). Plus personnelle, comme on le verra, est la justification psychologique donnée à cet idéal de conciliation. Les différentes qualités dont il vient d'être question trouvent une expression concrète dans l'acte du salut qui prend, dans les *Caractères*, une valeur de symbole. La Bruyère y fait allusion avec une fréquence surprenante. M. Guggenheim le relevait avec raison : l'homme de La Bruyère vit « sous le regard d'autrui », et le moraliste « excelle à évoquer l'extraordinaire répertoire de simagrées et de contorsions qui anime le personnage que chacun s'est choisi »[50]. Mais le salut est un instant de vérité. Salut obséquieux du jaloux, dédaigneux du favori, intéressé du courtisan, calculé de l'arriviste, voyant du snob, embarrassé du vaniteux : toujours cet acte de civilité élémentaire constitue la pierre de touche de la personnalité véritable. « Comment me ressouvenir tout à propos, et d'aussi loin que je vois cet homme, d'emprunter une contenance grave et importante, et qui l'avertisse que je crois le valoir bien et au-delà ? » Le véritable honnête homme veut « avoir [ses] coudées franches, et être courtois et affable à [son] point »[51].

L'horreur de l'affectation sous toutes ses formes, l'éloge du naturel, de la simplicité, de la mesure, l'importance de la délicatesse, l'idée de l'accommodement : tout cela, on vient de le voir, se trouve déjà dans le *Cortegiano*. Mais les rapprochements que l'on pourrait s'évertuer à faire ne prouveraient rien en faveur d'une influence directe. Les anciens avaient parlé de tout cela ; après Castiglione, il s'agit d'un véritable fonds commun. C'est la permanence de cette tradition qui compte, et le fait que La Bruyère soit un des derniers à la recueillir. Analysons maintenant l'élément plus personnel dont il l'enrichit. Le passage le plus caractéristique est certainement celui-ci :

L'esprit de la conversation consiste bien moins à en montrer beaucoup qu'à en faire trouver aux autres : celui qui sort de votre entretien content de soi et de son esprit, l'est

---

[50] M. Guggenheim, « L'homme sous le regard d'autrui ou le monde de La Bruyère », *PMLA*, LXXXI (1966), p. 538.

[51] *Des Grands*, 17 ; *De la Cour*, 18, 56, 58 ; *De l'Homme*, 74 ; *Du Mérite p.*, 40 ; *De la Société et de la c.*, 30.

de vous parfaitement. Les hommes n'aiment point à vous admirer, ils veulent plaire; ils cherchent moins à être instruits, et même réjouis, qu'à être goûtés et applaudis (*Ibid.*, 16).

Dans cette réflexion en apparence bien traditionnelle, la conception de l'accommodement va assez loin. A la base, on retrouve le pessimisme des *Maximes*. Mais La Bruyère compose davantage que tous ses précurseurs avec ce qui lui semble corrompu dans notre nature. L'accommodement dont parlait Castiglione était une parfaite politesse. Il s'agissait de rester dans le bon ton. C'était un accord, mais qui restait extérieur et même un peu superficiel. La conception de Montaigne, de Faret, de Méré ne sera pas différente. On pourrait s'attendre à ce que La Rochefoucauld, plus pessimiste, recommande que l'on se soumette, du moins dans le monde, à la tyrannie de l'amour-propre d'autrui. Mais il ne va pas, comme La Bruyère, jusqu'à la complaisance, il s'arrête à l'attention: «Il faudrait du moins savoir cacher ce désir de préférence [pour soi], puisqu'il est trop naturel en nous pour nous en pouvoir défaire; il faudrait faire son plaisir et celui des autres, ménager leur amour-propre, et ne le blesser jamais [52].» Il y a plus qu'une nuance entre ces deux morales mondaines: celle de La Bruyère concède davantage à notre naturel mauvais. On lit ailleurs: «Il est souvent plus court et plus utile de cadrer aux autres que de faire que les autres s'ajustent à nous» (*ibid.*, 48). Cette considération «utilitaire» étonne de même. S'agit-il de l'honnête homme ou de l'art de parvenir? Mais il ne faudrait pas exagérer l'importance de cette ambiguïté qui paraît par moments dans les *Caractères*. Elle n'a rien qui l'apparente à celle, beaucoup plus inquiétante, que Mornet signale chez un La Chétardie, un de Marmet et même un Méré [53]. Des illusions sur l'honnête homme, il ne semble pas que La Bruyère en ait jamais eu lui-même. «L'honnête homme, dit-il avec son ironie coutumière, est celui qui ne vole pas sur les grands chemins, et qui ne tue personne, dont les vices enfin ne sont pas scandaleux» (*Des Jugements*, 55). On voit le chemin parcouru depuis Faret, qui ne distinguait pas l'honnête homme de l'homme de bien [54].

En fait, c'est l'impatience qui domine chez La Bruyère. Les plaisirs de la vie de société lui apparaissent moins clairement que les servitudes. C'est un intimiste, mieux fait pour l'amitié que pour les cercles. Tout ce qui est superficiel l'irrite. Comment supporter «tout ce qui se dit de froid, de vain et de puéril dans les entretiens ordinaires» (*De la Société et de la c.*, 5)? «Puéril»: le mot revient plus loin encore sous sa plume (*ibid.*, 68). Voici un fat: il ne reste plus qu'à fuir (*ibid.*, 29). «Je disparais, note-t-il une autre fois, incapable de souffrir plus longtemps Théodecte, et ceux qui le souffrent»

---

[52] «De la Société», dans: *Maximes, suivies des Réflexions diverses*, éd. J. Truchet (Paris: Garnier, 1967), pp. 185-186.

[53] D. Mornet, *Histoire de la littérature française classique (1660-1700); ses caractères véritables, ses aspects inconnus* (Paris: A. Colin, 1950), pp. 104-105.

[54] Cf. N. Faret, *L'Honneste homme ou l'art de plaire à la court*, éd. M. Magendie (Paris: Presses Universitaires de France, 1925), p. 39. Voir aussi l'article d'A. Lévêque, «L'honnête homme» et «l'homme de bien» au XVIIᵉ siècle», *PMLA*, LXXII (1957), 620-632.

(*ibid.*, 12). Avec infiniment d'art, cette remarque, qui paraît dire le moins, dit peut-être le plus :

> Il faut laisser parler cet inconnu que le hasard a placé auprès de vous dans une voiture publique, à une fête ou à un spectacle ; et il ne vous coûtera bientôt pour le connaître que de l'avoir écouté : vous saurez son nom, sa demeure, son pays, l'état de son bien, son emploi, celui de son père, la famille dont est sa mère, sa parenté, ses alliances, les armes de sa maison ; vous comprendrez qu'il est noble, qu'il a un château, de beaux meubles, des valets, et un carrosse (*Ibid.*, 14).

En bref, « le sage quelquefois évite le monde de peur d'être ennuyé » (*ibid.*, 83) : c'est la remarque qui clôt tout le chapitre. L'auteur des *Caractères* est bien un homme exigeant, impatient et mélancolique. Il faut tenir compte de ces données du caractère qui influent si manifestement sur les idées.

Le parti de composer avec l'amour-propre d'un côté, son humeur atrabilaire de l'autre, conduisent La Bruyère à définir une « honnêteté » réaliste, pragmatique et désabusée. Lui qui s'élève depuis toujours contre les « esprits vains, légers » (*ibid.*, 8) tout occupés à paraître, est le premier à réclamer des « vertus du dehors » (*De l'Homme*, 69). C'est qu'il y a deux formes du désir de paraître. L'une est l'effet de « la sotte vanité » sur laquelle avait déjà insisté Théophraste [55]. Elle relève de l'imposture la plus vile : c'est l'homme médiocre singeant l'homme de qualité ou le parvenu qui étale ses succès. Mais une autre forme du paraître supplée aux défauts de notre nature et devient, chez l'homme du monde, la plus précieuse des qualités. « La politesse n'inspire pas toujours la bonté, l'équité, la complaisance, la gratitude ; elle en donne du moins *les apparences, et fait paraître l'homme au dehors comme il devrait être intérieurement* » (*De la Société et de la c.*, 32). Ces lignes ne laissent aucun doute sur la pensée de La Bruyère : le désir de paraître, toujours répréhensible quand il débouche sur la forfanterie, l'ostentation ou l'imposture, devient, tempéré par la mesure et le goût, une vertu. C'est l'illustration parfaite de ce que les *Maximes* disaient sur les vices, qui « entrent dans la composition des vertus comme les poisons entrent dans la composition des remèdes. » Dans le monde, paraître est nécessaire, est un bien. « Ce qu'on appelle humeur est une chose trop négligée parmi les hommes : ils devraient comprendre qu'il ne leur suffit pas d'être bons, mais qu'ils doivent encore *paraître* tels » (*De l'Homme*, 9). Cette observation laisse du moins entendre que la bonté existe. L'amitié véritable existe aussi, sans doute, mais elle est rare : il est « honnête » de la contrefaire au besoin (*De la Cour*, 81). Ainsi encore de la modestie :

> L'homme, de sa nature, pense hautement et superbement de lui-même, et ne pense ainsi que de lui-même : la modestie ne tend qu'à faire que personne n'en souffre ; elle est une vertu du dehors, qui règle ses yeux, sa démarche, ses paroles, son ton de voix, et qui le fait agir extérieurement avec les autres comme s'il n'était pas vrai qu'il les compte pour rien (*De l'Homme*, 69).

---

[55] Voir le chapitre « De la sotte vanité » dans les *Caractères* de Théophraste, aux pp. 45-47 de l'édition Garapon des *Caractères* de La Bruyère. Ce dernier reprend l'expression textuellement, par exemple dans *De l'Homme*, 8.

Ainsi se dégage une conception de l'honnêteté que l'on pourrait définir:
« Du bon usage de l'apparence » [56]. Les phrases toutes faites, les « petites
règles », tant de détails qui ne touchent qu'aux « superficies » prennent une
importance décisive: ils sont « l'image de ce qu'il y a au monde de meilleur » [57]. On voit très bien ce qu'il entre de désenchantement dans cette
attitude. Méré, par exemple, ne se serait jamais contenté de cette « image »,
lui qui définissait l'honnêteté comme « la quintessence de toutes les
vertus » [58].

L'importance accordée par La Bruyère à l'honnêteté est cependant
considérable. Seuls sont vraiment hommes ceux-là qui « sont capables
d'union et de commerce » (De l'Homme, 9). Qu'on y prête attention: il ne
manque à presque tous les fantoches des Caractères que d'être honnêtes
gens pour trouver grâce aux yeux du moraliste. L'incivilité n'est pas « un
vice de l'âme », sans doute. Mais « pour ne se répandre que sur les dehors,
elle n'en est que plus haïssable, parce que c'est toujours un défaut visible et
manifeste » (ibid., 8). Une contradiction se fait jour ici. Si l'honnêteté n'est
qu'un art du paraître, et s'il est essentiel de paraître honnête, ne court-on
pas risque d'accorder une importance démesurée aux « dehors »? C'est
effectivement ce qui arrive à La Bruyère. Il a beau dire: « Tel homme au
fond et en lui-même ne se peut définir ... il n'est point précisément ce qu'il
est ou ce qu'il paraît être » (ibid., 18), son premier critère n'en est pas moins
le ridicule. « Il ne faut pas juger des hommes comme d'un tableau ou d'une
figure, sur une seule et première vue: il y a un intérieur et un cœur qu'il
faut approfondir », écrit-il encore (Des Jugements, 27). Mais cette attitude
est rarement la sienne. Bien souvent, le moraliste se laisse guider par le
satirique, et la devise du satirique pourrait être ce mot de La Rochefoucauld: « S'il y a des hommes dont le ridicule n'ait jamais paru, c'est
qu'on ne l'a pas bien cherché [59]. » Les Caractères sont avant tout une
galerie de grotesques. Le premier tort des Acis, des Hermagoras, des Arrias
est de ne pas se conformer à une norme, et cette norme n'est rien d'autre
que l'honnêteté, vertu du dehors. Assurément, « un caractère bien fade est
celui de n'en avoir aucun » (De la Société et de la c., 1); et pourtant, être
fade vaut mieux mille fois que de se singulariser. Le temps n'est pas encore
où l'originalité sera un mérite. Dans le monde de La Bruyère, tout ce qui
est insolite est suspect. Celui qui est différent ne saurait être « honnête »:
il peut divertir, mais c'est toujours un exemple à éviter. Ainsi, la notion
de ridicule tend à prendre le pas sur toute chose: ce qui n'est pas conforme
est sot et impertinent. Ce serait un beau sujet d'étude que la notion de
ridicule au XVIIᵉ siècle. A coup sûr, on trouverait que, dans les Caractères,
elle implique d'emblée un jugement moral. C'est de bonne foi, semble-t-il,

---

[56] Comparer Castiglione: « Les choses extérieures souvent portent témoignage des
intérieures » (II [27], p. 213); « Toutes les manières de faire et coutumes, outre les œuvres
et les paroles, servent à juger les qualités de celui auquel ces choses se voient » (II [28],
p. 216).

[57] Des Jugements, 36 et 85; De la Cour, 81.

[58] Méré, «De la vraie Honnêteté,» dans: Œuvres complètes, éd. cit., tome III, p. 71.

[59] Maximes, éd. cit., Nᵒ 311.

que La Bruyère moraliste l'adopte comme un critère. Il va jusqu'à s'étonner quand des dehors risibles ne reflètent pas la personnalité profonde: c'est une chose « incompréhensible », un véritable « prodige » (*Des Jugements*, 56). Ainsi l'honnêteté n'est-elle plus, chez lui, l'apanage du courtisan, ni la règle toute personnelle d'un gentilhomme campagnard, ni un art de parvenir, ni une abstraction développée dans de lourds traités. Indissolublement associée à la notion antagonique du ridicule, elle représente une sagesse moyenne, désenchantée, parfaitement accessible, et surtout: un principe de la vie morale. Revenons à Castiglione pour mieux mesurer le chemin parcouru.

B. — AU-DELA DE L'HONNÊTETÉ: DU JEU DU « COURTISAN » A LA DÉSILLUSION DES « CARACTÈRES »

Le monde de Castiglione est un palais ducal aux persiennes closes. Le duc n'y voulut aucune chose qui ne fût « très-rare et excellente ». Des statues anciennes de marbre et de bronze, des peintures délicates, des instruments musicaux de toute sorte, la bibliothèque fournie de « très excellents » livres ornés d'or et d'argent, constituent le cadre où évolue la plus « chère et amiable compagnie » qui fut jamais. Ce lieu « ne semblait pas un palais, mais une ville en forme de palais ». Aux environs, le pays est « le plus fertile du monde », de manière que « outre la bonté de l'air, il y a abondance de toute chose nécessaire à la vie humaine ». C'est déjà le décor de l'abbaye de Thélème (I [2-4], pp. 5-11). Mais aussi, c'est un monde fermé où gravite une société repliée sur elle-même. Tout ce qui vient de l'extérieur est comme filtré. Le personnage d'Alexandre est plus présent à l'esprit de chacun qu'aucune personne du dehors. Les anciens forment comme une société familière. Leur pensée nourrit tout ce qui se dit, leur exemple est la règle de toute action [60]. Platon et Aristote eux-mêmes furent, nous dit-on, de parfaits courtisans (IV [47-48], pp. 606-609). Bienfaisante, la présence de ces morts rassure la société des « infinis gentilshommes » sur elle-même: loin d'être frivole ou oisive, elle seule perpétue les valeurs qui doivent être honorées. Tout au long de son œuvre, le critique Toffanin s'élève contre ce lieu commun, un des plus inexacts chez les modernes: « les cours italiennes, répète-t-il, ne furent pas le miroir fidèle du mode de pensée humaniste. Au contraire, il y avait quelquefois entre les deux mondes un secret antagonisme » [61]. Castiglione n'a que faire du monde des « ignobles » (au sens, bien entendu, de « non nobles »): l'humanité qui l'intéresse est celle qui peuple le palais. « Il me plaît bien que l'on fuie la multitude, et

---

[60] Voir, parmi tant d'autres passages: I [26], p. 66; I [30], pp. 79-80; I [47-49], pp. 127-132; IV [8], pp. 531-532; IV [47], pp. 605-606; IV [72], pp. 654-655.

[61] G. Toffanin, *Il Cinquecento*, quinta edizione riveduta e aggionata (Milano: Vallardi, 1954), p. 236.

principalement des ignobles » (II [13], p. 182): tout ce qui ne vit pas à la cour entre dans une masse parfaitement indistincte, et la seule question que pose cette masse touche à la manière de la gouverner. On pourrait étudier l'éthique de Castiglione (comme on a récemment analysé celle de son contemporain Rabelais [62]) à la lumière de certains enseignements de la sociologie. Tel n'est pas notre propos. Notons seulement ce cloisonnement parfaitement étanche entre la cour toute baignée de beauté et de culture et le reste de l'humanité. L'élite n'en a pas moins bonne conscience. La nature a tôt fait de lui fournir une justification: « Les hommes plus signalés sont nobles... pource qu'il est raisonnable que des bons naissent les bons » (I [14 et 16], p. 36 et p. 41) [63]. A l'écart du monde, sans soucis vulgaires, les *cortegiani* se sentent d'une même classe: cela les rend indulgents et complices. Des transformations ont pourtant affecté cette classe, à laquelle maints bourgeois s'efforcent de s'assimiler; de nouvelles structures de l'aristocratie s'édifient [64]. En fait l'élite est en quête de son identité. Le « jeu du courtisan » répond au besoin d'une éthique et d'un modèle. Les participants construisent un idéal à leur usage. On assiste donc, dans le *Courtisan*, on prend part même, à une recherche, à une élaboration dynamique. Les personnages discutent, ne sont pas d'accord sur le dosage, l'équilibre, la composition des divers éléments qui doivent former la figure exemplaire. Toute cette recherche est fondée sur une notion essentielle, celle de la perfectibilité (et non sur le « mythe de la perfection » dont parle B. Maier [65]). Ecoutons le seigneur Frédéric Frégose: « Pource qu'en l'humaine nature ne se trouvent guères et possible jamais perfections tant accomplies, l'homme qui sent en soi quelque défaut, ne se doit pourtant défier de soi-même ni perdre espérance de parvenir à quelque bon degré, combien qu'il ne puisse obtenir cette parfaite et suprême excellence à laquelle il aspire [66]. » Cette excellence, chacun des auditeurs ne la sent pas moins à sa portée. Une joyeuse exaltation anime les débats. La noble figure qui prend vie peu à peu fait naître l'émulation au cœur de l'assistance.

Il faut se souvenir ici du paragraphe saisissant de Burckhardt sur le *Cortegiano*. Ces quelques lignes, datant maintenant de plus d'un siècle, vont plus loin que les volumes écrits depuis. « C'est pour les cours, dit Burckhardt, et, au fond, bien plus encore pour lui-même que se développe et s'affine le courtisan tel que l'entend Castiglione. Il est, à proprement parler, l'homme du monde idéal; il est le produit nécessaire, la quintessence de la culture de cette époque, et la cour est plus faite pour lui qu'il n'est fait

---

[62] Cf. M. Beaujour, *Le Jeu de Rabelais: Essai sur Rabelais* (Paris: L'Herne, 1969).

[63] Dans la société, tout se rapporte à la noblesse, de même que la terre figure le centre de l'univers. Cf. IV [58], p. 626.

[64] Cf. A. von Martin, *Soziologie der Renaissance* (Frankfurt: J. Knecht, 1949).

[65] B. Maier, « Baldesar Castiglione », *La Rassegna della letteratura italiana*, LIX (1955), p. 14 et p. 16. (Cette étude est devenue l'Introduction à l'édition Maier du *Cortegiano, con una scelta delle Opere minori* [Torino: Unione Tipografico-Editrice Torinese, 1955], réédité en 1964.)

[66] II [38], p. 240. Sur la même idée, cf. I [13], p. 34, et la discussion sur le rôle de la raison pour combattre les vices, IV [11-18], pp. 536-552.

pour la cour. Tout bien pesé, un tel homme n'est d'aucune utilité auprès d'un souverain, puisqu'il a lui-même les qualités et les allures d'un prince accompli, et que sa supériorité, toute simple et toute naturelle, suppose un être trop indépendant. Le mobile secret qui le fait agir, c'est — l'auteur a beau vouloir le dissimuler — non pas le service du prince, mais sa propre perfection... Telles des qualités qu'on demande au courtisan ont leur raison d'être dans une idée générale, presque abstraite, de la perfection indivi- duelle [67]. » Ce que l'auteur de la *Civilisation de la Renaissance en Italie* pressent, c'est qu'il entre beaucoup d'orgueil caché dans le modèle que les courtisans se choisissent. Mais ce qui compte le plus dans le passage qu'on vient de lire est l'intuition que le divertissement des hôtes d'Urbin repose sur des motivations d'ordre psychologique. Dans la récente étude qu'il a donnée sur le *Cortegiano*, E. Loos s'étonne encore à juste titre: les com- mentateurs de cette œuvre se contentent tous des mêmes « éloges mono- tones ». Le livre, observe-t-il, n'a jamais été examiné qu'à la lumière de la critique la plus traditionnelle, la signification psychologique a été grande- ment sacrifiée [68]. Il ne saurait être question pour nous de combler cette lacune. Mais pour rendre bien claire l'évolution du *Courtisan* aux *Caractères*, il faut insister sur ce point: ce dont il s'agit, dans le *Cortegiano*, est un jeu. Ce fait en apparence anodin n'a pas retenu l'attention qu'il mérite. « Entre les autres passe-temps du bal et de la musique, qui étaient ordinaires, étaient proposées de belles questions: aucunefois se faisaient quelques jeux d'esprit »: il n'est donc question que de divertissements. On aurait pu passer la soirée à improviser des sonnets. On a failli consacrer le jeu à cette autre question: d'où provient la peur des rats chez les femmes? (I [5 et 12], p. 13 et p. 31).

Qu'on se rapelle les observations de Huizinga: le jeu est « une action dénuée de tout intérêt matériel et de toute utilité », une action ou une activité volontaire « pourvue d'une fin en soi », accompagnée d'une « conscience d'être autrement que dans la vie courante » [69]. Le jeu de Frédéric Frégose flatte très subtilement l'amour-propre des assistants. Chacun parle de soi sous couvert de parler d'un autre. Chacun entend parler de soi en tout ce qui a trait au courtisan. Déjà repliée sur elle-même, à l'écart du monde dans sa délicieuse retraite, la petite société se soustrait aux dernières contingences par un rêve collectif. Ce qu'elle crée, c'est une image grandie d'elle-même, où elle se délecte à se contempler. Elle s'attribue toutes les perfections une à une, celle du corps, celle de l'esprit, enfin celle

---

[67] J. Burckhardt, *La Civilisation de la Renaissance en Italie,* traduction de H. Schmitt, revue et corrigée par R. Klein (Paris: Plon, 1958), p. 201 et p. 203.

[68] E. Loos, *Baldassare Castigliones « Libro del Cortegiano »: Studien zur Tugendauf- fassung des Cinquecento* (Frankfurt: V. Klostermann, 1955), p. 9, p. 13 et p. 14. — La seule tentative pour renouveler notre connaissance de Castiglione par un point de vue moins traditionnel n'est pas tant la solide synthèse de Loos lui-même qu'un article récent de G. Mazzacurati: « Baldassar Castiglione e la teoria cortigiana: ideologia di classe e dottrina critica », *Modern Language Notes,* LXXXIII (1968), 16-66. Cette étude ne retient pourtant que les questions de langue que soulève le *Cortegiano.*

[69] J. Huizinga, *Homo ludens,* traduction de C. Seresia (Paris: Gallimard, 1951), p. 35 et pp. 57-58.

du cœur. Tout ce qui est de la réalité s'estompe. Les objections que font quelques-uns par des références précises à leur être véritable ne contribuent que mieux à créer l'illusion. Ces rappels empêchent le passage au rêve d'apparaître trop clairement à la conscience. Les liens avec l'existence véritable sont rompus les uns après les autres. Après le « courtisan parfait », on « forme » la « parfaite dame ». Au quatrième soir, Bembo parle du « parfait amour » : l'assistance entre dans un ravissement. Personne ne s'est aperçu que la figure idéale est graduellement devenue une chimère [70]. Toutes les caractéristiques du jeu qu'a notées R. Caillois sont ici réunies. Il s'agit bien d'une « activité sans contrainte », gratuite, d'un « îlot de clarté et de perfection précaire ». Le monde dans lequel les *cortegiani* sont entrés est bien celui des « structures abstraites » où peuvent s'exercer d'« idéales concurrences » [71]. Voilà pour le côté positif. Mais les aspects négatifs aussi se retrouvent, et c'est le moment de se souvenir du sens premier du mot illusion *(in-lusio)*. Voici apparaître les traits qui conduisent le jeu au point d'un dangereux vertige. C'est bien encore à une activité « isolée du reste de l'existence » que les courtisans se livrent, et la vie fictive dont ils s'enivrent les trompera sur « la rudesse des épreuves véritables ». Ne disons pas que la figure exemplaire qu'ils se plaisent à ébaucher soit condamnée à demeurer « essentiellement stérile », « sans conséquence pour la vie réelle » [72]. Le risque est grand, cependant — et Castiglione lui-même, semble-t-il, ne s'y trompait pas [73] — que l'incomparable divertissement soit voué à rester sans répercussions appréciables. L'Europe pourra emprunter au Courtisan idéal ses manières, sa perfection demeure à lui seul. Perfection « ludique », serait-on tenté de dire, perfection littéraire : on sait assez ce qu'il entre de jeu dans les constructions de l'esprit. Castiglione a fourni à l'élite une image épurée d'elle-même. Du temps de La Bruyère, une telle simplification ne sera plus concevable.

Ce qui s'est développé, de l'un à l'autre, n'est peut-être pas autre chose qu'un sentiment de méfiance. Là où Castiglione est fort d'une certitude élémentaire — la perfectibilité de toute chose — qui lui permet, de déduction en déduction, de construire un univers imaginaire, La Bruyère et sa génération restent retenus par des faits. La réalité empêche l'imagination de prendre son essor. Il ne s'agit pas tant de savoir si l'auteur du *Courtisan*,

---

[70] Sur le caractère chimérique du courtisan, voir G. Toffanin, *op. cit.*, p. 242, et, du même auteur, Il « *Cortegiano* » *nella trattatistica del Rinascimento* (Napoli: Libreria scientifica editrice, s.d. [1962]), p. 154. — Pour W. Schenk (« The *Cortegiano* and the Civilization of the Renaissance », *Scrutiny*, XVI [1949], 93-103), le platonisme de Bembo n'est pas autre chose qu'un simple « ornement » et la philosophie du courtisan un pur « mensonge ».

[71] R. Caillois, *Les Jeux et les hommes*, édition revue et augmentée (Paris: Gallimard [coll. Idées], 1967), p. 7, p. 18, p. 14.

[72] R. Caillois, p. 37, p. 22, p. 7.

[73] Cf. des passages comme IV [6], p. 527 : « De maintes erreurs que nous voyons aujourd'hui en plusieurs de nos princes, les plus grandes qui soient sont l'ignorance, et l'opinion ou persuasion qu'ils ont d'eux-mêmes » ; IV [42], p. 595 : « Car combien que les cieux soient tant avares à produire princes excellents, pource qu'à peine en voit-on un en plusieurs siècles... »

comme le veut Cian, donne dans un « excès voulu d'optimisme », encore que l'hypothèse paraisse assez juste [74]. Il y a certainement une réalité plus dure qu'il connaît, mais à laquelle il choisit de tourner le dos [75]. Aussi bien s'est-on élevé avec raison contre la tendance à l'opposer systématiquement à Machiavel [76]. Il pourrait bien s'agir d'un parti pris d'idéaliser plutôt que de l'idéalisme véritable. Il n'en reste pas moins vrai que tout, dans l'univers du *Cortegiano*, est clair, uni et lié. On songe à un tableau sans perspective. C'est déjà un peu l'atmosphère des fêtes galantes. Il n'y a pas d'abîme dans le cœur humain, point d'inquiétude. Tout est limpide, nulle force n'est hostile à l'homme. Dieu se confond avec les divinités antiques, et l'élan religieux de la fin est d'une nature surtout poétique [77]. L'homme connaît sa fin et pressent que ses moyens sont sans limites (IV [5 et 46-49], pp. 525-526 et 602-609). Avec La Bruyère, tout se dramatise. On ne possède plus de certitude sur l'existence, on est tout près de penser que « le cœur de l'homme est plein d'ordure ». La méfiance est partout. Elle empêche la réconciliation du moraliste avec la nature humaine. L'intérieur est corrompu : les beaux dehors qui font illusion dans la société, que valent-ils au fond ? Seule, cette corruption compte, et même elle en vient à fasciner. La Bruyère, avec insistance, fixe « l'intérieur de l'homme » *(Discours sur Théophraste)* : tout le reste lui semble parade. Ainsi on approfondit toujours un soupçon. Les chapitres « De la Cour » et « Des grands », comparés à l'œuvre de Castiglione, mesurent parfaitement le chemin parcouru. Sous l'« écorce de la politesse » se cache « une sève maligne ». Du courtisan, on ne retient plus que le « dangereux caractère », les « finesses usées » ; les grands « n'ont point d'âme » [78]. Ce point de vue nettement plus critique sur les grands peut, bien entendu, s'expliquer par l'origine sociale très différente des deux auteurs [79]. Mais le scepticisme de La Bruyère ne s'arrête pas là. La question qu'il pose est beaucoup plus générale : que valent, encore une fois, les « dehors », « une simple superficie » ? En fait, dans tout son livre, on trouve,

---

[74] Cian, *op. cit.*, p. 238. — Pour une intéressante discussion des idées de Cian, voir le compte rendu de son ouvrage donné par C. Dionisotti, in *Giornale Storico della Letteratura Italiana*, CXXIX (1952), 31-57.

[75] E. Bonora voit dans la tristesse qui paraît par moments dans le *Cortegiano* la preuve que l'auteur avait conscience du contraste entre l'idéal et les réalités contemporaines (*Storia della Letteratura Italiana* [Direttori : E. Cecchi et N. Sapegno], tome IV : *Il Cinquecento* [Milano : Garzanti, 1966], p. 206). — Cette tristesse de Castiglione avait déjà été finement notée par M. Rossi, qui n'en tire pas les mêmes conclusions (*Baldassar Castiglione : la sua personalità, la sua prosa* [Bari : Laterza, 1946], p. 18). Pour L. Russo, l'auteur du *Courtisan* se tient à l'écart de la réalité historique et politique parce que son tempérament serait celui d'un contemplatif et d'un poète (*op. cit.*, p. 513). W. Lipking, enfin, va jusqu'à voir en Castiglione « a very reluctant idealist » (*op. cit.*, p. 360).

[76] Voir B. Maier, *Letteratura Italiana — I Minori*, p. 904 ; V. Cian, pp. 285-292.

[77] Sur la religiosité de Castiglione, voir E. Loos, pp. 193-196 ; V. Cian, pp. 287 sqq. ; B. Maier, l'article cité de *La Rassegna della letteratura italiana*, p. 24.

[78] *Des Grands*, 25 et 26 ; *De la Cour*, 43.

[79] L'origine plus humble de La Bruyère (outre les influences notées par Lange) peut à son tour expliquer sa curiosité plus grande pour les problèmes sociaux et son saisissement devant certaines misères (voir *Des Biens de f.*, 47 ; *De l'Homme*, 128).

non pas comme chez La Rochefoucauld, la « peur d'être dupe » [80], mais l'inaptitude foncière à s'arrêter à l'apparence. L'honnêteté, on l'a vu, n'est qu'un mensonge poli, le seul faux semblant excusable. Mais tout ce qui, chez Castiglione, était pris pour évident, pour véritable, est scruté de plus près. Toujours il s'agit de pénétrer jusqu'à l'intérieur, jusqu'à l'âme, de mettre à nu le ressort caché, de déceler le défaut invisible. Qu'on compare le palais que fait bâtir *Zénobie* (*Des Biens de f.*, 78) à celui d'Urbin ou la petite ville du *Courtisan* à celle des *Caractères* :

> J'approche d'une petite ville, et je suis déjà sur une hauteur d'où je la découvre. Elle est située à mi-côte ; une rivière baigne ses murs, et coule ensuite dans une belle prairie ; elle a une forêt épaisse qui la couvre des vents froids et de l'aquilon. Je la vois dans un jour si favorable, que je compte ses tours et ses clochers ; elle me paraît peinte sur le penchant de la colline. Je me récrie, et je dis : « Quel plaisir de vivre sous un si beau ciel et dans ce séjour si délicieux ! » Je descends dans la ville, où je n'ai pas couché deux nuits, que je ressemble à ceux qui l'habitent : j'en veux sortir (*De la Société et de la c.*, 49).

Ainsi, peu à peu, tout ce qui était beau révèle une laideur cachée, tout ce qui était solide s'effondre. Rien n'échappe à ce renversement ; c'est comme un mal qui ronge toute chose. L'intérieur des familles donne souvent le change par des « dehors paisibles et enjoués » ; en fait on s'y déchire : « il y en a peu qui gagnent à être approfondies » (*ibid.*, 40). Si vous allez « derrière un théâtre », découvrant tout l'artifice, vous direz : « Sont-ce là les principes et les ressorts de ce spectacle si beau, si naturel, qui paraît animé et agir de soi-même ? » (*Des Biens de f.*, 25). Ce qui était hypothèse pessimiste chez Castiglione devient, chez La Bruyère, postulat, ou peu s'en faut. L'auteur italien se demande, par exemple, où est le devoir du courtisan, si par malheur, celui-ci se trouvait au service d'un prince « envieilli ès vices ». On décide que le courtisan doit sans tarder le quitter, afin qu'il « ne soit blâmé des mauvaises œuvres de son seigneur » (IV [47], p. 608). (Cette attitude, notons-le en passant, illustre à merveille la thèse de Burckhardt rappelée plus haut.) Le cas extrême du prince qu'on ne peut réformer n'est sans doute nulle part évoqué par La Bruyère, ne serait-ce que par prudence. Louis XIV ne tombe d'ailleurs pas dans la catégorie des princes déplorables. Néanmoins, La Bruyère ne nourrit pas la moindre illusion sur l'effet des conseils (y compris les siens propres) que les bons esprits peuvent prodiguer au souverain. Si l'on considère encore que l'équivalent en France du prince italien (la plupart du temps un roitelet) est plutôt le grand que le roi lui-même, on conviendra que la situation à laquelle ne veut pas s'arrêter Castiglione est devenue pour La Bruyère une de ces amères réalités desquelles il ne peut se libérer [81].

---

[80] C'est le titre d'une étude remarquable de H. Coulet : « La Rochefoucauld ou la peur d'être dupe », dans : *Hommage au Doyen E. Gros*, Publications de la Faculté des lettres d'Aix-en-Provence (Gap : Ophrys, 1959), pp. 105-112.

[81] On sait à quels excès se portaient les princes contemporains de Castiglione. (Voir par exemple, J. P. Trevelyan, *A short history of the Italian People*, revised edition with an epilogue by D. M. Smith [London : Allen and Unwin, 1956].) Mais l'auteur du *Courtisan* ne s'arrête pas à cette réalité. On peut y voir une illustration de plus du « franc départ » entre la réalité et le jeu dont parle Caillois (p. 112).

100

Il serait aisé de prouver par d'autres exemples cette dégradation de l'idéalisme. La comparaison des Livres III et IV du *Cortegiano* avec les chapitres « Des Femmes » et « Du Cœur » serait, elle aussi, instructive, mais nous entraînerait trop loin [82]. A propos de Castiglione, La Bruyère rappellerait peut-être que « l'homme n'aime que la fiction et la fable » (*Des Esprits f.*, 22). C'est l'homme qui est au centre de l'univers des *Caractères*, et naturellement il s'agit, ici encore, d'aller au-delà des apparences. « L'on écarte tout cet attirail qui t'est étranger, pour pénétrer jusques à toi », est-il dit à *Philémon* (*Du Mérite p.*, 27). Il faut voir l'homme « jusque dans le courtisan », aller jusqu'au « tuf » que masquent « deux pouces de profondeur », parvenir jusqu'à « la corde » [83]. Et, comme on pouvait s'y attendre, le moi véritable que l'on rencontre alors, est lui aussi essentiellement corrompu. Les *Mopse*, les *Ménippe*, les *Argyre* et les *Ruffin*, dès qu'on a levé leurs masques, sont autant de pantins pitoyables [84]. Ce qui se découvre, c'est « tout l'orgueil dont nous sommes gonflés » (*Des Jugements*, 7). La soif de paraître n'est que désir de dominer: « L'on est si rempli de soi-même que tout s'y rapporte » (*De l'Homme*, 75). En toute occasion, le moi veut primer, occuper le devant de la scène. Les autres sont à la fois ceux qu'il s'agit d'éblouir et que secrètement on méprise (*Des Jugements*, 98). Toute humanité vraie est un leurre: « Les hommes ne se goûtent qu'à peine les uns les autres... estimer quelqu'un, c'est l'égaler à soi » (*ibid.*, 9 et 71). Toute la vision de Castiglione, on l'a dit, reposait sur la notion de perfectibilité. Ludovic de Canosse énonçait dès ses premiers propos cet article de foi: « Ceux qui ne sont si parfaitement doués de nature [peuvent] par soin et labeur, limer et corriger en grande partie leurs naturelles imperfections » (I [14], p. 38). Qu'est devenue cette belle confiance chez La Bruyère? S'il prétend corriger les mœurs, c'est là une protestation de pure forme, comme l'attestent des extraits cités par ailleurs (cf. p. 151). Le *Discours sur Théophraste* développe expressément l'idée pessimiste d'une humanité toujours enfoncée dans le mal et que rien n'a fait progresser au cours des siècles. Le thème de l'âge d'or, relevé lui aussi dans une autre étude [85], s'oppose en tous points au fervent plaidoyer de Castiglione en faveur des temps modernes (II [1-5], pp. 149-160).

En dernière analyse, c'est la solitude de l'homme de La Bruyère qui nous frappe, ce « monadisme de l'individu » dont parle si bien C. Rosso, et qui exclut toute « communication morale efficace » [86]. Sa pénétration plus grande, sa connaissance plus juste des choses ne font qu'accroître sa

---

[82] Sur la conception de l'amour chez Castiglione, voir une excellente analyse dans J. Festugière, *La philosophie de l'amour de Marsile Ficin et son influence sur la littérature française au XVIe siècle* (Paris: Vrin, 1941), pp. 44-53.

[83] *De l'Homme*, 145; *De la Cour*, 83; *Du Mérite p.*, 40.

[84] *Du Mérite p.*, 38, 40; *De l'Homme*, 83, 123.

[85] Cf. p. 65 et n. 25.

[86] C. Rosso, « La Bruyère e la morale dei *Caratteri* », *Filosofia* (avril 1963), p. 226. Dans l'étude la plus fine, sans doute, qui ait depuis longtemps été consacrée à La Bruyère, C. Rosso est amené, à partir de la « solitude monadique » de l'homme des *Caractères*, à conclure à « l'échec du moraliste ».

sère. Aucune des valeurs qui, chez Castiglione, s'ordonnaient selon une ~~.~~aire hiérarchie, n'est plus éprouvée comme solide. A mesure que sous l'apparence se découvre le « tuf », les raisons qui soutenaient l'existence s'effritent elles aussi. Le *cortegiano* était entièrement dépendant des autres. La perfection qu'il poursuivait était avant tout extérieure : elle devait d'abord être reconnue. Le *cortegiano* faisait pleine confiance à autrui, parce que sans autrui, il ne se sentait pas vivre. Il vivait par le regard des autres et pour le regard des autres. De ce qui touche à la société, il ne remettait rien en question : il se serait mis en question lui-même. Otez-le de la cour, il n'existe plus. L'homme de La Bruyère, au contraire, s'il se soumet à une telle dépendance, est traité de « grotesque » (*Des Jugements*, 26). Mais s'il est « sage », quel sera son sort ? Il choisit la fuite ou se cantonne dans une demi-retraite, et c'est la solitude physique. Il examine les valeurs pour lesquelles vivent et peinent les autres, les rejette une à une, et c'est sa solitude morale. Il regarde autour de lui, il s'interroge sur ces autres en eux-mêmes. Tout en eux lui semble mensonger. Il aurait souhaité, sans doute, leur accorder sa confiance, mais il ne le peut pas : sa solitude s'approfondit encore. Que lui reste-t-il ? L'« honnêteté », qui devient tout autre chose qu'un ensemble de manières. C'est le dernier langage qui lui permette de communiquer avec autrui, une sorte de fragile passerelle entre la foule des autres et sa propre solitude. Au sein de cette solitude, trois valeurs lui paraissent seules dignes d'être retenues : le mérite personnel, la vertu, Dieu. Ce sont trois valeurs nobles, sans doute, et ce sont celles que le monde rejette. Selon l'ordre du monde, ce sont les valeurs du perdant. La Bruyère et son sage y adhèrent presque farouchement. Eux aussi — comme les *cortegiani* — se construisent un idéal. Mais ils ne sont plus solidaires de personne [87]. Si quelque chose est encore parfait en eux, c'est seulement leur solitude et leur tristesse [88].

C. — ESTHÉTIQUE ET MORALE

Dans sa remarquable étude « La Civilisation de la Renaissance aujourd'hui », R. Klein est amené à conclure que « les nouvelles perspectives » de la recherche constituent bien souvent « une confirmation inattendue pour Burckhardt » [89]. Ce point de vue est celui d'un critique d'art et d'un philosophe. Un historien comme W. Ferguson introduit sans doute davan-

---

[87] « Ne faire sa cour à personne, ni attendre de quelqu'un qu'il vous fasse la sienne, douce situation, âge d'or, état de l'homme le plus naturel ! » (*Des Jugements*, 109).

[88] Sur la solitude de l'homme de La Bruyère, cf. aussi pp. 152-153.

[89] R. Klein, « La Civilisation de la Renaissance aujourd'hui », postface à l'édition citée du livre de Burckhardt, p. 309 et p. 303. Texte réédité comme préface dans la dernière édition française de *La Civilisation de la Renaissance en Italie* (Paris : Le Livre de Poche, 1966).

tage de réserves [90]. Néanmoins, chacun s'accorde encore aujourd'hui pour reconnaître la richesse peu commune des thèses burckhardtiennes. Au centre de cette conception, on le sait, se trouve l'idée que toute la vie de la Renaissance gravite autour de l'art. L'Etat, les fêtes, la conversation, l'économie domestique, la guerre, l'éducation et surtout la personnalité même de l'« homme de la Renaissance » sont pour Burckhardt autant d'œuvres d'art. « L'individu était forcé de porter au maximum ses qualités personnelles, et la société, de trouver en elle-même sa valeur et son charme. Le comportement des individus et toutes les formes supérieures des rapports sociaux devenaient une libre œuvre d'art, consciemment créée [91]. » Le livre de Castiglione illustre ces vues presque à chaque page. Il nous faut rapidement revenir sur le travail d'un critique dont la démonstration paraît insuffisante [92]. Notre propos, dans cette dernière partie de notre analyse, est de montrer à quel point, dans le *Cortegiano*, la vie et l'art sont intimement confondus, le modèle de toute conduite étant presque toujours d'une nature esthétique, alors que dans les *Caractères*, l'art est encore un domaine privilégié, sans doute, mais devenu nettement distinct, sans incidences sur l'existence. Dans le *Cortegiano*, art et *praxis* coïncident. Dans les *Caractères*, en même temps que les illusions font faillite une à une, l'art et la beauté sont dépouillés de leur vocation la plus haute, et le divorce d'avec la vie réelle est devenu irrévocable.

La grâce, dans le *Cortegiano*, représente infiniment plus qu'un simple ornement. Elle est davantage aussi que dans le *Galatée*, qui la définissait comme « une certaine lumière, qui sort du bel assemblage des choses qui sont bien composées » [93]. Elle est moins insaisissable que le « je ne sais quoi », tout en gardant une part de mystère. Elle est un don, et cependant elle peut s'acquérir. Ce dont elle se rapproche le plus, c'est le style : comme lui, elle relève tout, elle confère une unité. Elle accompagne « les actions, gestes, habits, et pour abréger, tous les déportements (= mouvements) » [94]. Pour la décrire, Castiglione a dû créer un terme nouveau. C'est la *sprezzatura*, faite à la fois de désinvolture et d'une certaine négligence :

Mais ayant déjà plusieurs fois pensé en moi-même d'où vient cette bonne grâce, laissant à part ceux qui la tiennent de la faveur du ciel, je trouve une règle très-générale, qui me semble servir, quant à ce point, en toutes choses humaines que l'on fait ou que l'on dit plus que nulle autre, c'est de fuir, tant qu'il est possible, comme un très âpre et dangereux rocher, l'affectation, et pour dire, peut-être, un mot nouveau, user en toutes choses d'un certain mépris et nonchalance *(sprezzatura)*, qui cache l'artificiel, et qui montre ce qu'on fait, comme s'il était venu sans peine et quasi sans y penser (I [26], p. 65).

[90] W. K. Ferguson, *La Renaissance dans la pensée historique*, traduction de J. Marty (Paris: Payot, 1950), en particulier le chap. 7.

[91] Cité par W. K. Ferguson, p. 179. Cf. Burckhardt, *La Civilisation...* V^e partie, en particulier chap. 4.

[92] J. A. Mazzeo, *Renaissance and Revolution: The Remaking of European Thought* (New York: Pantheon Books, 1965), chap. 3.

[93] Cité par M. Magendie, *op. cit.*, pp. 158-159.

[94] I [24], p. 60. Cf. aussi II [27], pp. 213-214; II [49], p. 264.

si la grâce est un « art », mais « qui ne semble être art » *(ibid.)*. Elle
t le milieu entre le quelconque et l'affecté. Mais rien n'est plus précaire
que cette zone intermédiaire, et le risque est constant de tomber dans l'un
ou l'autre excès. De montrer l'artifice, l'on ôte la grâce ; à mettre de la grâce,
on montre de l'art. C'est « une sauce et assaisonnement de toute chose,
sans lequel toutes les autres propriétés et bonnes parties sont de petite
valeur » (I [24], p. 60). Nombreux sont ceux qu'a choqués ce qu'il entre
de préparation et d'étude, et, pis encore, de vanité, dans la grâce parfaite.
« Ce courtisan éveille l'idée d'un acteur, dit un critique, il ne perdra jamais
l'occasion de faire valoir ses mérites... [Son] désir d'être estimé ne recule
pas devant une petite réclame discrète » [95]. Il est vrai que la grâce, qui deviendra
le naturel en France, ne dédaigne pas les ressources de l'artifice. Il est
vrai aussi qu'elle ménage à l'amour-propre de secrètes satisfactions : elle
« imprime ès cœurs des assistants une opinion que celui qui fait bien si
aisément, sache beaucoup plus que ce qu'il fait, estimant encore, s'il mettait
peine et soin en ce qu'il fait, il le pourrait faire beaucoup mieux » (I [28],
pp. 71-72). Ainsi du musicien qui, en chantant, entonne une seule note et
finit par un harmonieux accord, si facilement qu'il n'y paraît pas même
penser : « Par ce seul point il fait connaître qu'il sait beaucoup plus qu'il
ne montre ». De même en peinture, un seul trait de pinceau aisément tiré
donne l'opinion la plus haute du talent de l'ouvrier *(ibid.)*. De tels exemples,
toutefois, doivent retenir notre attention moins par le désir d'ostentation
ingénument avoué, que par l'affinité établie entre l'art du courtisan et l'art
véritable. C'est au peintre, au musicien, que le courtisan demande des leçons.
« Combien d'art pour rentrer dans la nature ! » écrira encore bien plus
tard La Bruyère *(Des Jugements, 34)*. Mais l'art, chez lui, ne sera plus le
véritable modèle. On retiendra ses procédés et ses techniques pour imiter,
ou mieux, pour retrouver une simplicité perdue, sacrifiée à l'artifice, mais
dont on pressent qu'elle correspond à l'« état de l'homme le plus naturel »
(ibid., 109). Chez Castiglione, au contraire, il s'agit moins d'une imitation
que d'une création véritable. La simplicité compte moins que la beauté,
et le naturel moins que la grâce. L'homme est à lui-même la matière de
son œuvre, il est l'artiste de son existence.

L'interpénétration de la vie et de l'art est en effet constante dans le
Cortegiano. E. Williamson est parfaitement fondé à comparer Castiglione
à Raphaël, et c'est à très juste titre qu'il note : « Les éléments qui forment
un parfait courtisan forment un parfait artiste [96]. » Ce n'est plus seulement
de la grâce qu'il s'agit, qualité malgré tout un peu extérieure, tenant au
paraître plus qu'à l'être [97]. Dès la *Dédicace* à Michel de Silva, on devine que
Castiglione lui-même, pour la conception de son œuvre, s'est mis à l'école
des plus grands peintres : « Je vous envoie ce livre comme le portrait et
peinture de la cour d'Urbin, non de la main de Raphaël ou de Michel-Ange,

[95] Magendie, pp. 312-314.

[96] E. Williamson, « The concept of grace in the work of Raphael and Castiglione »,
Italica, XXIV (1947), p. 317.

[97] Mazzeo (p. 148) rappelle cependant avec raison qu'une génération après Castiglione,
la grâce deviendra, avec Vasari, le critère essentiel en matière de peinture.

mais d'un petit peintre, qui sait tirer seulement les principales lignes, sans y appliquer l'ornement et diversité des belles couleurs, ou faire paraître, par art de prospective (= perspective), ce qui n'est point ». Malgré Cian, qui donne de ces lignes une interprétation vraiment discutable [98], on peut voir, dans cette affirmation, l'émulation que suscita en Castiglione lui-même la manière des peintres qu'il cite. Dans le corps du livre, l'interaction est constante, par laquelle il s'agit d'ailleurs moins de transcender la réalité par l'art que d'élever cette réalité à la perfection d'une création artistique. S'agit-il de la musique ? Le comte Ludovic de Canosse rappelle (à la suite des pythagoriciens et de Platon) que « les cieux en se mouvant font une harmonie, que notre âme est par cette même raison formée, et que pour cette cause elle se refeuille et quasi vivifie ses vertus » (I [47], p. 127). Le rapport entre l'art et la morale, comme on le voit, est nettement souligné ici. « On la doit nécessairement apprendre de jeunesse, poursuit le comte, non tant à cause de cette superficielle mélodie que l'on entend, que pour être suffisante à induire en nous ... une manière de faire tendant à la vertu. » Un peu plus loin, on s'interroge sur l'amitié: quelle est sa nature, sous quelles formes convient-il de la cultiver ? Ici encore, c'est l'art qui sert de modèle, et la vie n'a plus qu'à se couler dans le moule qu'il fournit: « Je trouve bon que ce nœud ainsi étroit ne comprenne ou lie plus de deux: car autrement, d'aventure serait-il dangereux, pource que, comme vous savez, plus difficilement s'accordent trois instruments que deux » (II [30], p. 221). Ailleurs encore, dans un passage qu'une inadvertance du traducteur a rendu méconnaissable, Castiglione compare magnifiquement une femme aimée à la musique (IV [62], p. 634). Dans cet univers qui préfigure à plus d'un égard celui de Proust, la peinture, elle aussi, loin d'être coupée de la vie, de procurer seulement un plaisir en marge, invite à l'action tout autant qu'à la contemplation. Comme la musique, elle engage la personnalité entière. Le peintre joue habilement de l'ombre et de la lumière, rapproche diverses couleurs afin de mieux mettre chacune en valeur. De même, nos diverses qualités doivent se tempérer l'une l'autre, s'ordonner en un tout harmonieux (II [7], pp. 167-168). (On trouvera chez La Bruyère la même image, mais non plus la même inspiration [99].) Bien plus, la vue d'un beau tableau doit nous rendre plus attentifs à ce qui nous entoure. Elle doit approfondir notre connaissance du réel, nous y faire découvrir une beauté qui ne se livre qu'au connaisseur. Le passage suivant est un des plus remarquables de l'œuvre. Il illustre parfaitement le subtil jeu d'influences entre l'art et le réel, qui efface toute frontière entre eux et les fait se confondre. Loin de se limiter aux créations de l'artiste, le domaine de l'art s'étend à toute chose créée. La beauté ne procure plus seulement un plaisir à l'amateur, à l'esthète: elle devient une règle, une quête, et la source même du bonheur:

Et quand on n'en tirerait [de la peinture] jamais autre plaisir ni profit, outre ce qu'elle sert à savoir juger l'excellence des statues anciennes et modernes, des vaisseaux (= vases),

---

[98] « Cioè, senza falsificazioni o deformazioni ingannevoli » (Cian, *op. cit.*, p. 299).

[99] « La modestie est au mérite ce que les ombres sont aux figures dans un tableau: elle lui donne de la force et du relief » (*Du Mérite p.*, 17).

des édifices, des médailles, des gravures et semblables choses, il suffirait: elle fait pareillement connaître la beauté des corps vivants, non seulement en la délicatesse du visage, mais aussi en la proportion de tout le demeurant, tant des hommes que de tout autre animal. Vous voyez donc que c'est une chose fort plaisante, avoir connaissance de la peinture: ce que doivent considérer ceux qui prennent tant de plaisir à contempler la beauté d'une femme, qu'il leur semble être en Paradis, et néanmoins ne savent peindre: ce que, s'ils savaient, ils tireraient beaucoup plus grand contentement, pource qu'ils connaîtraient plus parfaitement la beauté, qui les rend contents en leur cœur (I [52], pp. 140-141).

Il serait aisé de multiplier les exemples. C'est un contresens grave que l'opinion de W. Schenk, selon qui « Castiglione est inconscient des fonctions les plus sérieuses de l'art » [100]. Tout au contraire l'art est, dans le *Cortegiano*, la mesure de toute chose, l'unique valeur de référence. La « machine du monde » elle-même, c'est-à-dire tout l'univers, est comparée à « une excellente peinture composée par les mains de Dieu et de nature » (I [49], p. 133). On aboutit ainsi à une vision de l'homme et du monde dans laquelle l'art occupe la place centrale. La beauté n'est pas seulement dans des formes: elle acquiert une valeur spirituelle. Comme l'avait déjà vu Hauvette, « le souci de la beauté, de la grâce et de l'harmonie servait de base à toute conception morale de la vie » [101]. Il n'est pas surprenant que cette conception trouve son couronnement dans le néo-platonisme dont Bembo se fait le fervent défenseur au Livre IV [102]. Même si, suivant cette très heureuse formule, « les beautés que nous voyons tous les jours sont songes et ombres fort subtiles de beauté » (IV [69], p. 647), l'homme est invité à bâtir toutes ses actions, toute son existence, selon un modèle dont l'art seul peut lui fournir l'idée.

L'harmonie est brisée dans les *Caractères*. Dans le monde qu'ils décrivent, il est question de tout, sauf de cohérence. Chaque aspect de la réalité a trouvé place dans ce livre qui nous parle de la mode aussi bien que de morale, d'une coquette aussi bien que de Dieu. Mais La Bruyère, quoi qu'il fasse, n'a jamais perçu une unité dans cet ensemble. La structure désordonnée de son livre en témoigne: voyez ces centaines de remarques juxtaposées, que rien ne relie. C'est une description qui dissocie sans cesse et un monde où la réalité s'émiette, fait de bribes et de fragments. Tout, dans ce livre, est heurté, chaotique: la réalité, dirait-on, a volé en éclats. Il ne reste que des morceaux disjoints, disparates, mis bout à bout sans logique apparente. C'est que la réalité, pour La Bruyère, se situe sur plusieurs plans. Chacun de ces niveaux a ses règles, son ordre. Mais entre ces différentes vérités, il n'y a plus d'unité, d'harmonie. La rupture, le désaccord ne sont pas ici une invention, un style. Ils correspondent à une vision du monde, et cette vision est dramatique, déjà singulièrement moderne. Ce qui manque, c'est le principe, le fil conducteur, mais plus que tout, peut-être, une dispo-

[100] W. Schenk, *op. cit.*, p. 98.

[101] H. Hauvette, *Littérature italienne*, 3ᵐᵉ éd. (Paris: Colin, 1914), p. 217.

[102] L'étude plus détaillée du néo-platonisme de Castiglione dépasse le cadre de notre travail. Il est clair que dans la doctrine qu'expose Bembo, la beauté conserve la place tout à fait éminente que lui assignaient le *Phèdre*, le *Banquet* et les commentaires de Ficin.

sition d'esprit, une confiance, qui ramènerait à l'un le multiple et réduirait à l'ordre ce qui est brouillé.

Ainsi, pour Castiglione, la philosophie et le « courtisanisme », loin de s'opposer, se complétaient de la façon la plus heureuse (IV [47-49], pp. 606-609). C'est encore un des aspects de l'équilibre si souvent préconisé. Le philosophe ne fuit pas la cour: au contraire, il sent que c'est là que son action pourra être pleinement efficace. Pour La Bruyère, il y a divorce radical entre la philosophie et la cour. La seule philosophie qui compte est celle qui conseille de fuir la cour, et dans le fond, même les hommes. Il y a incompatibilité entre ces deux ordres. Le courtisan de Castiglione, dont Aristote et Platon, on l'a dit, sont le modèle, finit par devenir « vrai philosophe moral ». La Bruyère ne songe même plus à un courtisan idéal: « Qui méprise la cour, dit-il, méprise le monde », et c'est exactement son cas (*De la Cour*, 100). La philosophie s'offre alors comme un ultime remède. Elle nous « console », elle nous « arme » (*De l'Homme*, 132). « Le monde ne mérite point qu'on s'en occupe »: la philosophie fortifie l'homme dans sa solitude, elle le confirme dans ses refus (*Des Jugements*, 75). Ce qui pouvait coexister chez Castiglione, s'unir pour faire du *cortegiano* l'homme de la plénitude, se trouve en conflit dans les *Caractères*, où différents ordres s'opposent en des antagonismes violents et insolubles.

L'art et la beauté n'échappent pas à cette dialectique presque fatale. L'histoire d'*Oronte* condense en quelques lignes le sort qui est réservé à la beauté dans un monde où le jeu n'est plus du tout le même qu'à la cour d'Urbin:

> Pendant qu'*Oronte* augmente, avec ses années, son fonds et ses revenus, une fille naît dans quelque famille, s'élève, croît, s'embellit, et entre dans sa seizième année. Il se fait prier à cinquante ans pour l'épouser, jeune, belle, spirituelle: cet homme sans naissance, sans esprit et sans le moindre mérite, est préféré à tous ses rivaux (*Des Biens de f.*, 60).

Si l'art a ses règles et sa technique, le monde a les siennes. Les *Oronte* et les *Criton*, que Castiglione feint d'ignorer, qui n'ont pas droit de cité dans son univers, sont ceux qui, dans les *Caractères*, font la loi. Ainsi, malgré lui peut-être, La Bruyère met l'accent sur la laideur. Les seigneurs d'Urbin, parés de toutes les séductions et de toutes les grâces, sont devenus des êtres laids: « Il n'y a rien qui enlaidisse certains courtisans comme la présence du prince: à peine les puis-je reconnaître à leurs visages; leurs traits sont altérés, et leur contenance est avilie » (*De la Cour*, 13). Une fois de plus, La Bruyère reste prisonnier de ce qu'il sait, de cette réalité derrière l'apparence, de ces visages que cachent les masques. Peut-être son malheur est-il d'être incapable d'oublier ce qu'il a si bien « pénétré », les règles du jeu véritable. Toujours est-il que la beauté ne peut plus s'apprécier en elle-même. Une œuvre d'art s'insère dans un contexte. Si ce contexte n'est pas pur, du point de vue moral, l'œuvre elle-même est atteinte, perd toute valeur. Les tableaux du Carrache, qui pourtant étaient largement admirés, sont touchés, contaminés, aux yeux de La Bruyère, par les mœurs détestables des papes à qui ils furent destinés: « Que les saletés des Dieux, la Vénus, le Ganymède et les autres nudités du Carrache aient été faites pour des princes de l'Eglise,

et qui se disent successeurs des Apôtres, le palais Farnèse en est la preuve »
(*De quelques Us.*, 17). Ainsi la beauté n'est plus une valeur intrinsèque.
Telle cérémonie somptueuse paraît magnifique. Mais elle a lieu dans une
église: on n'en retient plus que le scandale (*ibid.*, 18, 19). A. Pizzorusso a
noté avec beaucoup de pertinence que « les observations de La Bruyère
sur les ouvrages littéraires reflètent cette sévère conception du beau, pour
laquelle dignité morale et dignité formelle s'unifient et se confondent » [103].
Presque toujours, avant tout autre jugement, il y a un jugement moral.
Même dans le domaine esthétique, l'appréciation morale constitue le principal critère. Exceptionnellement, il peut arriver alors que ce qui paraît
laid relève d'une erreur, non d'impression, mais de jugement: « Un homme
qui a beaucoup de mérite, et qui est connu pour tel, n'est pas laid, même
avec des traits qui sont difformes » (*Des Jugements*, 33). Mais comme la
médiocrité (morale) l'emporte, et de très loin, il en résulte que la pure
beauté devient de plus en plus lointaine, inaccessible, et qu'on prend son
parti de ne pas la trouver en ce monde.

Trois « remarques », pour finir, nous paraissent parfaitement illustrer
l'évolution depuis le *Cortegiano*. Comme il arrive si souvent, tout en se
trouvant dans des chapitres différents, elles se font écho, se complètent,
et la portée de chacune d'elles converge vers une signification commune.
« Celui qui n'a égard en écrivant qu'au goût de son siècle songe plus à sa
personne qu'à ses écrits: il faut toujours tendre à la perfection, et alors
cette justice qui nous est quelquefois refusée par nos contemporains, la
postérité sait nous la rendre » (*Des Ouvrages de l'e.*, 67): cette perfection
à laquelle il faut toujours tendre est une perfection au second degré, d'ordre
littéraire. Elle a son domaine bien à elle, et c'est celui de la création érigée
en absolu. Ce n'est plus l'homme qui, en se dépassant, se hausse à son
niveau: il restera toujours en-deçà. La perfection de la personne s'efface.
Ce qui compte, c'est ce qui survit, c'est-à-dire l'œuvre. L'accommodement,
ici, débouche sur la résignation. L'homme contemple la perfection dans
des œuvres. Il n'espère plus l'atteindre. Il devient spectateur, comme le
montre cette autre remarque: « Un beau visage est le plus beau de tous les
spectacles » (*Des Femmes*, 10). Ainsi se crée une distance. D'un côté, il y
a l'univers du relatif, dans lequel l'homme, quoi qu'il tente, est condamné
à vivre. Au-delà, il y a un univers de perfection, celui de l'art et de la nature.
Mais tandis qu'il y avait de féconds et constants échanges entre ces deux
mondes chez Castiglione, il y a coupure chez La Bruyère. L'artiste seul peut
rêver de cette perfection lointaine ou pénétrer ses secrets. Encore doit-il
s'attendre à voir la valeur de son œuvre reconnue seulement après sa mort.
La dernière réflexion que voici montre la seule incidence possible du monde
de l'absolu sur le monde du relatif:

L'amour naît brusquement, sans autre réflexion, par tempérament ou par faiblesse:
un trait de beauté nous fixe, nous détermine. L'amitié au contraire se forme peu à peu,
avec le temps, par la pratique, par un long commerce. Combien d'esprit, de bonté de
cœur, d'attachement, de services et de complaisance dans les amis, pour faire en plusieurs

---

[103] A. Pizzorusso, « La poetica di La Bruyère », *Studi Francesi*, I (1957), p. 198.

années bien moins que ne fait quelquefois en un moment un beau visage ou une belle main ! (*Du Cœur*, 3).

La Bruyère décrit ce qu'on appelle vulgairement « le miracle de l'amour ». Lui seul peut recréer l'unité perdue de la beauté et de la vie. En un instant fulgurant (on songe aux images stéréotypées de l'éclair ou du coup de foudre), l'amour fait entrevoir, révèle un monde de beauté idéale. Mais une dernière fois on constate que le mouvement est renversé. Chez Castiglione, on trouvait l'image platonicienne de l'échelle d'amour. L'homme gravit un chemin vers la beauté idéale. C'est un mouvement ascendant et une sorte d'ascèse. Chez La Bruyère, au contraire, où la fusion du relatif et de l'absolu tient du miracle, la perfection ne peut apparaître à l'homme que dans une vision. C'est — voyez la fin du passage cité — une grâce qui *descend* sur lui, à l'instant où il s'y attend le moins. La beauté n'est plus de ce monde. Elle ne se conquiert plus. Elle s'impose quelquefois, comme un don absolument gratuit, inexplicable. Elle est hors de notre atteinte. Seul l'amour peut rompre l'ordre habituel des choses, rétablir entre le permanent et le provisoire, l'essentiel et l'accessoire, l'absolu et le relatif, une précaire unité. Cette unité, Castiglione l'avait crue à notre portée. Il l'avait désignée comme but à toute action, à toute pensée. Les *Caractères* voient toute entreprise humaine comme spécieuse, fallacieuse et provisoire. Œuvre moderne encore en ceci, ils semblent placer tout ce qui est de l'homme sous le signe de l'échec.

Une des fonctions de la littérature a toujours été de présenter aux générations successives un modèle mi-fictif et mi-réel, qui décrit un état de la sensibilité déjà existant, et qui réponde en même temps aux aspirations les plus hautes d'une époque ou d'une classe. C'est ainsi que Descartes propose son généreux ou Corneille son héros. De même, l'homme prudent de Gracián correspondra à la fois à une mentalité attestée par l'Histoire et à un type idéal auquel la sensibilité d'une génération a pu tendre : de tous temps, semble-t-il, on a demandé à la littérature et de témoigner et d'exalter. Il serait passionnant d'écrire une histoire de la littérature européenne à partir de ces figures qui incarnèrent des attitudes successives. Ainsi se constituerait une galerie dans laquelle le héros « engagé » de notre temps trouverait sa place, au même titre que le philosophe de l'âge des lumières ou l'honnête homme ou le parfait courtisan. Castiglione fournirait aisément la matière d'un chapitre. Représentatif d'une certaine réalité historique, il a proposé en même temps un modèle de vie aux hommes de sa classe. Comme l'auteur du *Cid*, comme celui de l'*Oráculo*, il a forgé une figure idéale. La particularité de La Bruyère, lorsqu'on replace son œuvre dans une perspective assez large, c'est de ne plus pouvoir se détacher d'une âpre réalité. Il n'est pas seulement l'homme du « tout est dit ». Il semble que plus rien ne mérite, à ses yeux, de créer l'enthousiasme, de soulever les cœurs et d'exciter les passions. Il est le premier à suggérer que tout est vu, que tout a été essayé, que tout est voué à l'échec. Il n'a pas créé d'anti-héros, sans doute. Mais tout son livre est anti-héroïque et, si l'on peut dire, anti-idéaliste.

(Lui-même d'ailleurs se désigne volontiers sous les noms d'*Antisthius*, d'*Antisthène*.) Assurément, il cite en modèle l'homme de bien. Mais c'est là une figure parfaitement conventionnelle : la vertu était aussi bien le propre du héros, de l'honnête homme, du chrétien ou du bon courtisan. Elle entre dans la constitution de chaque figure exemplaire. C'est une valeur noble, à coup sûr, mais à l'époque classique, nul ne se peut dire moraliste s'il ne la prône pas. Ainsi La Bruyère n'est plus un écrivain de la plénitude, comme avait pu l'être même encore Pascal. Venant à la fin du siècle, il semble dresser le bilan de toutes les expériences précédentes. Ce qui domine en lui est bien plutôt la lassitude. Castiglione avait donné, pour tout le XVIIe siècle encore, dont la vocation mondaine est si manifeste, une émulation et un élan. Les *Caractères* marquent le moment où rien ne subsiste de cette vigueur primitive, de cette confiance ; où, pour la première fois, l'homme fait le tour des choses et ne trouve rien qui soit capable de le guider ou de le soutenir.

IV

LA BRUYÈRE ET GRACIÁN *

A. La question de l'influence.
B. La vie: voyage ou songe?
C. Le moi: dominer ou rompre?
D. La morale: l'autre monde ou le
    triomphe de l'illusion?

L'œuvre de La Bruyère — on a eu l'occasion, chemin faisant, de le constater — est le lieu de rencontre de courants de pensée nombreux et divers, qui ne l'empêchent pas de posséder une identité bien marquée. Ce dernier chapitre est complémentaire du précédent. A l'aide de ces deux études, nous nous proposons de montrer que, abstraction faite d'éléments traditionnels et d'aspects personnels décrits par ailleurs, les *Caractères* sont, dans une large mesure, le point de confluence entre un idéal hérité de la Renaissance italienne, dont nous avons choisi pour représentant Castiglione, et une conception bien différente de l'homme et de l'existence, qui se définit vers la fin du siècle d'or espagnol, et dont le représentant le plus significatif est, à nos yeux, Baltasar Gracián. L'auteur du *Cortegiano* non seulement appartient à une génération d'écrivains et d'artistes qui se préoccupent de former un modèle d'équilibre, d'élégance et de mondanité raffinée; mais bénéficiant, surtout entre 1504 et 1513, à la cour d'Urbin, de circonstances exceptionnellement favorables, il a encore pu observer cette aristocratie des mœurs dans la perfection dont il se fera le théoricien. Les temps, certes, pouvaient être rudes et instables: le duc d'Urbin même doit se défendre, en 1502, contre César Borgia, avant d'être dépossédé de son Etat, en 1517, par Léon X. Cela n'empêche pas l'harmonie, la distinction

---

* Les éditions utilisées sont les suivantes: *L'Homme de cour*, traduction d'Amelot de la Houssaie, rééditée par A. Rouveyre (Paris: Grasset, 1924); *El Criticón*, edición crítica y comentada por M. Romera-Navarro (Philadelphia: U. of Pennsylvania Press, 1938-1940), 3 volumes; *El Héroe, Agudeza y arte de ingenio, El Discreto* dans B. Gracián, *Obras completas*, éd. E. Correa Calderon (Madrid: Aguilar, 1944).

d'être recherchées indépendamment des risques de bouleversement de l'Histoire ni d'être formulées comme un idéal universel. Peut-être cet idéal n'est-il, dans une mesure, qu'une tentative pour échapper aux incertitudes de l'Histoire. Les écrivains de la génération de Gracián vivent moins dans une période de troubles que de crise: celle-ci menace bien avant Rocroi. De l'inquiétude que provoque le déclin de l'Espagne, on trouve un écho chez des auteurs comme Quevedo, et de même la prose d'un Saavedra Fajardo est caractéristique d'une certaine décadence. Mais dans le cas de Gracián, ce n'est pas par l'élaboration d'un idéal d'exquise politesse, de manières incomparables, ni même par la recherche d'un harmonieux développement moral et social de la personne qu'on cherche à échapper aux vicissitudes de l'Histoire. Le problème de l'homme devient plus existentiel qu'esthétique ou même éthique, du moins dans l'*Oráculo manual*, dont on aura surtout à s'occuper ici. Car Gracián est loin de simplement s'en tenir à la morale héroïque. La question que pose implicitement l'*Homme de cour* est plus pathétique que celles que *El Héroe* ou *El Político Don Fernando* prétendent résoudre. Il ne s'agit pas tant de connaître les moyens d'accéder à l'héroïsme que la manière dont il faut vivre, sans plus. Et plutôt que de chercher, par l'idéal, à échapper à l'Histoire, on prend leçon sur elle, on adapte à la conduite de l'existence individuelle son indifférence aux conséquences morales, voire certaines de ses brutalités.

Quant à La Bruyère, il a, nous semble-t-il, avec la plupart des moralistes de sa génération, recueilli un double héritage. D'une part, il se préoccupe toujours de la parfaite politesse, de l'art de converser, d'un « honnête » accommodement à autrui; de l'autre, les questions qu'il se pose ne sont pas seulement d'ordre mondain: au milieu d'une société où dominent d'âpres forces, et d'hommes qui, de plus en plus, délaissent l'héroïsme et la vertu, il cherche à préserver la probité et l'intégrité de la personne. Autrement dit, l'idéal de Castiglione demeure actuel parce que la vocation de l'homme reste toujours mondaine; et l'enseignement de Gracián, même s'il n'a pas été connu directement d'après ses œuvres — les Jésuites, par leurs attitudes, en fournissaient une image assez précise — a été évalué et, dans l'ensemble, déprécié. Il reste que Gracián, l'un des premiers, approfondit la morale, la faisant naître des problèmes de l'homme aux prises avec l'existence; si La Bruyère ne lui emprunte pas ses réponses, il reprend ses questions. A ce titre, une comparaison entre les deux auteurs présente un vif intérêt. On examinera d'abord, du point de vue de l'histoire littéraire, le problème des influences; puis, en étudiant les idées et l'esprit des différentes œuvres, on s'interrogera sur les attitudes prises devant la vie, le moi et la morale elle-même.

112

A. — LA QUESTION DE L'INFLUENCE

La Bruyère a-t-il subi l'influence de l'auteur de l'*Oráculo manual*? Des critiques de renom sont catégoriques. V. Bouillier (en 1911): « La Bruyère n'ignorait pas l'*Oráculo*. Dès le début des *Caractères*, il y fait des allusions évidentes [1]. » A. Coster (en 1913): « Il n'est pas douteux qu'il [La Bruyère] n'ait plus d'une fois songé à lui [Gracián], soit pour le critiquer, sans le nommer, soit pour s'en inspirer [2]. » P. Mesnard va jusqu'à écrire (en 1958): « La Bruyère ... dont la référence à Gracián est avouée [*sic*] en plusieurs passages des *Caractères*..., très conscient à la fois de ses emprunts et de ses différences, n'oublie d'ailleurs pas de défendre son originalité de forme et de fond [3]. » E. Correa Calderon, enfin, reprend à son compte, en 1961, les assertions de Bouillier [4]. Seul, A. Adam se montre (en 1956) plus circonspect, sans paraître pour autant remettre en cause cette influence. « L'aspect général du texte », dans les trois premières éditions des *Caractères* « rappelle parfois, dit-il, ces manuels dans lesquels les théoriciens de la vie de cour avaient, à la façon de Caillère et dans la ligne de Baltasar Gracián, rassemblé des observations sur les pièges où se prennent les ambitieux » [5].

On ne tardera pas à voir apparaître de sérieuses raisons pour révoquer en doute des conclusions qui, pour trop d'historiens de la littérature, sont définitives. Auparavant, il convient toutefois de rappeler le début de la fortune littéraire de Gracián en France, et de s'interroger sur la connaissance que La Bruyère a pu avoir des œuvres du moraliste espagnol.

L'année même de la naissance de La Bruyère (1645), *El Héroe* (1637) fut traduit par Nicolas Gervaise. La même année, le Sieur de Ceriziers fait paraître *Le Héros François ou l'Idée du grand capitaine*, plagiat bien plus que traduction, et dont le but était politique (faire connaître aux Etats de Catalogne le comte d'Harcourt, que Louis XIII venait de nommer gouverneur de la Province). Aucun de ces deux ouvrages n'obtint de véritable succès. « La traduction du *Héros* de 1645 a passé inaperçue. — Chapelain, le meilleur des hispanisants français, ne sait rien de Gracián en 1659 »,

---

[1] V. Bouillier, « Notes sur l'*Oráculo manual* de Balthasar Gracián, » *Bulletin hispanique*, XIII (1911), p. 330.

[2] A. Coster, « Baltasar Gracián », *Revue hispanique*, XXIX (1913), p. 683.

[3] P. Mesnard, « Balthazar Gracián devant la conscience française », *Revista de la Universidad de Madrid*, XXVII (1958), p. 358.

[4] E. Correa Calderon, *Baltasar Gracián, su vida y su obra* (Madrid: Gredos [Biblioteca Romanica Hispanica], 1961), p. 302.

[5] A. Adam, *Histoire de la littérature française au XVIIe siècle* (Paris: del Duca, 1962), tome V, p. 186.

écrit A. Morel-Fatio [6]. (La traduction de Gervaise fut cependant rééditée en 1695.) Dans sa *Nouvelle méthode pour apprendre la langue espagnole*, datant de 1660, Lancelot signale l'estime dont jouissent « *L'Heros* de Gracien et ses autres petits ouvrages » (p. 11). En 1665, un Flamand écrivant sous le pseudonyme d'Antoine de Brunel donne au public un *Voyage d'Espagne curieux, historique et politique* où sont relatées des impressions remontant à dix ans. Racontant son passage à Calatayud, « je n'y ay rien veu de considerable, écrit-il, si on ne compte pour quelque chose que j'y ay appris, que c'etoit le lieu de la naissance et de la demeure de *Lorenzo* [pseudonyme pour Baltasar] *Gracián Infanzón*; c'est un écrivain de ce temps, fort renommé parmy les Espagnols » [7]. Ce jugement (auquel il convient de ne pas accorder d'importance excessive) laisse entendre que la réputation de Gracián n'a pas encore, à cette date, vraiment franchi les frontières de l'Espagne.

Avec les *Entretiens d'Ariste et d'Eugène* (1671) du P. Bouhours, le nom de Gracián va devenir plus familier au public cultivé français. Bouhours était excellent connaisseur des œuvres de Gracián: il les loue, s'en inspire parfois de très près (comme dans l'*Entretien* intitulé « Le Je ne sais quoi »), est tenté de traduire l'*Agudeza y arte de ingenio*; mais en même temps, il dénoncera toujours — dans la *Manière de bien penser dans les ouvrages d'esprit* (1687) et les *Pensées ingénieuses des Anciens et des Modernes* (1689), comme déjà dans les *Entretiens d'Ariste et d'Eugène* — le style de l'Espagnol « qui n'a presque pas un mot qui n'enfle la bouche et qui ne remplisse les oreilles » [8].

Il faut attendre 1684 — quatre ans avant la première édition des *Caractères* — pour que paraisse la traduction qui allait marquer le début de la très grande fortune de Gracián en France (et de là en Europe). Il s'agit de l'*Oráculo manual*, proposé aux lecteurs français par Amelot de la Houssaie sous le titre de *L'Homme de cour*. L'ouvrage paraît simultanément à Paris et à La Haye. Jusqu'à 1694, il est réédité six fois à Paris (1685, 1686, 1687, 1688, 1691, 1693), deux fois à La Haye (1685, 1692) et deux fois à Lyon (1690, 1693) [9]. Nous arrêtons à 1694 ce rapide historique [10], parce que cette année est celle de la dernière édition des *Caractères* parue du vivant de l'auteur. Pour donner toutefois une idée du succès durable que connut

---

[6] A. Morel-Fatio, « Cours du Collège de France, 1909-1910, sur les moralistes espagnols du XVIIe siècle et en particulier sur Balthasar Gracián », *Bulletin hispanique*, XII (1910), p. 333.

[7] A. de Brunel [Aarsens de Sommerdyck], *Voyage d'Espagne curieux, historique et politique. Fait en l'année 1655* [...] Edition moderne de Charles Claverie *in: Revue hispanique* XXX (1914), p. 321.

[8] Cité par A. Coster, *op. cit.*, p. 670.

[9] Dates fournies par E. Correa Calderon, *op. cit.*, p. 338.

[10] Pour des études d'ensemble de l'influence de Gracián sur la littérature française, cf.: le chapitre XX de l'étude citée d'A. Coster; P. Mesnard, *op. cit.*, pp. 355-378; E. Correa Calderon, *op. cit.*, pp. 295-303. Dans les articles de G. Lanson, « Etudes sur les rapports de la littérature française et de la littérature espagnole au XVIIe siècle (1600-1660) », *RHLF*, III (1896), on trouve deux références à Gracián, pp. 69-70.

Gracián en France jusqu'au XIXe siècle, signalons que l'*Homme de cour* fut encore réédité, toujours dans la traduction d'Amelot de la Houssaie, quinze fois jusqu'à 1808 [11].

La question suivante est évidemment celle-ci : quelle connaissance La Bruyère a-t-il eue des ouvrages de Gracián ? Distinguons la connaissance directe des textes espagnols ou traduits, de la connaissance indirecte puisée dans la lecture d'œuvres où l'influence de l'auteur espagnol est manifeste.

a. *Connaissance directe.* — Ici se pose la question préjudicielle de la connaissance que La Bruyère pouvait avoir des langues. « Elles sont utiles à toutes les conditions des hommes, et elles leur ouvrent également l'entrée ou à une profonde ou à une facile et agréable érudition », dit-il à leur sujet. Le contexte peut néanmoins laisser percer un regret : celui de n'avoir pas « chargé » son enfance de la connaissance de nombreux idiomes étrangers : « Si l'on remet cette étude si pénible à un âge un peu plus avancé ... c'est borner à la science des mots un âge qui veut déjà aller plus loin, et qui demande des choses ; c'est au moins avoir perdu les premières et les plus belles années de sa vie » (*De quelques Us.*, 71). On trouve ailleurs le même éloge des langues, aussi bien « anciennes ou nouvelles, mortes ou vivantes » (*Des Jugements*, 19 ; *De la Mode*, 2 ; *Discours à l'Académie*). De fait, dans son *Discours de réception* [à l'Académie] *à la place de M. de la Bruyère*, l'abbé Fleury dira : « ... il n'était étranger en aucun genre de doctrine ; il savait les langues mortes et les vivantes » [12]. Il semble raisonnable d'admettre qu'il entendait l'allemand car lui-même fait allusion à deux reprises, dans sa correspondance, à une traduction que lui a confiée Condé [13]. On a voulu inférer d'une prétendue correspondance entre le moraliste et l'historien G. Leti que La Bruyère savait l'italien [14]. Mais, comme l'a démontré Servois, la lettre de La Bruyère doit être considérée comme apocryphe [15]. En poussant cette enquête plus loin, on est souvent réduit à formuler des hypothèses et, malgré les allégations d'Ed. Fournier, reprises par P. Richard [16], e plus prudent est de conclure, avec R. Garapon, que sur l'enfance et la

---

[11] Jusqu'au XIXe siècle, où commence l'éclipse de Gracián en France, la liste des traductions des éditions de ses autres œuvres, en français, s'établit comme suit :
El Héroe : trad. 1645 (2 éd.) ; adaptation de Ceriziers en 1645 ; trad. nouvelle 1725 (3 éd.) ;
El Político Don Fernando : trad. 1730 (3 éd.) ; trad. nouvelle 1732 (2 éd.) ;
El Discreto : trad. 1723 (3 éd.) ;
El Criticón : trad. 1696 (partie I) et 1708 (parties II et III) (6 éd.) ;
El Comulgatorio : trad. 1693 (1 éd.).

[12] Cité par M. Hervier, *Les Ecrivains français jugés par leurs contemporains* (Paris : Delaplane, 1911), vol. 1, p. 624.

[13] Lettres à Condé des 3 et 14 avril 1685, dans : *Œuvres complètes*, éd. J. Benda (Paris : Gallimard [Bibliothèque de la Pléiade], 1951), p. 635 et p. 638.

[14] Cf. G. Brunet, « Une lettre de La Bruyère », *Bulletin du Bouquiniste* du 15 janvier 1865, pp. 26-27.

[15] G. Servois, *Œuvres de La Bruyère* (Paris : Hachette, 1865-1882), tome II, pp. 522-526.

[16] Ed. Fournier, *La Comédie de La Bruyère*, 2e éd. (Paris : E. Dentu, 1872), tome I, p. 27. — P. Richard, *La Bruyère et ses Caractères*, nouvelle édition, revue et corrigée (Paris : Nizet, 1965), p. 16.

jeunesse de La Bruyère, et donc sur son éducation, « les renseignements font absolument défaut »[17]. Il est bien connu, toutefois, que la pédagogie de l'époque, où le latin détient une sorte de monopole, n'accordait aucune place aux langues modernes; et même, selon les spécialistes, « aucune matière n'aura plus de mal à faire reconnaître ses droits, à se tailler sa place, que la langue maternelle »[18].

Sans vouloir prolonger inutilement le débat, mais toujours dans le but de déterminer si La Bruyère a pu lire les auteurs étrangers modernes (espagnols, italiens) dans le texte, nous verserons encore une pièce au dossier. Une extrapolation peut permettre d'affirmer que l'auteur des *Caractères* n'était pas spécialement doué pour les langues. Il savait naturellement le grec et le latin. Mais des études nombreuses et attentives où sont examinées ses traductions de Théophraste, de Casaubon, d'Aulu-Gelle[19], il ressort que La Bruyère est un helléniste assez souvent médiocre, sujet à tomber dans le contresens, et que, de surcroît, il commet des erreurs fâcheuses jusque sur le latin d'Aulu-Gelle. Tout ceci invite à supposer que la connaissance des langues que possède La Bruyère est plus passive qu'active. Bien que les œuvres dans le texte original — on songe ici aux langues « nouvelles » — soient, à cette époque, assez facilement accessibles à Paris, il semble légitime de penser que La Bruyère n'a pas pratiqué Gracián dans le texte espagnol. (La même démonstration nous paraît valoir pour sa connaissance des autres auteurs étrangers et modernes, et en particulier de Castiglione.) En ce qui concerne Gracián, il reste à savoir si La Bruyère a pu lire les traductions qui ont été mentionnées.

Ici encore, on ne peut rien avancer de rigoureusement certain. En tout état de cause, eu égard aux dates des traductions, ne doivent entrer en ligne de compte que la première édition de *L'Heros* de Gervaise et l'*Homme de cour*. Nous négligerons l'ouvrage de Ceriziers, lié aux circonstances très particulières qui ont été indiquées, ainsi que le *Modèle d'une sainte et parfaite communion*, traduction de *El Comulgatorio* par Claude de la Grange, parue en 1693: à cette date, les *Caractères* sont pratiquement parachevés, et par ailleurs, le sujet de cet ouvrage purement édifiant est sans rapport avec celui de La Bruyère.

Le travail de Gervaise, comme il a été noté, ne connut qu'un succès médiocre: il est donc peu probable que La Bruyère l'ait eu entre les mains. Mais il faut tenir compte ici d'un élément important: tout en ignorant

---

[17] Garapon, p. II.

[18] G. Snyders, *La Pédagogie en France aux XVIIe et XVIIIe siècles* (Paris: P.U.F. [Bibliothèque scientifique internationale], 1965), p. 106.

[19] Cf. O. Navarre, « Théophraste et La Bruyère », *Revue des Etudes grecques*, XXVII (1914), 384-440; du même: l'« Introduction » à la traduction de Théophraste (Paris: Les Belles Lettres, 1920); J. Cazelles, « La Bruyère helléniste », *Revue des Etudes grecques*, XXXV (1922), 180-197; P. van de Woestyne, « Un traducteur de Théophraste: Jean de La Bruyère », *Musée belge*, XXXIII (1929), 159-169; du même: « Théophraste et La Bruyère », *Revue belge de Philologie*, XII (1933), 5-28; du même: « Notes sur six Caractères de Théophraste traduits par La Bruyère », *Revue belge de Philologie*, XIII (1934), 25-44; G. Michaut, « La Bruyère et Théophraste », *Annales de l'Université de Paris*, XI (1936), 112-137.

l'œuvre de Gervaise, l'auteur des *Caractères* a pu avoir une assez bonne connaissance de *El Héroe* et même du *Discreto*. En effet, Amelot de la Houssaie a fort bien remarqué qu'un certain nombre des maximes de l'*Oráculo* sont tirées, par Gracián même, de ces deux œuvres antérieures et déjà réputées [20]. Non content de signaler ces rapprochements, il est amené, dans ses commentaires, à traduire de longs fragments des deux ouvrages en question. De la sorte, le lecteur qui feuilletait la version française de l'*Oráculo manual* (dans laquelle l'œuvre propre de Gracián occupe à peu près deux fois moins de place que les observations de son traducteur) faisait coup double, et même triple: pour peu que sa lecture fût attentive, sa connaissance de Gracián dépassait largement celle du seul *Homme de cour* [21].

Sans confronter, pour le moment, dans le détail les *Caractères* et l'*Homme de cour*, dispose-t-on d'indices qui permettent de penser que La Bruyère ait eu connaissance du travail d'Amelot? Plutôt que de prendre dès maintenant position, nous donnerons deux arguments. Le premier induirait à donner à la question posée une réponse affirmative: c'est le début de l'anecdote célèbre rapportée par Formey, qui disait la tenir de Maupertuis: « M. de La Bruyère venait presque journellement s'asseoir chez un libraire nommé Michallet, où il feuilletait les nouveautés [22]. » L'amateur curieux dont le portrait est ainsi ébauché n'aura certainement pas laissé échapper l'ouvrage à succès que fut l'*Homme de cour*. L'autre argument ne laisse pas d'être troublant, et inviterait plutôt à répondre négativement à la question qui nous occupe. N'est-il pas étrange, en effet, que parmi les jugements littéraires qui abondent dans les *Caractères* (on songe naturellement surtout aux « Ouvrages de l'esprit »), il ne s'en trouve pas un seul se rapportant à un auteur qui ne soit pas ancien ou français? Ce dernier point amènerait à conclure que La Bruyère se préoccupait peu des littératures étrangères et « nouvelles », et que, peut-être, il ne les pratiquait pas.

b. *Connaissance indirecte.* — Quoi qu'il en soit, un fait est incontestable: parmi les auteurs français du XVIIe siècle, plusieurs ont contracté une dette envers Gracián. Ces auteurs sont souvent ceux dont La Bruyère parle avec admiration; à travers eux, il a pu connaître certaines idées de l'écrivain espagnol. Dressons rapidement une liste de ces auteurs:

---

[20] M. Lacoste considère l'*Oráculo* « comme étant uniquement fait d'emprunts ». Cf. l'article de ce critique, « Les sources de l'*Oráculo manual* dans l'œuvre de Baltasar Gracián et quelques aperçus touchant l'« atento », *Bulletin hispanique*, XXXI (1929), 93-101.

[21] On peut cependant penser que La Bruyère n'a pas dû lire de près la glose d'Amelot. Dans *De quelques Usages*, 72, il affiche un souverain mépris pour les commentateurs: « Ayez les choses de première main... Ayez le plaisir de voir que vous n'êtes arrêté dans la lecture que par les difficultés qui sont invincibles, où les commentateurs et les scoliastes eux-mêmes demeurent court, si fertiles d'ailleurs, si abondants et si chargés d'une vaine et fastueuse érudition dans les endroits clairs, et qui ne font de peine ni à eux ni aux autres. »

[22] Formey, *Mémoires de l'Académie des Sciences et Belles Lettres de Berlin* (Berlin, 1792), pp. 24-25, citée par G. Servois, *op. cit.*, tome I, p. CIII.

— *Corneille,* cité abondamment par La Bruyère, et toujours avec éloges[23], aurait lu l'*Héroe* dans le texte, avant que paraisse la traduction, et s'en serait inspiré dans *Horace* (1640)[24]. P. Mesnard décèle dans *Don Sanche d'Aragon* l'influence conjuguée de l'*Héroe,* du *Discreto* et de l'*Oráculo manual* : ce critique va jusqu'à parler d'« un accord fondamental entre le nouveau porte-parole de la scène française et le moraliste espagnol »[25].

— *La Rochefoucauld,* dont La Bruyère s'inspire souvent et de près[26] — il craint d'ailleurs l'accusation de n'être qu'un imitateur[27] — a d'abord été jugé redevable de peu de choses à Gracián. Pour V. Bouillier, l'influence se ramène à « l'idée et quelquefois les termes d'une quinzaine de maximes. Et aucune d'elles ne compte parmi les maximes fondamentales de La Rochefoucauld »[28]. F. Baldensperger écrit en 1936 : « Le précédent de Gracián n'est pas douteux » ; mais il a, lui aussi, tendance à le minimiser : les maximes de l'auteur espagnol n'auraient servi à l'écrivain français qu'à « faire ses gammes »[29]. Depuis peu, toutefois, les commentateurs vont plus loin : A. Adam voit dans les *Maximes* « une sorte de réplique française au *Discreto* de Baltasar Gracián »[30], et le dernier éditeur de La Rochefoucauld, J. Truchet, écrit de son côté : « Importante à coup sûr fut [l'influence] de Balthazar Gracián[31]. »

— *Madame de Sablé* a, par son « goût déclaré pour le genre espagnol en toutes choses »[32] servi d'intermédiaire entre La Rochefoucauld et Gracián. Selon G. Hough, les deux tiers des 81 maximes de la marquise doivent être attribuées directement ou indirectement à Gracián[33]. Les

---

[23] *Des Ouvrages de l'esprit,* 30, 47, 54 (avec une référence précise à *Horace* dans ce dernier numéro) ; *Du Mérite personnel,* 24 ; *Des Jugements,* 14, 17 ; *Préface* du *Discours à l'Académie ; Discours à l'Académie.*

[24] Cf. A. Coster, « Corneille a-t-il connu *El Héroe* de Gracián ? » *Revue hispanique,* XLVI (1919), 569-572.

[25] P. Mesnard, *op. cit.,* p. 357.

[26] Pour nous en tenir à trois chapitres : cf. *Du Cœur,* 6, 8, 22, 29, 31, 35, 37, 47, 69, 78 ; *De l'Homme,* 64, 66, 67, 72, 84, 112, 136 ; *Des Jugements,* 55, 56, 60, 71, 97.

[27] Cf. *Discours sur Théophraste,* éd. Garapon, pp. 14-15.

[28] V. Bouillier, *op. cit.,* p. 330. Point de vue repris par H.-A. Grubbs, « The originality of La Rochefoucauld's *Maxims* », *RHLF,* XXXVI (1929), 18-59. Cf. en particulier pp. 49-55.

[29] F. Baldensperger, « L'arrière-plan espagnol des *Maximes* de La Rochefoucauld », *Revue de Littérature comparée,* XVI (1936), p. 53 et p. 52.

[30] A. Adam, *op. cit.,* tome IV, p. 101.

[31] La Rochefoucauld, *Maximes,* éd. J. Truchet (Paris : Classiques Garnier, 1967), p. XLIII.

[32] V. Cousin, *Madame de Sablé,* 3e éd. revue et augmentée (Paris : Didier, 1869), p. 502, n. 1.

[33] G. Hough, « Gracián's *Oráculo manual* and the *Maximes* of Mme de Sablé », *Hispanic Review,* IV (1936), 68-72. — Voir aussi V. Bouillier, *op. cit.,* pp. 321-330.

Caractères ne font jamais allusion à la collaboratrice de La Rochefoucauld. Il n'est pourtant pas exclu que La Bruyère ait connu ses maximes: elles furent publiées par l'abbé d'Ailly en 1678.

— *Le P. Bouhours*, comme il a été dit, a contribué très largement à répandre le nom de Gracián en France. On peut être tenté d'établir ici un rapprochement séduisant. La Bruyère mentionne Bouhours avec grand respect: « *Capys*, qui s'érige en juge du bon style et qui croit écrire comme Bouhours et Rabutin, résiste à la voix du peuple, *etc.* » (*Des Ouvrages de l'e.*, 32). L'auteur des *Caractères* ne serait-il pas venu à Gracián par le truchement de Bouhours qui, dès 1671, reprenait et attaquait à la fois les pensées du moraliste espagnol? Il faudrait, pour cela, que La Bruyère fût un admirateur sincère et véritable de Bouhours. Or, en examinant de plus près le passage des *Caractères* qui vient d'être cité, on observe que l'allusion à Bouhours fut ajoutée à la cinquième édition (1690). C'est que l'année précédente avaient paru les *Pensées ingénieuses des Anciens et des Modernes*, dans lesquelles Bouhours citait élogieusement et à maintes reprises le livre de La Bruyère ! [34] La référence que La Bruyère fait à Bouhours peut n'être qu'un remerciement, une politesse d'auteur flatté: elle ne permet évidemment pas de conclure que La Bruyère respectait et suivait les goûts de Bouhours au point de se reporter lui-même aux ouvrages que le Père citait.

— *Méré*, enfin, aurait emprunté presque textuellement plusieurs de ses maximes au Jésuite espagnol [35]. La Bruyère ne fait allusion ni à l'auteur ni à l'œuvre. Mais les *Maximes, Sentences et Réflexions morales et politiques*, ouvrage posthume et dont, d'ailleurs, Boudhors conteste l'attribution à Méré, paraissent un an avant les *Caractères* (1687).

Bien entendu, la liste qui précède n'est en aucune façon exhaustive. Mais voilà cinq auteurs au travers desquels La Bruyère a pu se familiariser d'une manière indirecte, avec les idées de Gracián. En admettant même qu'il n'ait pas pratiqué tous ces auteurs à fond, il est très probable que, par l'intermédiaire de l'un ou de plusieurs d'entre eux, il a pu connaître certains aspects de la pensée gracianesque.

Le troisième et dernier point à examiner pour résoudre le problème de l'influence de Gracián sur La Bruyère consiste, naturellement, à confronter les textes. Les critiques qui se sont penchés sur la question ont tous repris, sans les reconsidérer, les conclusions formulées par V. Bouillier dans son article déjà plusieurs fois cité. Les affirmations de cet érudit, on s'en souvient, sont tranchantes: « La Bruyère n'ignorait pas l'*Oráculo*. Dès le début des *Caractères*, il y fait des allusions évidentes. » L'argumentation est fournie par les douze rapprochements suivants:

---

[34] Dans cet ouvrage, Bouhours fait lui-même un rapprochement entre une maxime de La Bruyère et une phrase de Gracián. (Cf. p. 227 de l'édition de 1689.)

[35] Les ressemblances ont été relevées par V. Bouillier, *op. cit.*, p. 334.

GRACIÁN, *Oráculo manual*	LA BRUYÈRE, *Les Caractères*
titre de l'œuvre	*Préface*
titre de l'œuvre	*Des Ouvrages de l'e.*, 29
maxime 87	*De la Société et de la c.*, 31
maxime 39	*Des Ouvrages de l'e.*, 10
maxime 70	*De la Cour*, 45
maxime 15	*Des Grands*, 3
maximes 32 et 286	*Des Grands*, 31 et *Du Souverain ou de la R.*, 30
maxime 48	*De la Cour*, 83
maxime 196	*Des Grands*, 10
maxime 217	*Du Cœur*, 55
maximes 43, 120, 133, 137	*Des Jugements*, 10

Or, cette argumentation est très loin d'être solide. Le premier rapprochement repose uniquement sur l'emploi du mot « oracle » par La Bruyère. Le contexte traite de considérations stylistiques sur l'art de la maxime et sur les différents tours que l'on trouve dans les *Caractères*:

> Ce ne sont point au reste des maximes que j'aie voulu écrire: elles sont comme des lois dans la morale, et j'avoue que je n'ai ni assez d'autorité ni assez de génie pour faire le législateur; je sais même que j'aurais péché contre l'usage des maximes, qui veut qu'à la manière des oracles elles soient courtes et concises. Quelques-unes de ces remarques le sont, quelques autres sont plus étendues: on pense les choses d'une manière différente, et on les explique par un tour aussi tout différent, par une sentence, par un raisonnement, par une métaphore ou quelque autre figure, par un parallèle, par une simple comparaison, par un fait tout entier, par un seul trait, par une description, par une peinture...

A notre avis, rien ne prouve que c'est à l'*Oráculo manual*, plutôt qu'aux *Maximes* de La Rochefoucauld ou à l'ensemble de ces innombrables recueils de sentences qui circulaient à l'époque, que La Bruyère songe ici.

Le deuxième rapprochement est plus vague encore: le passage de La Bruyère, loin d'être une critique de Gracián, est un plaidoyer *pro domo*: « *Quelque soin qu'on apporte* à être serré et concis, *et quelque réputation qu'on ait d'être tel*, ils [« certains esprits vifs et décisifs »] vous trouvent diffus » (c'est nous qui soulignons). Le texte date de l'édition VIII (1694), donc d'un temps où La Bruyère avait à faire face à d'âpres critiques. La phrase du même passage qu'a relevée V. Bouillier (« Un tissu d'énigmes leur serait une lecture divertissante »), se rapporte donc aux adversaires personnels de La Bruyère — les Fontenelle, les Charpentier, les Donneau de Visé, parmi bien d'autres — bien plutôt qu'à l'auteur espagnol.

La suite de la démonstration n'est guère plus convaincante. Il nous semble, par exemple, bien vain de conclure qu'un fragment comme le suivant, de La Bruyère: « Qui peut dire pourquoi quelques-uns ont le gros lot, ou quelques autres la faveur des grands? » (*Des Grands*, 10) accuse l'influence de Gracián parce qu'on lit dans l'*Homme de cour*: « Connaître son étoile... Quelques-uns ont accès chez les Princes, et chez les Grands, sans savoir ni comment, ni pourquoi, si ce n'est que leur sort leur y a facilité l'entrée » (*max.* 196).

En fait, bien des rapprochements proposés par le critique portent sur des observations peu originales — l'importance des bonnes manières, l'art d'accorder une faveur avec grâce, les privilèges des grands, le sot qui fait illusion — que les deux moralistes ont fort bien pu faire chacun de son côté. Ainsi, ces lignes des *Caractères*: « C'est rusticité que de donner de mauvaise grâce... Il s'est trouvé des hommes qui refusaient plus honnêtement que d'autres ne savaient donner » (*De la Cour*, 45), que V. Bouillier dit inspirées de Gracián:

Savoir refuser. Tout ne se doit pas accorder, ni à tous. Savoir refuser est d'aussi grande importance, que savoir octroyer... Un NON de quelques-uns est mieux reçu, qu'un OUI de quelques autres, parce qu'un NON assaisonné de civilité contente plus qu'un OUI de mauvaise grâce. Il y a des gens, qui ont toujours un NON à la bouche, le NON est toujours leur première réponse, et quoiqu'il leur arrive après de tout accorder, on ne leur en sait point de gré, à cause du NON mal assaisonné, qui a précédé... Que la courtoisie remplisse le vide de la faveur, et que les bonnes paroles suppléent au défaut des bons effets (*Max.* 70, dans la traduction d'Amelot)

pourraient tout aussi bien être rapprochées de Sénèque:

D'immenses biens ont parfois été gâtés par le silence qui les accompagnait ou par des mots trop lents à sortir et qui donnaient l'impression d'une humeur ennuyée et maussade, parce que l'on promettait de l'air dont on refuse. Comme il vaut mieux joindre la bonté du langage à la bonté des actes et par quelques paroles de politesse et de bienveillance donner du prix à un service effectif ! [36]

Le portrait que fait La Bruyère d'un sot qui passe pour homme d'esprit:

La cour n'est jamais dénuée d'un certain nombre de gens en qui l'usage du monde, la politesse ou la fortune tiennent lieu d'esprit, et suppléent au mérite. Ils savent entrer et sortir; ils se tirent de la conversation en ne s'y mêlant point; ils plaisent à force de se taire, et se rendent importants par un silence longtemps soutenu, ou tout au plus par quelques monosyllabes; ils payent de mines, d'une inflexion de voix, d'un geste et d'un sourire: ils n'ont pas, si je l'ose dire, deux pouces de profondeur; si vous les enfoncez, vous rencontrez le tuf (*De la Cour*, 83),

tout autant qu'une imitation de Gracián:

Il y a des gens, qui n'ont que la façade... Ces gens-là n'ont rien, où l'on se puisse fixer, ou plutôt tout y est fixe; car après la première salutation, la conversation finit. Ils font leur compliment d'entrée, comme les chevaux de Sicile font leurs caracols, et puis ils se métamorphosent tout à coup en taciturnes... Il leur est facile d'en tromper d'autres, qui n'ont aussi, comme eux, que l'apparence; mais ils sont la fable des gens de discernement, qui ne tardent guère à découvrir qu'ils sont vides au dedans (*Max.* 48, dans la traduction d'Amelot)

---

[36] Sénèque, *De Beneficiis*, éd. Fr. Prechac (Paris: Les Belles Lettres, 1961), tome I, Livre II, 3, p. 27. Cf. aussi Livre I, 1.

peut être le développement d'une réflexion de Montaigne : « A combien de sottes âmes, en mon temps, a servy une mine froide et taciturne de tiltre de prudence et de capacité ! » ; et Montaigne lui-même n'a fait peut-être que suivre Publius Syrus : « Taciturnitas stulto homini pro sapienta est [37]. »

On pourrait ainsi, indéfiniment, suggérer des parallèles. Quand La Bruyère affirme qu'« avec de la vertu, de la capacité, et une bonne conduite, l'on peut être insupportable » (*De la Société et de la c.*, 31), il n'y a aucune raison pour penser, avec M. Bouillier, à Gracián (« Cultiver et embellir... Il y en a d'autres, au contraire, si grossiers, que toutes leurs actions, et quelquefois même de riches talents, qu'ils ont, sont défigurés par la rusticité de leur humeur » [87]) plutôt qu'à Molière : « A force de sagesse on peut être blâmable » (*Le Misanthrope*, I, 1, v. 150). De fait, une seule des comparaisons de M. Bouillier paraît éloquente, une identité se retrouvant jusque dans les termes de l'expression :

Les œuvres de la Nature arrivent toutes au point ordinaire de leur perfection... Celles de l'Art ne sont presque jamais si parfaites, qu'elles ne le puissent pas l'être davantage... Il y a un point de maturité jusque dans les fruits de l'entendement... (*Homme de cour*, 39).	Il y a dans l'art un point de perfection comme de bonté ou de maturité dans la nature (*Des Ouvrages de l'e.*, 10).

L'originalité première du texte de La Bruyère repose sur le mot « maturité », et il ne semble pas, à cet égard, que l'on puisse établir d'autres parallèles. Le rapprochement est, toutefois, plus fragile qu'il n'y paraît. L'idée de perfection a eu, chez nos classiques, la fortune que l'on sait. La comparaison entre l'art et la nature n'est évidemment, chez La Bruyère, guère plus personnelle : il suffit, entre tant d'autres illustrations, de songer au vers célèbre de Boileau : « Jamais de la nature il ne faut s'écarter » (*Art poétique*, IV, v. 414). Mais surtout, si les deux auteurs rencontrent la même image, cela pourrait bien être coïncidence fortuite, tant leurs préoccupations sont ici différentes. Il s'agit, pour La Bruyère, dans ce passage bien connu, de la nature du goût dans les ouvrages de l'esprit : « Celui qui le sent et qui l'aime », poursuit-il à propos du « point de perfection », « a le goût parfait ; celui qui ne le sent pas, et qui aime en deçà ou au delà, a le goût défectueux ». Pour Gracián, au contraire, il est question, comme l'indique dès le titre la maxime incriminée, de « connaître l'essence et la saison des choses, et savoir s'en servir ». Le « point de maturité » est envisagé dans une tout autre perspective : « Il importe de connaître ce point, est-il précisé, pour en faire son profit. » Autrement dit, ce n'est nullement à une question d'esthétique que Gracián songe, mais aux secrets de l'ascension sociale. En fait, l'idée de l'attente et de l'occasion qu'il convient de laisser « mûrir » avant de la saisir, est présente dans toute son œuvre, dont elle constitue l'un des thèmes les plus familiers. A nos yeux, l'analogie de cette comparaison

---

[37] *Les Essais de Michel de Montaigne*, éd. P. Villey (Paris : Alcan, 1922), III, 8, p. 198. — *Publii Syri Mimi Sententiae*, éd. O. Friedrich (Hildesheim : G. Olms, 1964 [Reproduction photographique de l'édition de Berlin, 1880]), p. 76.

d'ordre végétal et même l'identité que l'on peut constater dans l'emploi des trois termes « nature », « perfection » et « maturité », si elles peuvent représenter un indice en faveur de la lecture de l'*Homme de cour* par La Bruyère, sont pourtant loin de faire preuve: la différence entre les sujets que traitent les deux auteurs est trop grande.

On le voit: la thèse de M. Bouillier est bien contestable, les rapports qu'il décèle n'établissent pas solidement l'influence qu'il entend démontrer. L'erreur de ce critique a été de rapprocher des passages où La Bruyère et Gracián traitent les mêmes thèmes. Il suffit, avec cette méthode, d'un peu d'ingéniosité et d'une lecture attentive pour découvrir bien d'autres pages où l'auteur des *Caractères* s'inspirerait de l'*Homme de cour*. Par exemple:

Gracián, *Oráculo manual*	La Bruyère, *Les Caractères*
maxime 180 (début)	*Du Mérite p.*, 37
maxime 197	*Des Jugements*, 70
maxime 198	*De la Cour*, 16
maxime 203	*Du Mérite p.*, 24
maxime 205	*Du Cœur*, 60-62
maxime 211	*De la Cour*, 99
maxime 218 (fin)	*Des Biens de f.*, 35 et *De la Société et de la c.*, 29
maxime 221	*De la Société et de la c.*, 27
maximes 239, 240	*De la Cour*, §2
maxime 249	*Du Mérite p.*, 10, 11

Mais, on s'en doute, ni la liste des emprunts dressée par M. Bouillier ni l'additif que l'on vient de lire ne sont, selon nous, à retenir. Notre point de vue est qu'il s'agit, dans tous ces cas, de « correspondances » entre des moralistes qui puisent à un fonds commun. Dans l'*Avis* qui précède *El Héroe*, Gracián reconnaît sa dette envers Esope, Homère, Aristote, Sénèque, Tacite, Castiglione. Dans l'*Avis au Lecteur* figurant en tête du *Criticón*, il ajoutera, entre autres, les noms de Lucain, de Plutarque, d'Apulée, de l'Arioste [38]. La Bruyère s'est naturellement nourri de la pensée des mêmes maîtres, dont la liste est forcément incomplète (il conviendrait, en premier lieu, d'ajouter la Bible, mais aussi des modernes, tels que, par exemple Faret [39]). Les deux auteurs se retrouvent, si l'on peut dire, aux mêmes sources livresques. D'autre part, il faut bien admettre que la matière première des moralistes, l'homme, étant toujours sensiblement égale à elle-même, ils sont très sou-

---

[38] B. Gracián, *Obras completas*, éd. E. Correa Calderon (Madrid: Aguilar, 1944), p. 4 et p. 426.

[39] Cf. C. Aubrun, « Gracián contre Faret », dans: *Homenaje a Gracián* (Zaragoza: Institución « Fernando el Católico », 1958), pp. 7-26; et C. Biondo: *Gracián et l'Honneste Homme de Faret*, thèse de l'Université de Bordeaux (non publiée). Compte rendu dans *Bulletin hispanique*, LX (1958), 394-397.

vent amenés à faire des constatations identiques. Tel nous paraît être, en particulier, le cas de La Bruyère et de Gracián, mais il est clair que la remarque est loin de se rapporter à ces deux seuls observateurs de la nature humaine. En ce sens, P. Mesnard a parfaitement raison d'écrire: « Limés par l'usage, les préceptes de Gracián aussi bien que ceux de Descartes, étaient devenus *valeurs communes* de la civilisation occidentale à la fin du XVIIe [40]. » On songe aussi au « Tout est dit » de La Bruyère lui-même ou à Schopenhauer: « Dans l'ensemble, les sages de tous les temps ont assurément toujours dit les mêmes choses, et les sots, c'est-à-dire l'incommensurable majorité de tous les temps, ont toujours fait les mêmes choses, à savoir les contraires [41]. »

Que conclure des trois points successivement considérés dans notre raisonnement? L'attitude que voici nous semble dictée par une « prudence » appropriée au sujet. La Bruyère, grand amateur de livres et généralement curieux de toutes choses, a dû connaître l'*Oráculo manual* (et, du même coup, des extraits du *Héroe* et du *Discreto*) dans la traduction d'Amelot qui remporte, dès 1684, un très grand succès. Il y a tout lieu de croire que cette lecture (si elle a bien été faite) n'a pas particulièrement frappé La Bruyère. Les rapprochements qui ont depuis longtemps été proposés par Bouillier, et ses conclusions qui ont été reprises, sans vérification, par plusieurs spécialistes de Gracián (Coster, Mesnard, Correa Calderon) ne sont en rien probants. Quand un auteur a véritablement marqué la pensée de La Bruyère, celui-ci ne se fait pas faute de le citer: c'est le cas, par exemple, avec Montaigne ou Descartes ou Pascal [42]. On est très certainement en droit d'affirmer que La Bruyère n'a ni « imité » ni « visé » [43] Gracián; et, qu'en admettant qu'il ait connu la pensée du moraliste espagnol, celle-ci n'a exercé sur lui aucune action directe appréciable.

Cependant, pour les raisons indiquées au début de ce chapitre, une comparaison entre La Bruyère et Gracián ne doit pas s'en tenir aux influences (ou à la lettre) mais s'étendre à l'esprit de leurs œuvres. La littérature comparée, qui peut si utilement contribuer à approfondir et à raffiner notre connaissance des auteurs, ne s'est pas assez intéressée à l'étude des moralistes. Quand bien même l'influence directe d'un auteur comme Gracián sur La Bruyère n'est pas absolument assurée, leurs préoccupations sont souvent identiques, et tous deux donnent une idée précise de l'attitude du moraliste dans la civilisation occidentale du XVIIe siècle. De surcroît, peu de méthodes, autant que celles de la littérature comparée, éclairent dans ses nuances la pensée d'un écrivain et permettent d'en saisir les aspects originaux. On tentera donc, dans les pages qui suivent, de combler une

[40] P. Mesnard, *op. cit.*, p. 359.

[41] A. Schopenhauer, *Aphorismen zur Lebensweisheit*, dans: *Sämtliche Werke*, éd. Wolfgang Freiherr von Löhneysen (Stuttgart-Frankfurt: Cotta-Insel, 1963), vol. IV, p. 376.

[42] Montaigne: *Des Ouvrages de l'esprit*, 44, *De la Société et de la conversation*, 30; Descartes: *Des Biens de fortune*, 56, *Des Jugements*, 42; Pascal: *De l'Homme*, 143, *Des Jugements*, 105, n. 2.

[43] V. Bouillier, *op. cit.*, p. 330 et p. 332.

lacune et, s'il se peut, d'indiquer une voie. Parmi les œuvres de Gracián, la comparaison sera bien entendue centrée sur l'*Oráculo manual*, du moment que ce livre surtout a été répandu en France. On ne s'interdira pas pour autant des rapprochements avec les autres ouvrages de l'écrivain espagnol.

B. — LA VIE: VOYAGE OU SONGE ?

Au centre des préoccupations d'un moraliste se trouve presque toujours le problème de l'illusion, et dans l'attitude de son esprit, il est fréquent de voir se succéder deux temps. Le premier de ces temps consiste à dénoncer l'illusion universelle: c'est ce que fait Gracián dans le *Criticón*, et La Bruyère dans les *Caractères*. Le deuxième temps consiste à remplacer l'ordre des valeurs illusoires par une échelle de valeurs neuves. Gracián s'y est livré dans *El Héroe* et dans l'*Oráculo*. Un premier trait tout particulier à Gracián est cet ordre inversé des deux moments de la dialectique du moraliste. Le procès des valeurs qui ont cours, il le fait dans son ouvrage ultime. Le non douloureux et systématique vient couronner l'ensemble de l'œuvre, et sans doute la morale positive édifiée dans les livres antérieurs fait-elle naufrage à la fin, emportée comme tout le reste par une négation totale, sorte de vague de fond dernière.

Dès l'*Homme de cour*, il est beaucoup question de l'illusion pourtant, mais — autre grande singularité de cet auteur — elle est glorifiée, devient le prestigieux fondement d'une morale, loin d'être ravalée au rang de l'imposture. L'accommodement qu'enseignera un La Bruyère, après un Montaigne ou même un La Rochefoucauld, est au fond un accommodement secondaire qui fait agir l'homme « extérieurement avec les autres comme s'il n'était pas vrai qu'il les compte pour rien » [44]. L'accommodement, dans l'*Oráculo*, est au contraire une assimilation, une identification de soi, aussi essentielles que possible avec l'illusion, dès lors que « tout ce que nous avons de meilleur dépend de la fantaisie d'autrui »: « Ce qui ne se voit point, est comme s'il n'était point » (*maximes* 226 et 130).

Gracián, si l'on peut s'exprimer ainsi, a mis le baroque en action. Alors que La Bruyère, en classique, n'ambitionne rien tant que de voir clair, voir l'homme « jusque dans le courtisan » [45], Gracián fait de l'ombre, du mystère, le lieu propice où l'homme exemplaire déploie son activité. Cacher ses passions, cacher ses défauts: les cacher même à soi-même; savoir faire l'ignorant, ne se rendre pas trop intelligible, ne se point ouvrir, ni déclarer; quand l'artifice est connu, raffiner la dissimulation, en se servant de la vérité même pour tromper [46]: l'homme habile se cantonne à dessein dans ces zones ambiguës, cherchant la complicité, toujours par sa seule volonté,

---

[44] *De l'Homme*, 69.

[45] *Ibid.*, 145.

[46] Maximes 126, 240, 253, 3, 13.

tantôt de l'ombre, tantôt de la lumière, et, loin que ces équivoques le dé-
gradent, elles le rapprochent de Dieu : « Il faut ... imiter le procédé de
Dieu, qui tient tous les hommes en suspens » (3). L'art de dissimuler est
ainsi « la science de plus grand usage » (98). « Cifrar la voluntad » dit le
titre de cette dernière maxime (ce qu'Amelot affaiblit en traduisant « Dissimuler »). Ce « chiffre » est plus impénétrable encore que le masque de
l'homme de La Rochefoucauld ou des personnages de la *Princesse de
Clèves*. Retranché derrière lui, comme il a « couvert son cœur d'une haie de
défiance et de réserve » (98), l'« homme de cour », tout-puissant, imprenable,
n'est pas tant occupé à jouer la comédie de la vertu, ni même à protéger
les secrets de son existence, qu'à étendre sur autrui sa souveraineté. L'« obscurité » est son lieu d'élection (216). Mais cette habileté à se mouvoir dans
l'ombre n'est accordée qu'à une élite, à « ceux qui savent faire de leur esprit
tout ce qu'ils veulent, [ce] qui est la quintessence de la subtilité » (144).
Comment ne pas reconnaître ici le thème de Circé ?

Le thème du paon, relevé dans le *Discreto* par J. Rousset dans deux
pages magistrales [47], n'est pas moins présent dans l'*Oráculo* :

> *L'Homme d'ostentation.* — Ce talent donne du lustre à tous les autres. Chaque chose
> à son temps, et il faut épier ce temps, car chaque jour n'est pas un jour de triomphe. Il y
> a des gens d'un caractère particulier, en qui le peu paraît beaucoup, et que le beaucoup
> fait admirer. Lorsque l'excellence est jointe avec l'étalage, elle passe pour un prodige...
> La montre tient lieu de beaucoup, et donne un second être à tout, et particulièrement,
> quand la réalité la cautionne. Le Ciel, qui donne la perfection, y joint aussi l'ostentation,
> car sans elle toute perfection serait dans un état violent. A l'ostentation, il y faut de l'art.
> Les choses les plus excellentes dépendent des circonstances, et par conséquent, elles ne
> sont pas toujours de saison. Toutes les fois que l'ostentation s'est faite à contretemps,
> elle a mal réussi, rien ne souffre moins l'affectation ; et c'est toujours par cet endroit que
> l'ostentation échoue, parce qu'elle approche fort de la vanité, et que celle-ci est très-
> sujette au mépris. Elle a besoin d'un grand tempérament, pour ne pas donner dans le
> vulgaire ; car son trop l'a déjà décréditée parmi les gens d'esprit. Quelquefois elle consiste
> dans une éloquence muette, et dans le savoir montrer la perfection comme par manière-
> d'acquit ; car une sage dissimulation est une parade *plausible*... (277).

C'est bien, comme l'écrit Rousset, une morale « décorative » que
Gracián constitue ainsi : « Il va jusqu'à sacrifier l'être au paraître ou, plus
exactement, il en arrive à dénier l'être à l'être qui ne paraît point, c'est-
à-dire à faire du paraître l'être véritable. »

Tout autre est l'attitude de La Bruyère. Elle se rattache à des traditions
moins hardies, parce que plus anciennes, à l'exclamation de l'*Ecclésiaste*
par exemple. (Gracián est Jésuite, il ne faut pas l'oublier, et il écrit un siècle
seulement après la création de la Compagnie [1534]). L'illusion, dans
l'*Homme de cour*, est le fondement d'une morale de l'action. Ce qui sous-tend

[47] J. Rousset, *La Littérature de l'âge baroque en France : Circé et le paon* (Paris : J. Corti,
1965), pp. 220-221. — Sur Gracián et le baroque, cf. aussi : E. d'Ors, *Du Baroque*, nouvelle
édition illustrée (Paris : Gallimard [coll. Idées/Arts], 1968), pp. 39-42 ; H. Stafsky, « Ein
Beitrag zur Ästhetik des Barock : Balthasar Graciáns « Handorakel », *Das Münster*, V
(1952), 282-286 ; H. Hatzfeld, « The baroquism of Gracián's « El Oráculo manual », dans :
Homenaje a Gracián (Zaragoza : Institución « Fernando el Católico », 1958), pp. 103-117 ;
M. Batllori, *Gracián y el Barroco* (Roma : Edizioni di Storia e letteratura, 1958).

la pensée de La Bruyère est au contraire la désillusion. Le maître-mot est ici « sommeil » ou « songe » :

La vie est un sommeil: les vieillards sont ceux dont le sommeil a été plus long; ils ne commencent à se réveiller que quand il faut mourir. S'ils repassent alors sur tout le cours de leurs années, ils ne trouvent souvent ni vertus ni actions louables qui les distinguent les unes des autres; ils confondent leurs différents âges, ils n'y voient rien qui marque assez pour mesurer le temps qu'ils ont vécu. Ils ont eu un songe confus, informe, et sans aucune suite; ils sentent néanmoins, comme ceux qui s'éveillent, qu'ils ont dormi longtemps (*De l'Homme*, 47).

Sur cette toile de fond irréelle qui est toute notre existence, trois « événements » seulement laissent une marque; encore le deuxième de ces « événements » est-il lui-même un leurre: le temps de notre vie s'écoule, gris, monotone, opaque, encadré entre deux moments brefs comme un ordre et un rappel à l'ordre: « Il n'y a pour l'homme que trois événements: naître, vivre et mourir. Il ne se sent pas naître, il souffre à mourir, et il oublie de vivre » (*De l'Homme*, 48).

A quoi bon chercher à remplir cette petite fraction du Temps qui nous est impartie, et surtout, à la vouer à l'action, puisque toute durée et tout acte sont marqués du même sceau de l'illusion:

Chaque heure en soi comme à notre égard est unique: est-elle écoulée une fois, elle a péri entièrement, les millions de siècles ne la ramèneront pas. Les jours, les mois, les années s'enfoncent et se perdent sans retour dans l'abîme du temps; le temps même sera détruit: ce n'est qu'un point dans les espaces immenses de l'éternité, et il sera effacé. Il y a de légères et frivoles circonstances du temps qui ne sont point stables, qui passent, et que j'appelle des modes, la grandeur, la faveur, les richesses, la puissance, l'autorité, l'indépendance, le plaisir, les joies, la superfluité. Que deviendront ces modes quand le temps même aura disparu? (*De la Mode*, 31).

Le « songe confus, informe, et sans aucune suite » ressemble, au mieux, à la menterie du théâtre. Une morale « décorative » ? Comment ne pas prendre « décorations » et « acteurs » pour ce qu'ils sont? « N'estimer les choses du monde précisément que ce qu'elles valent » (*De l'Homme*, 133). La seule morale ne consiste-t-elle pas à assister à la pièce comme spectateur désabusé:

Dans cent ans le monde subsistera encore en son entier: ce sera le même théâtre et les mêmes décorations, ce ne seront plus les mêmes acteurs. Tout ce qui se réjouit sur une grâce reçue, ou ce qui s'attriste et se désespère sur un refus, tous auront disparu de dessus la scène. Il s'avance déjà sur le théâtre d'autres hommes qui vont jouer dans une même pièce les mêmes rôles; ils s'évanouiront à leur tour; et ceux qui ne sont pas encore, un jour ne seront plus: de nouveaux acteurs ont pris leur place. Quel fonds à faire sur un personnage de comédie ! (*De la Cour*, 99).

Il y a quelque chose de théâtral pourtant dans ces remarques mêmes; on y devine l'influence des orateurs sacrés. Mais la conviction est entière: avec moins de grandiloquence, presque tous les chapitres des *Caractères* illustrent le mot célèbre attribué à Salomon. La gloire, dont Gracián fait la raison d'être non seulement du héros, mais de tout « homme de prix » (296), est ramenée, après Pascal et La Rochefoucauld, à sa juste nature de chimère: « A voir comme les hommes aiment la vie, pouvait-on soupçonner qu'ils aimassent quelque autre chose plus que la vie ? et que la gloire, qu'ils préfèrent à la vie, ne fût souvent qu'une certaine opinion d'eux-mêmes établie dans l'esprit de mille gens ou qu'ils ne connaissent point ou qu'ils n'estiment point ? » (*Des Jugements*, 98) [48].

Le mouvement est propre à l'homme de Gracián: l'histoire de Critilo et d'Andrenio même est une pérégrination. La Bruyère au contraire considère comme vains toute quête, tout désir tendus vers une fin terrestre: « La vie est courte et ennuyeuse: elle se passe toute à désirer... Ce temps [la vieillesse] arrive, qui nous surprend encore dans les désirs; on en est là, quand la fièvre nous saisit et nous éteint: si l'on eût guéri, ce n'était que pour désirer plus longtemps » (*De l'Homme*, 19). Nulle part mieux que dans le chapitre « De la Cour », La Bruyère n'a montré le caractère fallacieux attaché à toute ambition humaine. La cour est le lieu par excellence du mouvement perpétuel, du mouvement inutile. (Encore convient-il, pour apprécier ce chapitre à sa juste valeur, de bien voir que la cour ne se réduit pas à Versailles. Tout comme chez Gracián, où la cour, selon J. L. Aranguren, « représente, au fond, le monde tout entier » [49], il s'agit, chez La Bruyère, d'un milieu qui, tout en étant décrit pour lui-même, possède une valeur symbolique). Il y a une contagion du mouvement: « Quel moyen de demeurer immobile où tout marche, où tout se remue, et de ne pas courir où les autres courent ? » (22). C'est donc la folie d'autrui qui nous emporte, nous accoutume « à une vie qui se passe dans une antichambre, dans des cours, ou sur l'escalier » (7), à « traîner [notre] vie à embrasser, serrer et congratuler ceux qui reçoivent » (47), à faire une profession d'« être vus et revus » (19). Aussitôt que l'« ardeur » et l'« impatience » d'un *Théonas*, abbé qui a dû intriguer de longues années avant de pouvoir « porter une croix d'or sur sa poitrine » se trouvent récompensées, il entre de nouveau en campagne: « Vous verrez, dit-il, que je n'en demeurerai pas là, et qu'ils me feront archevêque » (52). Au milieu de ce tourbillon, il arrive aux meilleurs de se ressaisir dans une brusque prise de conscience, qui ne dure que le temps d'une défaite:

« Les deux tiers de ma vie sont écoulés; pourquoi tant m'inquiéter sur ce qui m'en reste ? La plus brillante fortune ne mérite point ni le tourment que je me donne, ni les petitesses où je me surprends, ni les humiliations, ni les hontes que j'essuie; trente années détruiront ces colosses de puissance qu'on ne voyait bien qu'à force de lever la tête; nous disparaîtrons, moi qui suis si peu de chose, et ceux que je contemplais si avidement, et de qui j'espérais toute ma grandeur; le meilleur de tous les biens, s'il y a des biens, c'est le repos, la retraite et un endroit qui soit son domaine. » N** a pensé cela dans sa disgrâce, et l'a oublié dans la prospérité (66).

---

[48] Cf. *De l'Homme*, 76; Pascal, *Pensées*, éd. L. Brunschvicg *minor* (Paris: Hachette, 1967), *fr.* 147, 148, 158; La Rochefoulcauld, *Maximes*, éd. J. Truchet (Paris: Garnier, 1967), maxime 268.

[49] J. L. Aranguren, « La morale de Gracián », *Revue de métaphysique et de morale*, LXVIII (1963), p. 290.

Ainsi s'écoule la vie de ceux qui croient, dans leur naïveté, que le mouvement échappe à la loi de l'illusion universelle. Arrive la fin du « songe »: le « confus » et l'« informe » se dissolvent dans le doute:

> Cependant s'en éloignera-t-on [de la cour] avant d'en avoir tiré le moindre fruit, ou persistera-t-on à y demeurer sans grâces et sans récompenses? question si épineuse, si embarrassée, et d'une si pénible décision, qu'un nombre infini de courtisans vieillissent sur le oui et sur le non, et meurent dans le doute (22).

Pour Gracián, au contraire, la définition même de la vie est le mouvement[50]. Le mot-clef qui s'oppose au « songe » de La Bruyère est « voyage » (qui, par association, évoque des visions pathétiques ou d'une grande poésie: « voyage inconstant de la vie », « pérégrination de notre vie entre Scylla et Charybde », «navigation de la vie»[51]). Ces images dérivent de celle de l'*homo viator*, dont J. A. Maravall fait remarquer à juste titre qu'elle est « traditionnelle dans toute l'anthropologie d'origine chrétienne »[52]. Les parallèles établis par Gracián entre les saisons de la vie et celles de la nature ou entre les âges de la vie et les trois «journées» du drame espagnol[53] ne sont pas davantage de son invention (on trouve le premier déjà chez Horace et Ovide). Mais ce qui importe est cette conception dynamique, « évolutive », de l'existence. L'*Oráculo* conseille de « partager sa vie en homme d'esprit » afin qu'elle ne s'étende pas « comme une longue route, où l'on ne trouve point d'hôtelleries » (229). Désirer sans trêve, ce qui, pour La Bruyère, est notre vraie misère — « ... et ainsi de toutes les conditions, où les hommes languissent serrés et indigents, après avoir tenté au-delà de leur fortune, et forcé, pour ainsi dire, leur destinée » (*Des Biens de f.*, 62) — est chez Gracián un impératif de la vie morale: « Avoir toujours quelque chose à désirer, pour ne pas être malheureux dans son bonheur. Le corps respire, et l'esprit aspire. Si l'on était en possession de tout, l'on serait dégoûté de tout... L'espérance fait vivre... Quand l'on n'a plus rien à désirer, tout est à craindre; c'est une félicité malheureuse. La crainte commence par où finit le désir » (200). Une nouvelle fois, Gracián renverse les valeurs que les moralistes se léguaient de siècle en siècle, dans un ordre qu'on pouvait considérer comme acquis. Mais l'expression « al revés » — à l'envers — n'est-elle pas, dans toute son œuvre, un autre terme-clef?

Il arrive à La Bruyère aussi de décrire le mouvement des vies qu'il observe, mais il le perçoit comme dérisoire: la somme des « agitations tumultuaires » dont avait parlé Montaigne est une existence pour rien, éparpillée dans une succession d'instants et une progression parfaitement vaines: « Les roues, les ressorts, les mouvements sont cachés; rien ne paraît d'une montre que son aiguille, qui insensiblement s'avance et achève son

---

[50] « La definición de la vida es el moverse » (*Criticón*, III, 8, p. 259).

[51] *Criticón*, III, 3, p. 91; *Agudeza*, LVI, p. 259; *Oráculo manual*, max. 256. Voyez aussi la comparaison (éminemment baroque) entre le cours de la vie et celui de l'eau: *Criticón*, II, 1, p. 17 sq.

[52] J. A. Maravall, « Las Bases antropológicas del pensamiento de Gracián », *Revista de la Universidad de Madrid*, XXVII (1958), p. 428.

[53] *Criticón*, II, 1, pp. 17 sq.; *Discreto*, 25, pp. 348 sq.

tour: image du courtisan, d'autant plus parfaite qu'après avoir fait assez de chemin, il revient souvent au même point d'où il est parti » (*De la Cour*, 65). Ailleurs, l'accent n'est plus seulement sur le caractère illusoire du mouvement: le « voyageur » trahit, par sa fièvre même, la médiocrité de son esprit:

> Un homme d'un petit génie peut vouloir s'avancer: il néglige tout, il ne pense du matin au soir, il ne rêve la nuit qu'à une seule chose, qui est de s'avancer. Il a commencé de bonne heure, et dès son adolescence, à se mettre dans les voies de la fortune: s'il trouve une barrière de front qui ferme son passage, il biaise naturellement, et va à droit ou à gauche, selon qu'il y voit de jour et d'apparence, et si de nouveaux obstacles l'arrêtent, il rentre dans le sentier qu'il avait quitté; il est déterminé, par la nature des difficultés, tantôt à les surmonter, tantôt à les éviter, ou à prendre d'autres mesures: son intérêt, l'usage, les conjectures le dirigent. Faut-il de si grands talents et une si bonne tête à un voyageur pour suivre d'abord le grand chemin, et s'il est plein et embarrassé, prendre la terre, et aller à travers champs, puis regagner sa première route, la continuer, arriver à son terme? Faut-il tant d'esprit pour aller à ses fins? Est-ce donc un prodige qu'un sot riche et accrédité? (*Des Biens de f.*, 38).

Assurément, le thème de la désillusion (« desengaño ») occupe dans le *Criticón* une place primordiale. Mais c'est, rappelons-le, l'*Homme de cour* qu'on doit considérer surtout ici. Or, qu'est-ce que l'« art de la prudence » sinon une technique pour *avancer* (« cheminer », dirait La Bruyère avec mépris) au milieu des parades et des perspectives en trompe-l'œil? La « vie civile » (256) est faite de ces apparences mêmes: d'elles seules. Voilà la constatation première. Si besoin était, l'expérience viendrait, aux yeux du sage, si infailliblement confirmer la justesse de son observation, qu'elle en devient une donnée, la seule à vrai dire qu'il convienne de tenir pour acquise. Dès lors, qu'est-ce que savoir? Ce n'est pas organiser les valeurs selon une hiérarchie abstraite, idéale. C'est accepter l'illusion comme un axiome et se tourner résolument vers elle, c'est-à-dire vers la vie. « A quoi sert le savoir, s'il ne se met pas en pratique? Savoir vivre est aujourd'hui le vrai savoir » (232). On pressent que la morale de La Bruyère repose sur le cœur, comme, en fin de compte, la religion de Pascal; Gracián veut que la raison prime, et toujours. Observons en passant le paradoxe: la raison à laquelle, en « classique », La Bruyère ne cesse de se référer, n'est-elle pas surtout une raison du cœur? En s'interdisant de résoudre, ne fût-ce qu'en théorie, les problèmes de la vie morale par la logique, comme Gracián, il se heurte à une vérité de fait qui l'indigne sa vie durant: le succès vient à l'homme de l'artifice, cependant que l'homme du mérite personnel sera blessé à jamais. Cette injustice qui fait crier son cœur (à laquelle nous devons sans doute les *Caractères*), la raison, qu'il prétend toujours suivre, s'est donc montrée impuissante à la supprimer. Mais qu'est-ce qu'alors cette raison? Faut-il poursuivre avec Pascal, la qualifier de « sotte »? Notre propos n'est pas de prendre ici parti, de dire que la position de Gracián est plus solide en tous points que celle de La Bruyère. (Aux yeux de Pascal, d'ailleurs, l'attitude si « logique » du moraliste espagnol ne serait pas moins puérile: elle serait de surcroît blâmable). Nous voulons seulement tirer de notre comparaison entre les deux auteurs une meilleure connaissance de

La Bruyère: on voit que la raison, pour lui, relève plus du cœur que de l'esprit. Sa morale est très peu intellectuelle [54].

Rien de plus cérébral, en revanche, que la morale de Gracián. L'illusion est souveraine: il importe de s'y asservir. Le *Discreto* disait déjà: « Le plus grand savoir ... consiste dans l'art de paraître [55]. » L'*Homme de cour* est un manuel enseignant à contourner les « écueils » de la « navigation de la vie » (256), et ces écueils ne sont pas autre chose que les pièges de l'illusion: « Il faut aller à pas comptés, là où l'on se doute qu'il y a de la profondeur » (78). Toute la sagesse normative de Gracián va consister à sonder la profondeur d'autrui en demeurant soi-même insondable: « Dissimuler... La science de plus grand usage est l'art de dissimuler. Celui qui montre son jeu risque de perdre » (98). Le dernier degré de cette sagesse est dès lors de « savoir jouer de la vérité » (210), ce qui revient à inventer les apparences les plus plausibles, celles qui offrent avec la vérité la ressemblance la plus grande: « Le plus grand artifice est de bien cacher ce qui passe pour tromperie » (219). La Bruyère, bien dans la lignée des moralistes classiques, demandera qu'avant toute chose, l'on soit « naturel » [56]. Gracián emprunte à la Nature même les plus consommés de ses artifices: « N'attendre pas qu'on soit Soleil couchant. C'est une maxime de prudence, qu'il faut laisser les choses, avant qu'elles nous laissent. Il est d'un homme sage de savoir se faire un triomphe de sa propre défaite, à l'imitation du Soleil, qui, pendant qu'il est encore tout lumineux, a coutume de se retirer dans une nuée, pour n'être point vu baisser, et, par ce moyen, laisser en doute s'il est couché, ou non » (110). Ainsi la sagesse devient un art du dehors: « Le Sage... ne parle que par emprunt » (43). L'illustration la plus frappante que donne Gracián de cet art (disons plutôt cette technique) de vivre est fournie par des termes comme « chiffre », « déchiffreur », « contrechiffre ». L'« homme judicieux et pénétrant » (49) est d'une part celui qui sait « chiffrer sa volonté » (98). Dans un texte intraduisible et dont Amelot fait une « belle infidèle », Gracián nous le montre opposant aux yeux de « lynx » d'autrui qui l'observe la défense des « seiches » (qui se dérobent aux poursuites en s'enveloppant dans l'encre noire qu'elles émettent) (98). Mais d'autre part, cet homme qui va « chiffré » est un Argus lui-même, il est passé maître dans la science de « déchiffrer un faux semblant » (273). Il possède « le contrechiffre des intentions » d'autrui (193) pour « tenir la clef de la volonté » de ses semblables (26). Il « déchiffre tous les secrets du cœur les plus cachés... il découvre tout, il remarque tout, il comprend tout » (49) [57], il a mis au point la plus insidieuse des méthodes pour voir sans être vu:

Savoir contredire. — C'est une excellente ruse, quand on le sait faire, non pour s'engager, mais pour engager; c'est l'unique torture qui puisse faire saillir les passions. La lenteur à croire est un vomitif, qui fait sortir les secrets; c'est la clef pour ouvrir le cœur le plus renfermé. La double sonde de la volonté et du jugement demande une grande dextérité.

---

[54] Cf. cependant *infra*, pp. 139-140.

[55] *Discreto*, 13, p. 324.

[56] *Des Ouvrages de l'esprit*, 15; *Des Femmes*, 2, 4, 5; *Des Jugements*, 29, 34, 109.

[57] Cf., dans le *Criticón* surtout (II, 1, 9, 10; III, 5), les thèmes du Tahur et du Zahori.

Un mépris adroit de quelque mot mystérieux d'un autre donne la chasse aux plus impénétrables secrets, et, par un agréable sucement, les fait venir jusque sur le bord de la langue, pour les prendre dans les filets de l'artifice. La retenue de celui qui se tient sur ses gardes, fait que son espion se retire à l'écart; et qu'ainsi il découvre la pensée d'autrui, qui autrement était impénétrable. Un doute affecté est une fausse clef de fine trempe, par où la curiosité entre en connaissance de tout ce qu'elle veut savoir (213).

Ainsi la prudence est une technique du paraître, une soumission de soi à l'illusion avec laquelle le sage consent à faire cause commune jusqu'au bout. Et ce qu'il importe encore de voir, c'est que la question du Bien et du Mal ne se pose pas à propos de cette complicité: « Le bonheur et le malheur ne sont autre chose que la prudence et l'imprudence » (21) [58] : or, le bonheur, *hic et nunc*, est pour Gracián un droit indiscuté.

La morale de La Bruyère apparaît, par contraste, comme rigide, voire austère. « La finesse, dit-il, est l'occasion prochaine de la fourberie; de l'un à l'autre le pas est glissant » (*De la Cour*, 85). L'on s'étonne, naturellement, de cet autre paradoxe: une souplesse quelquefois inquiétante est enseignée par Gracián, homme de Dieu, tandis que l'auteur laïc semble mieux respecter les préceptes de la religion. N'oublions pas qu'entre l'*Oráculo manual* et les *Caractères* ont paru les *Provinciales* (qui ne mentionnent pas, cependant, le Jésuite aragonais), et que la sévérité de la doctrine janséniste peut fort bien avoir marqué la pensée d'un chrétien strictement orthodoxe comme La Bruyère. Il convient ici de relire le portrait du courtisan qui figure dans la dernière édition des *Caractères* parue du vivant de l'auteur, et d'observer comme, hormis un trait à la fin (« il pleure d'un œil et il rit de l'autre »), l'âpreté du ton l'emporte sur l'ironie et l'enjouement. C'est que le dépassement ou l'oubli d'une réalité laide par l'art, que La Bruyère parvient à opérer dans la grande majorité de ses portraits, sont au-delà de son indignation quand il s'agit de l'homme de cour:

N'espérez plus de candeur, de franchise, d'équité, de bons offices, de services, de bienveillance, de générosité, de fermeté dans un homme qui s'est depuis quelque temps livré à la cour, et qui secrètement veut sa fortune. Le reconnaissez-vous à son visage, à ses entretiens? Il ne nomme plus chaque chose par son nom; il n'y a plus pour lui de fripons, de fourbes, de sots et d'impertinents: celui dont il lui échapperait de dire ce qu'il en pense, est celui-là même qui, venant à le savoir, l'empêcherait de *cheminer*; pensant mal de tout le monde, il n'en dit de personne; ne voulant du bien qu'à lui seul, il veut persuader qu'il en veut à tous, afin que tous lui en fassent, ou que nul du moins lui soit contraire. Non content de n'être pas sincère, il ne souffre pas que personne le soit; la vérité blesse son oreille: il est froid et indifférent sur les observations que l'on fait sur la cour et sur le courtisan; et parce qu'il les a entendues, il s'en croit complice et responsable. Tyran de la société et martyr de son ambition, il a une triste circonspection dans sa conduite et dans ses discours, une raillerie innocente, un ris forcé, des caresses contrefaites, une conversation interrompue et des distractions fréquentes. Il a une profusion, le dirai-je? des torrents de louanges pour ce qu'a fait ou ce qu'a dit un homme placé et qui est en faveur, et pour tout autre une sécheresse de pulmonique; il a des formules de compliments différents pour l'entrée et pour la sortie à l'égard de ceux qu'il visite ou dont il est visité; et il

---

[58] Nous adoptons ici, de préférence à la traduction d'Amelot, celle, plus fidèle, que V. Bouillier a proposée dans son article sur « Baltasar Gracián et Nietzsche », *Revue de littérature comparée*, VI (1926), p. 397.

n'y a personne de ceux qui se payent de mines et de façons de parler qui ne sorte d'avec lui fort satisfait. Il vise également à se faire des patrons et des créatures; il est médiateur, confident, entremetteur: il veut gouverner. Il a une ferveur de novice pour toutes les petites pratiques de cour; il sait où il faut se placer pour être vu; il sait vous embrasser, prendre part à votre joie, vous faire coup sur coup des questions empressées sur votre santé, sur vos affaires; et pendant que vous lui répondez, il perd le fil de sa curiosité, vous interrompt, entame un autre sujet; ou s'il survient quelqu'un à qui il doive un discours tout différent, il sait, en achevant de vous congratuler, lui faire un compliment de condoléance: il pleure d'un œil, et il rit de l'autre. Se formant quelquefois sur les ministres ou sur le favori, il parle en public de choses frivoles, du vent, de la gelée; il se tait au contraire, et fait le mystérieux sur ce qu'il sait de plus important, et plus volontiers encore sur ce qu'il ne sait point (*De la Cour*, 62).

C'est donc aussi la laideur de la grimace, signe extérieur de l'impureté profonde, que La Bruyère dénonce. « Un homme qui sait la cour est maître de son geste, de ses yeux et de son visage; il est profond, impénétrable; il dissimule les mauvais offices, sourit à ses ennemis, contraint son humeur, déguise ses passions, dément son cœur, parle, agit contre ses sentiments. Tout ce grand raffinement n'est qu'un vice, que l'on appelle fausseté... » (*ibid.*, 2). Mais décrié comme hideux ou accepté comme nécessaire, tel est l'ordre des choses dans la société. Voyage ou songe, la vie est là dans son urgence. Confronté à l'évidence et à la fatalité de l'existence, que fera le moi? A ce problème *existentiel*, un Chamfort ne verra que deux solutions possibles:

L'homme du monde, l'ami de la fortune, même l'amant de la gloire, tracent tous devant eux une ligne directe qui les conduit à un terme inconnu. Le sage, l'ami de lui-même, décrit une ligne circulaire, dont l'extrémité le ramène à lui. C'est le *totus teres atque rotundus* d'Horace [59].

La ligne et le cercle: ce sont aussi, avec des variantes intéressantes pourtant, les solutions de Gracián et de La Bruyère.

C. — LE MOI: DOMINER OU ROMPRE?

Exceptionnellement, La Bruyère semble avoir du moi une conception que ne désavoueraient pas Gracián ni les théoriciens plus récents de la volonté de puissance. Discrètement formulées dans de longs passages, moins frappantes encore du fait de leur nombre insignifiant par rapport à la masse des *Caractères*, ces quelques remarques projettent pourtant sur « tout l'intérieur de l'homme » un jour impitoyable, et leur auteur, trop souvent taxé de penseur médiocre, s'y montre d'une lucidité singulièrement « moderne ». La plus remarquable de ces observations présente l'humanité tout entière asservie à l'instinct le plus brut: « Tous les hommes ... cultivent ... pendant tout le cours de leur vie, un désir secret et enveloppé de la mort d'autrui »

---

[59] Chamfort, *Maximes et Pensées, Caractères et Anecdotes*, éd. P. Grosclaude (Paris: Imprimerie nationale, 1953), tome I, p. 163.

(*Des Biens de f.*, 70): les *Caractères* vont ici plus loin que n'était jamais allé l'*Homme de cour*. « Celui qui s'empêche de souhaiter que son père y passe bientôt est homme de bien », lit-on un peu plus haut, ce qui, compte tenu de ce qu'après la vertu, « ce qu'il y a au monde de plus rare, ce sont les diamants et les perles » (*Des Jugements*, 57), peut laisser rêveur sur le degré d'humanité des « hommes » [60]. Non seulement notre moi bénéficie de toute notre indulgence — « les mêmes défauts qui dans les autres sont lourds et insupportables sont chez nous comme dans leur centre » (*ibid.*, 72) — mais, comme chez Gracián, le moi veut, aux moindres frais, forcer autrui à plier: « L'on veut des dépendants, et qu'il n'en coûte rien » (*Du Cœur*, 51). Mais cette domination sans contrepartie, pour La Bruyère (au contraire de Gracián), ne saurait exister, et il a noté les concessions auxquelles le moi se prête pour pouvoir régner: « Les hommes veulent être esclaves quelque part, et puiser là de quoi dominer ailleurs » (*De la Cour*, 12): on n'est pas loin, ici, de la « pantomime des gueux » du Neveu de Rameau. Le moi sert, dans les rapports sociaux, de référence unique: « Estimer quelqu'un, c'est l'égaler à soi » (*Des Jugements*, 71). Cette dernière observation n'est guère originale. Mais en voici encore une, à laquelle l'auteur confère la portée la plus générale. Ces rapports de force dans un tableau de la société sont sans doute, après un H. de Balzac, chose familière. Mais au XVIIe siècle — songeons à Racine — on peint surtout des tensions à l'intérieur d'un cercle étroit: la vision de l'humanité dans son ensemble régie par cette agressivité élémentaire est plus rare, et La Bruyère y révèle un aspect peu connu de sa pensée:

> Il se fait généralement dans tous les hommes des combinaisons infinies de la puissance, de la faveur, du génie, des richesses, des dignités, de la noblesse, de la force, de l'industrie, de la capacité, de la vertu, du vice, de la faiblesse, de la stupidité, de la pauvreté, de l'impuissance, de la roture et de la bassesse. Ces choses, mêlées ensemble en mille manières différentes, et compensées l'une par l'autre en divers sujets, forment aussi les divers états et les différentes conditions. *Les hommes d'ailleurs, qui tous savent le fort et le faible les uns des autres,* agissent aussi réciproquement comme ils croient le devoir faire, connaissent ceux qui leur sont égaux, sentent la supériorité que quelques-uns ont sur eux, et celle qu'ils ont sur quelques autres; et de là naissent entre eux ou la familiarité, ou le respect et la déférence, ou la fierté et le mépris (*De l'Homme*, 131).

Mais La Bruyère ne peint pas seulement le moi du mouvement, de la mêlée. « Du Mérite personnel », « Du Cœur » par exemple, sont des chapitres où il tente de saisir le moi selon la « nature »: celui du visage derrière le masque, ou encore celui du sage qui, refusant de « courir où les autres courent » [61], trouve, dans cet arrêt et ce refus, une vérité que n'ont pu corrompre les valeurs fausses. De la même façon, « De l'Homme » s'oppose à des chapitres comme « De la société et de la conversation » ou « Des Biens de fortune » en ce qu'il « isole » généralement le personnage pour

---

[60] Il est vrai qu'ici nous paraphrasons le N° 57 du chapitre « Des Jugements », qui traite en fait de « l'esprit de discernement ». Nous ne pensons pourtant pas trahir la pensée de La Bruyère dans notre comparaison: voyez *Du Mérite personnel*, 20, et *De la Mode*, 31, *in fine*.
[61] *De la Cour*, 22.

mieux découvrir la personne. Précisément, comment La Bruyère voit-il ce moi profond que ne couvrent plus les fards ?

On note d'abord un manque de maîtrise: l'homme choisit de jouer tel ou tel personnage, mais la personne présente quelque chose de mobile, d'insaisissable. L'homme de La Rochefoucauld déjà, en apparence tout d'une pièce, était quelquefois « aussi différent de soi-même que des autres » [62]. La Bruyère parlera moins des « humeurs » et davantage du cœur et de ses « faiblesses ». Celui qui choisit d'appeler son livre *Les Caractères* écrit pourtant un jour: « Les hommes n'ont point de caractères, ou s'ils en ont, c'est celui de n'en avoir aucun qui soit suivi, qui ne se démente point, et où ils soient reconnaissables » (*De l'Homme*, 147). Si La Rochefoucauld, suivant la juste expression de P. Bénichou, a procédé à la « démolition du héros », La Bruyère va plus loin dans cette voie: le moi, impuissant à saisir « la raison de [ses] propres caprices » (*Des Jugements*, 14), perd toute identité nette. La personne n'est pas seulement une énigme pour le moraliste qui essaie de la « fixer », comme le peintre son modèle: « Tel homme au fond et en lui-même ne se peut définir ... il n'est point précisément ce qu'il est ou ce qu'il paraît être » (*De l'Homme*, 18); l'étonnement se porte aussi sur soi-même: notre moi nous échappe à notre insu et la maîtrise ne peut pas s'exercer sur l'étranger que l'homme devient à ses propres yeux. La Bruyère est, grâce à une sensibilité et à une lucidité qui ne se détruisent pas l'une l'autre, l'un des rares auteurs avant Proust qui aient décrit ce lent éloignement de soi, qui est autre chose que l'« égarement » du héros tragique dans une crise de la passion:

> Il y a des vices que nous ne devons à personne, que nous apportons en naissant, et que nous fortifions par l'habitude; il y en a d'autres que l'on contracte, et qui nous sont étrangers. L'on est né quelquefois avec des mœurs faciles, de la complaisance, et tout le désir de plaire; mais par les traitements que l'on reçoit de ceux avec qui l'on vit ou de qui l'on dépend, l'on est bientôt jeté hors de ses mesures, et même de son naturel: l'on a des chagrins et une bile que l'on ne se connaissait point, l'on se voit une autre complexion, l'on est enfin étonné de se trouver dur et épineux (*De l'Homme*, 15).

Comment l'homme peut-il espérer d'avoir quelque empire sur soi-même, s'il est le premier livré à l'étonnement ? (Aussi bien, on ne trouve nulle trace de pareilles surprises dans le « système » de Gracián, où tout est *prévu*). Un peu plus loin dans le même chapitre, on retrouve cet homme qui doit renoncer à la maîtrise parce que la vie l'a « altéré » et qu'il demeure perplexe devant cet « autre »: « Tout est étranger dans l'humeur, les mœurs et les manières de la plupart des hommes. Tel a vécu pendant toute sa vie chagrin, emporté, avare, rampant, soumis, laborieux, intéressé, qui était né gai, paisible, paresseux, magnifique, d'un courage fier et éloigné de toute bassesse: les besoins de la vie, la situation où l'on se trouve, la loi de la nécessité forcent la nature et y causent ces grands changements » (*De l'Homme*, 18).

Ce manque d'empire sur soi fait que l'homme, souvent, est conduit quand il croit se conduire. L'irrationnel, le hasard décident pour lui, les mouve-

---

[62] La Rochefoucauld, éd. cit., maxime 135.

ments de son cœur échappent à son contrôle: « L'on n'est pas plus maître de toujours aimer qu'on l'a été de ne pas aimer » (*Du Cœur*, 31). L'homme, de la sorte, ne « fait » pas son destin, il est impuissant à soumettre les choses de la vie à un ordre qu'il désire; le manque de maîtrise se traduit alors par l'échec, comme dans ces lignes qui font songer à un navire abandonné aux vents: « Les hommes souvent veulent aimer, et ne sauraient y réussir: ils cherchent leur défaite sans pouvoir la rencontrer, et, si j'ose ainsi parler, ils sont contraints de demeurer libres » (*ibid.*, 16).

La direction de son destin échappe donc à l'homme. Mais ce ne sont pas seulement « les besoins de la vie », « la loi de la nécessité », causes extérieures, qui portent atteinte à la vigueur et à la cohérence du moi. De l'intérieur, d'autres causes contribuent à miner son autorité. Les « limites » du cœur, et ses « faiblesses »: « Cesser d'aimer, preuve sensible que l'homme est borné, et que le cœur a ses limites. C'est faiblesse que d'aimer; c'est souvent une autre faiblesse que de guérir » (*Du Cœur*, 34); faiblesse du cœur, encore, qui peut mener aux plus insignes trahisons: « Il devrait y avoir dans le cœur des sources inépuisables de douleur pour de certaines pertes. Ce n'est guère par vertu ou par force d'esprit que l'on sort d'une grande affliction: l'on pleure amèrement, et l'on est sensiblement touché; mais l'on est ensuite si faible ou si léger que l'on se console » (*ibid.*, 35).

Mais aussi, parmi ces raisons qui, de l'intérieur sapent le pouvoir du moi, le rendent incapable de gouverner un destin, il est juste de tenir compte (tant elles sont rares) de ces autres faiblesses du cœur qui constituent la bonté: « Une grande âme est au-dessus de l'injure, de l'injustice, de la douleur, de la moquerie; et elle serait invulnérable si elle ne souffrait par la compassion » (*De l'Homme*, 81). Autrui n'arrête pas l'homme de Gracián: la domination ne peut s'exercer que dans la mesure où le malheur même d'autrui laisse le moi indifférent. La Bruyère, ici encore, a laissé parler son cœur: « Il y a une espèce de honte d'être heureux à la vue de certaines misères » (*ibid.*, 82).

Cet aspect « sensible » de sa morale, par lequel La Bruyère annonce les maîtres de la sensibilité au XVIIIᵉ siècle, ressort mieux encore d'une comparaison avec la pensée de Gracián. L'idée fondamentale est ici celle d'un combat: « La vie humaine est un combat contre la malice de l'homme même » (13). (Le texte espagnol est plus saisissant, qui dit: « Milicia es la vida del hombre contra la malicia del hombre ».) C'est ce qu'affirmait déjà le *Livre de Job* (VII, 1). Mais chez Gracián, au lieu de marquer un aboutissement, cette constatation va, elle aussi, être soumise à la « raison » pour que celle-ci, sur le plan pratique, en déduise toutes les conséquences qui paraissent logiques ou, à leur manière, « naturelles ». Ces rapports de force entre les hommes ne sont qu'une autre *donnée*, à laquelle il ne convient pas que le cœur s'arrête. Critilo ne décrira-t-il pas l'homme comme le plus bestial des animaux? « Il n'est loup, ni lion, ni tigre, ni basilic, dira-t-il, que l'homme ne surpasse en cruauté [63]. » Autrui est donc toujours insé-

---

[63] *Criticón*, I, 4, p. 152.

parable du moi dans la pensée de Gracián, alors que La Bruyère étudie l'homme tantôt comme entité, tantôt comme membre de la société. Dans l'*Oráculo*, ce sont ces rapports âpres entre le moi et autrui qui doivent retenir notre attention car voilà la guerre ouverte entre les hommes, pour parler comme Pascal.

Rien d'étonnant, donc, à ce que Gracián emprunte souvent à la langue militaire ses images: il enseigne la « grande règle de vivre et de vaincre » (212). Ici il demande qu'on manie l'esprit comme une « épée » (54), là que l'on sache « s'emparer » du cœur d'autrui (111) ou élever une « contre-batterie » (207) pour « frapper au but » (161). Les fréquentes allusions au jeu et aux joueurs (17, 38, 98) ne doivent être considérées que comme des variations stylistiques sur ce thème, le but restant de « trouver le faible de chacun » et de « vaincre » (26 et 165). Combat ou jeu, il serait aisé d'opposer à ces conceptions de l'existence celle de La Bruyère, qui considérait l'une et l'autre activité également « barbares » (*Des Biens de f.*, 71). Mais pour Gracián, vaincre étant le but assigné au moi, la sensibilité n'est pas seulement un luxe inutile. « En s'humanisant, l'on s'attire du mépris », dit-il (177). Celui qui laisse parler son cœur peut sans doute avoir « bon naturel »: le « bon esprit » lui fait défaut (163). Bien plutôt, c'est d'une véritable faute qu'il s'agit: « Il pèche contre soi-même » (64). C'est ici que la comparaison avec La Bruyère devient éloquente. Il y a une « philosophie », lit-on dans les *Caractères*, qui nous oblige, contre nos goûts, à désirer, à demander, à solliciter, à importuner, mais en faveur de nos proches ou de nos amis: de toutes les philosophies, « c'est la meilleure » (*Des Jugements*, 69). Mais Gracián: « Il n'y a point de contagion plus dangereuse que celle des malheureux », et il conseille de « s'écarter » d'eux (31). « Il y a du plaisir à rencontrer les yeux de celui à qui l'on vient de donner », dit La Bruyère (*Du Cœur*, 45). Chez Gracián, autrui sert de moyen: « Savoir détourner les maux sur autrui... Il doit y avoir un bouc émissaire, qui serve de but à tous les coups, et porte les reproches de toutes les fautes et de tous les malheurs, aux dépens de sa propre ambition » (149; cf. aussi 187). L'ambition, âme du moi, ne se contente plus de la dissimulation: l'illusion est orchestrée en une mise en scène où le moi dispose autrui afin de s'imposer lui-même: « Ne t'approche jamais de qui te peut éclipser, mais bien de qui te peut servir de lustre » (152). Car le moi est entouré de regards inquisiteurs, le « vulgaire » a beaucoup d'yeux (86) et l'Envie est un Argus (83). Notons en passant cette omniprésence des yeux dans l'univers gracianesque, et cette sorte de dédoublement d'Argus. L'« homme judicieux et pénétrant » (49) est, on le sait, un Argus lui-même, mais il est toujours sous le regard d'autrui, dont la malice est sans cesse « aux aguets » (17). « Moi, dira Critilo, si j'avais à ajouter des yeux, je les placerais plutôt sur chaque côté du visage, au-dessus des oreilles, et bien ouverts pour voir qui s'accote à nous, qui cherche à se faire notre ami, de sorte que tant de gens ne périraient pas d'une attaque de côté [64]. » Ainsi, la première fonction des yeux est encore d'ordre « mili-

---

[64] *Criticón*, I, 9, p. 271. Nous adoptons la traduction de V. Bouillier: *Baltasar Gracián: Pages caractéristiques*, précédées d'une étude critique par A. Rouveyre, traduction originale et notices par V. Bouillier (Paris: Mercure de France, 1925), p. 237.

taire », tout comme la « mise en scène » dont nous parlions n'est, bien considérée, qu'une stratégie de plus.

Tandis que chez La Bruyère, le prestige du moi était miné, de l'intérieur par le cœur et ses faiblesses, de l'extérieur par « la loi de la nécessité », l'homme de Gracián peut faire face, ses forces n'échappent pas à son propre contrôle. Il est *déterminé*, alors que dans les *Caractères*, l'homme apparaît la plupart du temps *défait*. Toutes les forces de l'« homme de cour » sont mobilisées : il est tendu vers son but, et dans cette concentration, cette unité, il puise un supplément de vigueur. L'homme des *Caractères* n'est pas le foyer d'une telle tension, à moins, précisément, qu'il n'ait un but — la faveur, la fortune — mais alors, dira La Bruyère, « de telles gens ne sont ni parents, ni amis, ni citoyens, ni chrétiens, ni peut-être des hommes : ils ont de l'argent » (*Des Biens de f.*, 58). « Ni peut-être des hommes » : la boutade cache à peine le véritable problème : l'homme peut-il vivre pour un but qui ne compromette pas sa dignité ? Il y a bien cette « vertu » dont les *Caractères* parlent à presque chaque page, mais on verra ce que peut signifier l'abus même du mot. On peut se demander aussi si, chez Gracián, le but est premier et s'impose à l'homme, ou si ce qui précède est cette faculté de s'abstraire, de tendre de toutes ses forces vers la maîtrise d'autrui et de soi. On ne voit pas que, dans l'*Homme de cour*, la nécessité de la domination apparaisse autrement que comme une évidence. Si discipline, voire ascèse (toute mondaine) il y a, c'est seulement pour réaliser le « projet de maîtrise » (nous employons à dessein la terminologie dont se sert S. Doubrovsky pour décrire le héros cornélien). Jamais le moi ne s'interroge sur la nature de sa vocation.

Il est frappant de constater à quel point un précepte qui relève de la même tradition — le connais-toi toi-même — sert à fonder, chez les deux moralistes, une sagesse toute différente. Chez La Bruyère, faute de se connaître, une sorte de démesure s'empare de certains êtres. C'est ce qui donne un air de ressemblance à des personnages à première vue aussi divers qu'*Irène*, *N***, *Télèphe*, *Emire*, et d'autres [65]. Le peu d'attention qu'apportent la plupart des hommes à s'approfondir n'est pas loin de scandaliser l'auteur des *Caractères*, pour qui se connaître est d'abord prendre conscience de sa faiblesse. (Il parlera de notre « misère », comme Pascal, et des « maladies de l'âme » comme les stoïciens [66].) La connaissance de soi, seule, retiendra l'homme, en fin de compte, de « forc[er], pour ainsi dire, [sa] destinée » (*Des Biens de f.*, 62). Chez Gracián, cette connaissance forme aussi la base du « vrai savoir » qu'est « savoir vivre » (232). Mais elle est recherchée dans un but tout différent. « L'on ne saurait être maître de soi-même, que l'on ne se connaisse à fond » (89). Cette maîtrise de soi n'est encore qu'une étape intermédiaire : « Celui qui sera le maître de soi-même, le sera bientôt des autres » (55). De moyen, autrui est devenu fin.

Bien qu'autrui et le moi soient généralement en situation de belligérance, ce n'est pas, on s'en doute, la grossière violence qui règle leurs conflits. Une nouvelle fois, l'homme de Gracián recourt à la raison, et lui demande

---

[65] *De l'Homme*, 35, 124, 141 ; *Des Femmes*, 81.

[66] *Des Jugements*, 41 ; *Des Grands*, 51.

des « artifices ». Plus il est habile, plus il a soin de fuir l'affrontement direct qui pourrait être meurtrier pour lui-même. Le meilleur combattant évite le heurt et s'insinue. Le moi s'empare de son adversaire par la connaissance : celle d'autrui fait contrepoint à celle de soi : « Discerner les esprits ; et par une transformation politique, entrer dans l'humeur et dans le caractère de chacun » (77). C'est d'une appropriation de la volonté d'autrui qu'il s'agit, et celle-ci s'opère par une captieuse identification : « Sage est le Protée, qui est saint avec les saints, docte avec les doctes... » (77). Le je s'identifie à l'autre pour établir sa suprématie sur lui de l'intérieur : « C'est l'art de manier les volontés, et de faire venir les hommes à son but. Il y va plus d'adresse que de résolution, à savoir par où il faut entrer dans l'esprit de chacun » (26). Rien ne fait mieux comprendre cette tactique que les titres des maximes 144 et 193 : « Entrer sous le voile de l'intérêt d'autrui, pour rencontrer après le sien. » — « Veille de près sur celui qui entre dans ton intérêt, pour sortir avec le sien. » Les manœuvres, sur les deux fronts, sont complémentaires : le moi pénètre dans la volonté adverse et fait de la sienne une place forte. La violence a cédé la place à la « finesse », mais l'art de la guerre demeure inchangé.

A cette primauté de la raison, La Bruyère souscrirait volontiers, mais il lui assigne un autre rôle. C'est elle qui devrait avertir, mettre en état d'alerte : « Comme toute disgrâce peut leur [aux hommes] arriver, ils devraient être préparés à toute disgrâce » (De l'Homme, 23). C'est en elle qu'il faut chercher la force d'affronter les passions, de rejeter les justifications spécieuses : « Mille gens se ruinent au jeu, et vous disent froidement qu'ils ne sauraient se passer de jouer : quelle excuse !... Ne faut-il pas quelquefois se faire une plus grande violence ? » (Des Biens de f., 75). C'est à un effort encore qu'invite cette remarque : « Il n'y a rien qui rafraîchisse le sang comme d'avoir su éviter de faire une sottise » (De l'Homme, 60). Il est même arrivé au grand admirateur de Descartes qu'a toujours été La Bruyère de subordonner toute la morale à la raison : « Un homme sage ... veut que la raison gouverne seule, et toujours » (Du Cœur, 71). Dans tous ces cas il s'agit, sous la conduite de cette raison, d'un effort de soi sur soi. Telle est sans doute aussi l'attitude de l'« homme de cour », mais la plupart du temps, on l'a vu, l'empire sur soi-même, sous l'égide de la raison, ne fait que préparer le triomphe sur autrui.

Dans un apologue du Discreto, Gracián met en scène un âne, Jupiter et la Fortune. L'âne se plaint de la Fortune au maître des dieux. Celui-ci fait venir la Fortune, qui se justifie en disant : « Si c'est un âne, de qui se plaint-il ? » et Jupiter lui donne gain de cause [67]. C'est qu'en fait, la distinction nietzschéenne entre « seigneurs » et « troupeau » se trouve préfigurée chez Gracián : « héros » et « sages » ne l'emportent sur le « vulgaire » que pour avoir compris que « tout doit être fait par raison » (96). Celui qui n'abandonne jamais le « parti » de la raison (29) appartient à une élite, est affilié à une véritable société secrète : « S'il se communique quelquefois, ce n'est qu'à d'autres sages » (43). Le premier acte de l'homme raisonnable est de dissimuler sa qualité aux yeux du vulgaire. S'il lui importe de connaître

---

[67] *Discreto*, 23, p. 346.

ce vulgaire, c'est à l'unique fin de « pouvoir s'en délivrer » : « toute sottise tient de la nature du Vulgaire, et le Vulgaire n'est composé que de sots » (206) [68]. L'« homme de cour » est un aristocrate de la raison.

Rien n'illustre mieux la sensibilité dont La Bruyère pare le moi — dont il souhaiterait, plus exactement, que le moi, en plus de la raison, fût paré — que de comparer les réflexions des deux auteurs sur l'amitié. Le simple fait que l'on trouve dans les *Caractères* un chapitre intitulé « Du Cœur » a déjà son importance [69]. « Etre avec des gens qu'on aime, cela suffit ; rêver, leur parler, ne leur parler point, penser à eux, penser à des choses plus indifférentes, mais auprès d'eux, tout est égal », a écrit La Bruyère (*Du Cœur*, 23). A quoi Gracián aurait répondu : « Savoir user de ses amis. Dans les amis, il n'y faut pas chercher seulement le plaisir, mais encore l'utilité » (158). « Le plaisir le plus délicat est de faire celui d'autrui », poursuivrait l'auteur des *Caractères* (*De la Société et de la c.*, 16). Celui de l'*Oráculo* répondrait encore : « Connaître les gens heureux, pour s'en servir » (31). Il est juste, pourtant, d'ajouter que Gracián a, lui aussi, exalté l'amitié : « Avoir des amis, c'est un second être ; tout ami est bon à son ami ; entre amis tout est agréable » (111). Toutefois, le moi ne se livre, ne s'abandonne jamais vraiment : « Tu ne seras ni tout entier à personne, ni personne à toi. Ni le sang, ni l'amitié, ni la plus étroite obligation, ne suffisent pas pour cela, car il y va bien d'un autre intérêt, d'abandonner son cœur, ou sa volonté. La plus grande union admet exception, et même sans blesser les lois de la plus tendre amitié. L'ami se réserve toujours quelque secret, et le fils même cache quelque chose à son Père » (260). Dans la prudence il y a naturellement une part de méfiance ; mais surtout, la volonté perdrait sa force si pure, elle s'aliènerait, en ne restant pas profondément ensevelie : « Celui qui a confié son secret à un autre s'est fait son esclave » (237). L'un et l'autre moraliste ont examiné (ou redécouvert par leurs observations propres) l'attitude que définissait déjà cette sentence de Publius Syrus : « Ita amicum habeas, posse amicum fieri ut inimicum putes [70]. » Gracián la reprend entièrement à son compte : « Vis aujourd'hui avec tes amis, comme avec ceux qui peuvent être demain tes pires ennemis... A l'égard de tes ennemis, laisse toujours une porte ouverte à la réconciliation » (217). La Bruyère s'élève avec vigueur contre de telles équivoques : pour lui, dans les rapports du moi avec autrui, la Raison, tout en conservant ses droits, doit céder devant le cœur : « Vivre avec ses ennemis comme s'ils devaient un jour être nos amis, et vivre avec nos amis comme s'ils pouvaient devenir nos ennemis, n'est ni selon la nature de la haine, ni selon les règles de l'amitié ; ce n'est point une maxime morale, mais politique » (*Du Cœur*, 55).

De par les buts qu'il se propose — maîtrise et gloire — et sur lesquels il a sans cesse les yeux fixés, l'homme de Gracián est agissant, il s'oppose

---

[68] Cf. *Oráculo manual*, max. 43 ; *Criticón*, III, 6.

[69] La comparaison ne peut porter que sur l'amitié : sur l'amour, Gracián ne dit rien dans l'*Oráculo*. L'un et l'autre moraliste étaient misogynes, mais La Bruyère à un degré nettement moindre que Gracián, comme le montre, par exemple, *Criticón*, I, 12.

[70] Publius Syrus, éd. cit., p. 50.

au sage solitaire: il est toujours dans le monde, dans la société. C'est ce qu'a très bien vu l'un des traducteurs anglais de l'*Oráculo*, qui a rendu le titre du livre par « The Art of worldly wisdom ». C'est bien d'une sagesse toute mondaine qu'il s'agit, et non, comme le laisse entendre la traduction d'Amelot de la Houssaie, qui diminue très fâcheusement la portée de l'œuvre, de maximes à l'usage du seul « homme de cour ». Mais ce monde dans lequel l'homme de Gracián, tout comme les Jésuites, dont il tient déjà tant par ailleurs, est plongé, La Bruyère le rejette. Le moi, chez Gracián, est toujours en devenir. Il ne s'épanouit qu'en étant aux prises avec autrui et le monde. Les victoires entraînent sans fin d'autres affrontements, qui exigeront d'autres victoires, de sorte qu'on retrouve cette « ligne » dont parlait Chamfort, et qui n'est, pour La Bruyère, qu'un cercle vicieux. Car les *Caractères* laissent clairement entendre que le monde n'a pour effet que d'aliéner le moi.

Cette aliénation se produit sur deux plans. Il y a d'abord tout ce que La Bruyère qualifie de « mauvais emploi du temps » (*De l'Homme*, 46). « Qui considérerait bien le prix du temps, et combien sa perte est irréparable, pleurerait amèrement sur de si grandes misères », lit-on au chapitre « De la Ville » (20). Et ces « grandes misères » ne sont autres que les activités que le monde peut offrir. « L'esclave n'a qu'un maître; l'ambitieux en a autant qu'il y a de gens utiles à sa fortune » (*De la Cour*, 70). L'accent est souvent sur cet asservissement et l'emploi du terme « esclave » est fréquent [71]. C'est qu'au fond, La Bruyère ramène l'action au divertissement pascalien: « A quoi vous divertissez-vous? à quoi passez-vous le temps? » vous demandent les sots et les gens d'esprit. Si je réplique que c'est à ouvrir les yeux et à voir, à prêter l'oreille et à entendre, à avoir la santé, le repos, la liberté, ce n'est rien dire. Les solides biens, les grands biens, les seuls biens ne sont pas comptés, ne se font pas sentir. Jouez-vous? masquez-vous? il faut répondre » (*Des Jugements*, 104).

Ainsi compris, le chapitre « Des Biens de fortune », par exemple, n'est pas à mettre sur un autre plan que celui sur la cour. C'est une erreur de voir en La Bruyère un auteur qui a fait des observations satiriques tantôt sur un aspect de la société, tantôt sur un autre. Il y a une unité profonde dans son livre, et cette aliénation, toujours la même, mais dénoncée sous ses formes très diverses, constitue une idée-maîtresse, tout comme la connaissance de soi et l'importance du « cœur ». « Quelle perte infinie ne se fait pas dans le monde d'une chose si précieuse? » demandent encore les *Caractères* à propos du temps (*Des Jugements*, 101). Le monde, tel que l'homme l'a rendu, n'est plus digne de l'homme. Ce refus est général: seule, bien entendu, la vertu lui échappe:

Le sage guérit de l'ambition par l'ambition même; il tend à de si grandes choses, qu'il ne peut se borner à ce qu'on appelle des trésors, des postes, la fortune et la faveur: il ne voit rien dans de si faibles avantages qui soit assez bon et assez solide pour remplir son cœur, et pour mériter ses soins et ses désirs; il a même besoin d'efforts pour ne les pas trop dédaigner (*Du Mérite p.*, 43).

---

[71] *De la Cour*, 67, 69.

Deux remarques décrivent de la manière la plus frappante toute cette activité fébrile pour rien, en quoi consiste pour La Bruyère la vie de l'homme qui a fait choix du « monde ». On notera avec quelle régularité la somme des efforts fournis est toujours parfaitement nulle d'un point de vue arithmétique, ce qui, sur le plan de la morale, équivaut à des existences perdues, « négatives »: « La vie de la cour est un jeu sérieux, mélancolique, qui applique: il faut arranger ses pièces et ses batteries, avoir un dessein, le suivre, parer celui de son adversaire, hasarder quelquefois, et jouer de caprice; et après toutes ses rêveries et toutes ses mesures, on est échec, quelquefois mat » (*De la Cour*, 64); « Ce palais, ces meubles, ces jardins, ces belles eaux vous enchantent et vous font récrier d'une première vue sur une maison si délicieuse, et sur l'extrême bonheur du maître qui la possède. Il n'est plus; il n'en a pas joui si agréablement ni si tranquillement que vous: il n'y a jamais eu un jour serein, ni une nuit tranquille; il s'est noyé de dettes pour la porter à ce degré de beauté où elle vous ravit. Ses créanciers l'en ont chassé: il a tourné la tête, et il l'a regardée de loin une dernière fois; et il est mort de saisissement » (*Des Biens de f.*, 79). Une lecture attentive de La Bruyère montre que, si les personnages de la comédie changent, leur erreur est toujours la même. Dans la galerie de portraits des *Caractères*, les visages ont un certain air de famille. Les ridicules, les travers sont différents, sans doute, mais à tous il est reproché de faire du temps de la vie un usage qui les rend étrangers à leur condition d'homme.

L'autre aspect de cette aliénation du moi, d'ailleurs complémentaire du premier, est celui de la laideur morale. Le monde dégrade le moi, le dépouille de tout sentiment humain, favorise « l'oubli, la fierté, l'arrogance, la dureté, l'ingratitude » (*De la Cour*, 51). C'est, de nouveau, un rappel aux devoirs du cœur. « L'on voit des gens enivrés, ensorcelés de la faveur; ils y pensent le jour, ils y rêvent la nuit; ... Pressez-les, tordez-les, ils dégouttent l'orgueil, l'arrogance, la présomption; vous leur adressez la parole, ils ne vous répondent point, ils ont les yeux égarés et l'esprit aliéné » (*ibid.*, 61). L'étonnement que le moi ressentait dans ces moments privilégiés où il redevenait capable de se juger lui-même, La Bruyère l'a toujours éprouvé devant la « férocité » avec laquelle « les hommes traitent d'autres hommes » (*De l'Homme*, 127). Seules une disgrâce, une mortification parviennent à rendre le moi plus traitable. L'on songe à ce roi dont parle Pascal dans le *Premier Discours sur la condition des grands*: ce qu'attend La Bruyère du moi, c'est cette même « double pensée » par laquelle il « reconnaisse son état véritable » et se rende à sa « condition naturelle ».

Ainsi, tout concourt pour rendre la tâche de la raison, qui devait gouverner « seule, et toujours », bien ardue. Face au moi parfaitement cohérent, discipliné, déterminé de l'« homme de cour », l'homme des *Caractères* (entendons: celui que ne sombre pas, qui lutte pour sa dignité) est généralement hésitant, passif, cantonné dans une attitude négatrice. Il manque d'appétit de vivre. Il est peu fait pour la vie et ses nécessités; les mouvements de son cœur, qu'il ne s'explique pas toujours, ont tendance à le conduire. Le monde lui propose des valeurs auxquelles il ne parvient pas à croire, il veut préserver son intégrité, sa probité, et refuse ces valeurs « mondaines ». Il n'apparaît pas heureux pour autant, mal résigné plutôt (comme La Bruyère lui-même, qui se venge en écrivant). Le temps qu'autrui passe à « cheminer », il le dépense à rechercher l'équilibre très précaire, très rarement atteint, entre les exigences de sa raison, les aspirations de son cœur, les tentations du monde. Il choisit une voie différente de celle des autres, et tire de son choix une fierté qui le laisse encore insatisfait. Il méprise — « Qui méprise la cour, après l'avoir vue, méprise le monde » [72] — et souffre tout à la fois. Quand il a fait le tour de lui-même, comme dirait Camus, et qu'il s'est longuement interrogé sur le sens qu'il peut donner à sa vie dans ce monde, il n'est guère plus avancé. Finalement, il entrevoit deux solutions, deux règles, auxquelles il ne se tiendra naturellement pas. Il les adoptera tour à tour, et chacune l'aidera un peu à vivre. Ce sont les consolations du mérite personnel et le choix de tous le plus radical: la rupture.

Le sentiment du mérite personnel résulte d'un renversement des valeurs. Frustré, le moi se replie sur lui-même et donne tort au monde qui l'a mal compris, mal apprécié, mal accueilli. Le cœur et l'esprit trouvent quelquefois à ce compte la sérénité: alors la conscience du mérite personnel est décorée du beau nom de philosophie. La Rochefoucauld avait déjà démonté ce mécanisme par lequel l'insatisfait se décerne des titres de gloire que le monde lui a refusés: « Le mépris des richesses était dans les philosophes un désir caché de venger leur mérite de l'injustice de la fortune par le mépris des mêmes biens dont elle les privait; c'était un secret pour se garantir de l'avilissement de la pauvreté; c'était un chemin détourné pour aller à la considération qu'ils ne pouvaient avoir par les richesses [73]. »

Il entre donc de l'orgueil dans cette attitude et dans cette folie qui consiste à vouloir être sage tout seul. Le moi s'exalte lui-même, une certaine démesure s'empare de lui à son tour, il rapporte tout à soi et ne compte plus que sur lui: « Se faire valoir par des choses qui ne dépendent point des autres, mais de soi seul: maxime inestimable... » (Du Mérite p., 11). Juge unique de ses actes, le moi construit un monde, une société fictifs, qu'il porte en lui, dont la fonction est de l'approuver, de reconnaître enfin sa valeur. Le désir d'être reconnu habite donc même les « philosophes » et la remarque déjà citée — « Les hommes veulent être esclaves quelque part, et puiser là de quoi dominer ailleurs » (De la Cour, 12) — trouve sa confirmation aux dépens du moraliste lui-même. Car celui-ci accepte le divorce, la cassure avec autrui, du moment qu'il parvient à reconstituer en lui une voix qui ne se confond pas tout à fait avec la voix de la conscience, mais qui est duperie de l'amour-propre, et qui le dédommage du concert d'éloges que la société réelle lui refuse. Mais gardons-nous d'expliquer tout par cette ruse qu'avant les psychanalystes avait observée La Rochefoucauld. Car il serait injuste de ne pas tenir compte de la laideur du monde et des erreurs d'autrui très « objectives » que le moi épris de pureté peut remarquer autour de lui. Par là, le sentiment et la conscience du mérite personnel, outre l'apaisement qu'ils procurent et la pureté dont ils témoignent, peuvent conduire, en morale, aux vraies révolutions: La Bruyère, de la sorte, a fait quelques pas sur une voie royale que foulera Rousseau.

---

[72] De la Cour, 100.
[73] La Rochefoucauld, éd. cit., maxime 54.

Si le mérite personnel constitue une forme déjà élaborée du refus et peut contribuer à créer une morale à son tour personnelle, on trouve aussi dans les *Caractères* des réations plus viscérales ou brutales: fuite ou rupture. La tentation de fuir, que le moi épris de dignité connaît à plusieurs reprises, marque un dégoût élémentaire que La Bruyère n'a pas toujours su ou voulu voiler par l'ironie: « Parler et offenser, pour de certaines gens, est précisément la même chose. Ils sont piquants et amers; leur style est mêlé de fiel et d'absinthe: la raillerie, l'injure, l'insulte leur découlent des lèvres comme leur salive... Ce que l'on peut faire de mieux, d'aussi loin qu'on les découvre, est de les fuir de toute sa force et sans regarder derrière soi » (*De la Société et de la c.*, 27; cf. *ibid.*, 29; *Des Biens de f.*, 35). Enfin, les noms sous lesquels le moraliste se met en scène — *Héraclite, Antisthène* — sont ceux de philosophes qui, s'accommodant mal au monde, enseignent la rupture: son *Démocrite* même n'offre pas un contraste réussi avec *Héraclite*[74]. Ainsi apparaît le thème du renoncement: « Celui qui un beau jour sait renoncer fermement ou à un grand nom, ou à une grande autorité, ou à une grande fortune, se délivre en un moment de bien des peines, de bien des veilles, et quelquefois de bien des crimes » (*De la Cour*, 98). Le passage qu'on vient de lire date de la première édition. Dans une des dernières additions à son livre, La Bruyère notera simplement: « Le monde ne mérite point qu'on s'en occupe » (*Des Jugements*, 75). C'est une formule beaucoup plus sèche: peut-être le divorce est-il cette fois total.

Pourtant, retiré en lui-même, ayant rompu avec le monde et rejeté les valeurs qui ont cours, le moi du « philosophe » ne semble pas connaître cette sérénité, cette plénitude dont parlera Chamfort: il ne se suffit pas. Il n'y a, d'autre part, aucun élément d'égotisme dans les *Caractères*, rien, non plus, qui annonce un quelconque culte du moi. Une blessure subsiste, en dépit du subtil mécanisme de défense du mérite, en dépit de la rupture, solution presque extrême dans un siècle à vocation essentiellement mondaine. Dès lors, face à la permanence de cette blessure, une seule question demeure: qu'est-ce donc que la sagesse?

D. — LA MORALE:
L'AUTRE MONDE OU LE TRIOMPHE DE L'ILLUSION ?

Si nombreuses que soient les différences entre La Bruyère et Gracián — on examinera pour finir les plus significatives — il importe de ne point négliger ce qui les apparente. Volontiers nous parlerions ici de la distance du moraliste par rapport à son sujet. Ainsi La Bruyère et Gracián sont tous deux davantage spectateurs qu'acteurs. Leur sagesse n'est pas d'ordre contemplatif, c'est une connaissance *a posteriori*. Tous deux procèdent à une enquête sur l'homme, mais ont peu vécu les vies qu'ils exaltent ou

---

[74] *Des Jugements*, 21, 118, 119.

dénigrent. Ils n'ont été mêlés à l'action que fortuitement, comme Gracián à la bataille de Lérida; dans ces cours qui sont au centre de leurs préoccupations, ils ne sont entrés que par la petite porte, comme La Bruyère dans la maison de Condé. Tous deux, de gré ou de force, ont été amenés à être surtout des témoins: par les conseils, les « caractères » et les maximes qu'ils accumulent, chacun porte témoignage sur la difficulté de vivre. D'autre part, le moraliste, qui parle généralement après coup, est presque toujours hors du coup. Gracián a 46 ans quand paraît l'*Oráculo*, La Bruyère en a 42 au moment de la première édition des *Caractères*. C'était, à l'époque, le seuil de la vieillesse; l'un et l'autre ne vivront plus qu'une dizaine d'années. Distance, encore, dans ces engagements que le moraliste invite constamment son lecteur à prendre, et qui font songer au vieux proverbe: « Les meilleurs pilotes se tiennent sur la rive. » Il est facile à Gracián de prôner l'art de se contenir: « Cela ne sera pas difficile à l'homme prudent », de recommander la modération: « C'est avec cette réflexion dominante, qu'il faut entrer en colère, et puis y mettre fin » (155). Mais qui ne voit que le moraliste en prend ici à son aise avec tout l'impondérable, tout le détail de l'existence, avec cette contrariété précise, quoique minime, qui provoque tout l'éclat de l'homme coléreux? La distance, ici, devient simplification, le moraliste façonne l'homme à sa guise (et c'est où il devient inférieur au romancier, qui se contente de prendre des libertés avec une intrigue). La Bruyère, il est vrai, a su éviter de figer la nature humaine, il enseigne justement que l'impassibilité n'est qu'un leurre (*De l'Homme*, 3); mais d'un autre côté, par toutes les fins de non-recevoir qu'il oppose au monde, il prend par rapport aux hommes une distance qui le retranche de leur communauté. Enfin, un dernier trait que ces deux auteurs ont en commun, trait d'ailleurs distinctif des moralistes, est le parti qu'ils ont pris de peindre l'homme comme un être essentiellement conditionné et dépendant. La distance, cette fois, est prise par rapport à la religion. Car le moraliste examine toujours l'homme de l'ici-bas, formé ou déformé par « les mœurs de ce siècle », dans la société de ses semblables: pays, condition, environnement politique et social, toutes ces données sont prises en considération, fût-ce implicitement et quand bien même l'auteur se livre à des généralisations. La plupart des religions, au contraire, isolent l'homme et énoncent des lois, des décalogues valables pour tous, indépendamment de l'époque ou du milieu. Le moraliste enseigne une sagesse seconde, née de l'expérience et de l'observation. Il peut ressembler au sermonnaire, mais sa sagesse est toujours née dans le monde, non envoyée d'en haut. A quelques exceptions près — et Gracián, précisément, en est une — le moraliste est laïc, et peut-être pourrait-on le définir comme un prêtre sans dieu, le défenseur d'une religion expérimentale et non plus révélée. A l'époque classique, cependant, le cas est fréquent où une synthèse est opérée entre cet humanisme et le christianisme, dont toute pensée, même fortement indépendante, était tributaire. C'est principalement sous ce point de vue que, pour finir, on comparera les *Caractères* et l'*Homme de cour*.

Le système de Gracián semble, de prime abord, diamétralement opposé aux préceptes évangéliques, et se relier, bien plutôt, à la doctrine de Machiavel. « Il est évident que la lecture de l'*Oráculo* ne donne pas l'impression d'un ouvrage écrit par un religieux, observe A. Coster, mais, si l'auteur avait pour objet de donner les règles de la prudence mondaine, peut-on s'étonner qu'il ait omis de les fonder sur la vertu ? Il leur a donné comme base l'intérêt: aussi semblent-elles égoïstes, sèches, d'un âpre pessimisme, si l'on admet que l'humanité se compose d'un nombre infini d'imbéciles exploités par quelques malins. Ainsi les entendront un Schopenhauer ou un Nietzsche, parce qu'ils prendront comme règles de morale ces préceptes de sagesse mondaine [75]. » A propos du *Héros*, le même critique avait déjà tenté d'établir que « peut-être aussi cédait-il [Gracián] au désir, qui semble avoir possédé ses confrères, de combattre et de réfuter le *Prince* de Machiavel, en montrant que les lois du succès ne sont pas en opposition avec celles de la morale » [76]. Voilà une interprétation claire de l'œuvre du Jésuite, un plaidoyer en faveur de son caractère « moral », mais qui fait bon marché des « lectures » bien différentes des deux maîtres allemands et d'autres excellents esprits. Il est vrai que dans le *Criticón*, Gracián qualifie la doctrine du *Prince* de « raisons, non d'Etat, mais d'étable » [77]. Mais d'autre part, que conclure d'une maxime comme: « Le vainqueur n'a point de compte à rendre... Une heureuse fin couronne tout, quoiqu'on se soit servi de faux moyens pour y arriver » (66), sinon que la fin justifie les moyens ? Et quand on lit: « Se couvrir de la peau du renard, quand on ne peut pas se servir de celle du lion » (220), ne faut-il pas entendre que la force et la ruse priment sur le droit ? Même impression au numéro 187: « Les Causes supérieures n'opèrent jamais, qu'il ne leur en revienne ou louange, ou récompense. Que le bien vienne immédiatement de toi et le mal par un autre. Prends quelqu'un sur qui tombent les coups du mécontentement, c'est-à-dire, la haine et les murmures. Il en est du Vulgaire, comme des chiens: faute de connaître la cause de son mal, il jette sa rage sur l'instrument; en sorte que l'instrument porte la peine d'un mal, dont il n'est pas la cause principale.» Aussi bien, malgré P. Mesnard qui l'accuse de « pousser violemment [Gracián] dans la direction du machiavélisme à talons rouges cher à Maurice Merleau-Ponty » [78], ne pouvons-nous rejeter ces rapprochements de V. Jankélévitch: « Comme le politique florentin écrivait un art de sembler et simuler, ainsi le jésuite aragonais voudra fonder un «arte de prudencia »... Il distingue la substance et la circonstance, l'essence et l'apparence, la chose et la manière: c'est l'extérieur qui fait connaître l'intérieur, étant perçu le premier; le comment sucre et adoucit le non, qui devient ainsi plus caressant qu'un oui. Juguler les mouvements de son cœur; ne se point ouvrir ni déclarer incontinent; user de retenue; ne pas dire toutes les vérités; paraître profond: toutes ces maximes de l'homme secret et discret, de l'homme gracianesque, furent à l'origine machiavéliques [79]. »

[75] A. Coster, « Baltasar Gracián », *Revue hispanique*, XXIX (1913), p. 511.

[76] A. Coster, *op. cit.*, p. 469.

[77] *Criticón*, I, 7, p. 236. Cf. *ibid.*, II, 4, p. 162.

[78] P. Mesnard, *op. cit.*, p. 376.

[79] V. Jankélévitch, « Machiavélisme et modernité », dans: *Umanesimo e scienza politica, Atti del Congresso Internazionale di Studi Umanistici (Roma-Firenze, 1949)*, a cura di E. Castelli (Milano: C. Marzorati, 1951), p. 232.

Toutefois, rien n'est simple, s'agissant de Gracián. Il arrive aux meilleurs connaisseurs de l'œuvre de résoudre ses difficultés par la contradiction. Ainsi de J. L. Aranguren, qui note d'un côté: « A coup sûr, Gracián n'est pas machiavéliste », et de l'autre: « Ce n'est pas sans raison qu'on a pu évoquer son «machiavélisme personnaliste» ou une «raison d'Etat de la personne». L'écrivain transpose, en effet, d'un seul trait, le machiavélisme dans l'ordre psychologique; à l'émancipation machiavélienne de la politique correspond une émancipation de la psychologie, d'une psychologie pratique et utilitaire, propice au triomphe mondain [80]. » Bien que nous ayons nous-même insisté sur les entorses que Gracián fait subir à la morale tradition-nelle — les libertés qu'il prend avec elle vont au-delà quelquefois des « nouveautés » dont s'indigneront les *Provinciales* — nous serons amené à marquer la place de ce machiavélisme dans une pensée d'ensemble plus vaste, et partant, à tenter de préciser sa portée réelle.

Quoi qu'il en soit, La Bruyère apparaît, par contraste, comme un moraliste et un chrétien parfaitement orthodoxes, peut-être seulement influencé par la rigueur de la réaction janséniste. Si l'on admet que le mot « vertu » correspond, dans la langue et la littérature laïques, à la « charité » dont parle l'Eglise, nul ne se sera mieux tenu à la tradition catholique. En ce sens, son esprit est beaucoup moins affranchi que celui d'un La Rochefoucauld. Le terme « vertu » revient sous sa plume avec une belle régularité: « La vertu ... se suffit à elle-même...; qu'elle soit à la mode, qu'elle n'y soit plus, elle demeure vertu » (*De la Mode*, 5); « Il n'y a point pour l'homme un meilleur parti que la vertu» (*Des Esprits f.*, 35); «La vertu seule, si peu à la mode, va au-delà des temps » (*De la Mode*, 31). Il y a de la solennité dans ces formules qui claironnent. Et voici encore l'orgueil du sage, pour qui la vertu pourrait bien n'être qu'un *ersatz*, tout comme la « philosophie » (on notera que ces lignes se trouvent au chapitre « Du Mérite personnel »): « Le seul bien capable de le [le sage] tenter est cette sorte de gloire qui devrait naître de la vertu toute pure et toute simple; mais les hommes ne l'accordent guère, et il s'en passe » (*Du Mérite p.*, 43). Deux rapprochements, ici, nous frappent, dont nous tirerons une conclusion peu charitable. Cette insistance quelquefois grandiloquente fait irrésistible-ment penser aux auteurs du XVIIIe siècle qui ont toujours le mot vertu à la bouche. Que La Bruyère annonce une nouvelle fois les écrivains de la génération de Diderot n'est pas pour nous surprendre après ce que nous avons dit sur le rôle de la sensibilité dans sa morale. Mais précisément la référence à la vertu est devenue, chez nombre d'auteurs du siècle des lumières, une habitude un peu mécanique. Chaque époque a ainsi des mots soumis à l'inflation (nous autres, modernes, nous en valons bien d'autres !) Qu'on se souvienne maintenant de ce que nous avons noté sur la raison, que La Bruyère (tout comme Gracián, mais d'une manière plus convention-nelle) ne cesse, avec tout son siècle et le suivant, d'invoquer. Il nous semble que l'auteur des *Caractères*, plus encore qu'un autre, recourt, un peu machinalement, aux deux ou trois grands mots qui sont toujours, pour une

---

[80] J. L. Aranguren, *op. cit.*, p. 287 et p. 283.

part, le tic d'une époque. Lui-même dit d'ailleurs: « Nous louons ce qui est loué » (Des Jugements, 7). « Raison », « naturel », « vertu », qui voudrait vérifier à quel point un écrivain classique a pu adhérer à ces notions en les reprenant, avec une certaine passivité, à son compte, n'aurait qu'à relire La Bruyère, dont on perçoit ici les limites. « Il est étonnant, a écrit Vauvenargues à son sujet, qu'on sente quelquefois dans un si beau génie, et qui s'est élevé jusqu'au sublime, les bornes de l'esprit humain; cela prouve qu'il est possible qu'un auteur sublime ait moins de profondeur et de sagacité que des hommes moins pathétiques[81]. » Ajoutons que ce n'est aucunement la sincérité de La Bruyère qui est ici en cause, mais seulement, sur ce point, son originalité.

La morale de Gracián est faite de contradictions apparentes. Son système, qui semblait construit selon la seule logique de la volonté de puissance, finit par poser un défi à la logique tout court. Car parallèlement à l'ascension et à la domination du moi, en vue desquelles l'auteur formule des impératifs qui ont pour conséquence inévitable le mépris et le sacrifice d'autrui, il souligne, non moins qu'un La Bruyère, la nécessité de la vertu: « La vertu doit se pratiquer en tout temps » (120). Insistons: cette autre morale est prônée parallèlement à la morale « décorative », non après elle. Ainsi, tout en vantant si fort les avantages d'une dissimulation souvent déshonnête, il écrit: « La vraie Royauté consiste en la vertu... Préférer le solide de la substance au vide de l'ostentation » (103). « Quiconque n'estime point l'honneur, n'estime point la vertu », dit-il plus loin (116). Il importe assez peu que cette vertu soit celle des morales héroïques: si elle ne coïncide pas exactement avec la charité chrétienne, elle n'en est, à tout prendre, qu'une variante mondaine: « La vertu est une chose tout-à-bon, tout le reste n'est qu'une moquerie » (300). Ce même auteur dont il est si aisé de citer les maximes « machiavéliques » et les apologies de la ruse, condamne fortement les unes et les autres: « Les gens rusés se tiennent neutres, et, par une métaphysique plausible, tâchent d'accorder la Raison d'Etat et leur conscience. Mais l'homme de bien prend ce ménagement pour une espèce de trahison, se piquant plus d'être constant, que d'être habile » (29).

En même temps que l'Oráculo accorde une importance démesurée à la cautèle, recommandée dans tout ce qu'elle peut comporter d'impur, Gracián exalte une perfection dont la qualité morale est indiscutable. C'est celle de l'« homme consommé » (6), de l'« homme de grand fond » (48), de l'« homme en son point » (Discreto, XVII), auquel le moraliste décerne l'éloge rare d'être « persona »: « L'homme au comble de sa perfection. Il ne naît pas tout fait, il se perfectionne de jour en jour dans ses mœurs [vase de cada día perficionando en la persona] et dans son emploi, jusqu'à ce qu'il arrive enfin au point de consommation [hasta llegar al punto del consumado ser]. Or l'homme consommé se reconnaît à ces marques: au goût fin, au discernement, à la solidité du jugement, à la docilité de la volonté, à la circonspection des paroles et des actions » (6).

---

[81] Vauvenargues, Œuvres complètes, éd. H. Bonnier (Paris: Hachette, 1968), tome I, pp. 182-183.

Cette « maturité » (293), il est vrai, est le fait d'une élite: « Etre une personne [ser persona] est le plus difficile dans la vie » [82] et « tous ceux qui paraissent être des hommes ne le sont pas tous » (175): du moins le Héros et le Sage, incarnations de l'« homme au plus haut » (1) sont-ils des modèles proposés à l'admiration universelle. Enfin — dernière contradiction apparente — on peut être surpris de ce que l'homme, auquel ne sont point défendues certaines manœuvres douteuses, doive pourtant toujours tendre à une réputation que rien ne ternisse. Il semble difficile en effet de concilier d'une part des remarques comme: « L'on ne perd jamais sa réputation, quand on réussit » (66) ou: « La réputation consiste dans la manière de faire, plutôt que dans ce qui se fait. Si tu n'es pas chaste, dit le proverbe, fais semblant de l'être » (126); et, de l'autre, la maxime consacrée à l'« homme substantiel », selon laquelle « il n'y a que la Vérité, qui puisse donner une véritable réputation » (175).

Ainsi se dessine une ambiguïté qui paraît fondamentale et qui est à l'origine des interprétations diamétralement opposées de l'œuvre. Quelle est la vraie leçon de l'*Oráculo* ? Faut-il s'en tenir au postulat de la maxime 13 (« Milicia es la vida del hombre contra la malicia del hombre ») et à toutes celles qui organisent l'homme pour la guerre ? Ou bien le mot de la fin est-il le « faire bonne guerre » de cette maxime 165:

Faire bonne guerre. — On peut bien obliger un brave homme à faire la guerre, mais non à la faire autrement qu'il ne doit. Chacun doit agir selon ce qu'il est, et non selon ce que sont les autres. La galanterie est plus plausible, quand on en use envers un ennemi. Il ne faut pas vaincre seulement par la force, mais encore par la manière. Vaincre en scélérat, ce n'est pas vaincre, mais bien se laisser vaincre; la générosité a toujours eu le dessus. L'homme de bien ne se sert jamais d'armes défendues. C'est s'en servir, que d'employer le débris de l'amitié qui finit, à former la haine qui commence; car il n'est pas permis de se prévaloir de la confiance pour se venger. Tout ce qui sent la trahison, infecte le bon renom. Le moindre atome de bassesse est incompatible avec la générosité dans les grands personnages. Un brave homme doit se piquer d'être tel que si la galanterie, la générosité, et la fidélité, se perdaient dans le monde, elles se retrouveraient dans son cœur.

Le critique allemand H. Jansen a excellemment décrit l'ambiguïté dont nous parlions: « Pour Gracián — du moins pour le Gracián jusqu'à l'*Oráculo manual* (inclusivement) — cette *lutte* de la vie est pourtant en même temps un *art* de la vie — « art de la prudence » — et, en Jésuite de sa nation et de son temps, ouvert au monde, il ne peut s'empêcher de prendre plaisir à cet art, de l'observer, de reconnaître ses règles et de les noter. Cela ne signifie pas nécessairement qu'il recommande de les suivre, comme s'il donnait des directives sur la manière de se comporter dans l'existence; ce serait là la conclusion active, en quelque sorte offensive, qu'on en pourrait tirer. La conclusion passive, ou mieux: défensive, serait d'y voir la possibilité d'une mobilisation contre le jeu des artifices des hommes — ce qui ne serait une adaptation à ces règles que dans la mesure où serait servie la préservation de soi (en quoi il serait toutefois délicat de trouver et de respecter la juste limite): une découverte de la tactique adverse comme

---

[82] *Criticón*, III, 1, p. 20.

protection contre un monde mauvais[83]. » En vérité, Gracián a bien choisi le titre d'Oracle. De la prudence qu'il enseigne, il donne l'exemple dans l'œuvre même. Par des contradictions peut-être savamment ménagées, celle-ci se prête et se refuse tour à tour à deux interprétations contraires, également systématiques. Si bien que sur l'unité même de cette œuvre, les avis sont divergents. « L'œuvre littéraire de Gracián me paraît d'une unité et d'une concordance parfaites, écrit M. Romera-Navarro. Et la doctrine qui se dégage d'elle est une doctrine chrétienne, universelle et moderne [84]. » « Ses intentions, note au contraire J. L. Aranguren, loin de constituer un « système ouvert », se coagulent en une irréductible pluralité autant que dans l'affirmation d'une unité que l'écrivain ne peut imposer à sa pensée... Ne pouvant fondre en un seul les divers plans de sa méditation et plus particulièrement le plan philosophique et moral et le plan religieux, Gracián s'est contenté de les juxtaposer. Sa vie et son œuvre qui doivent passer et repasser nécessairement de l'un à l'autre de ces plans, se ressentent de la tension due à une insuffisance d'unité profonde [85]. » Voilà qui situe le véritable problème: même à propos du seul *Homme de cour*, ce n'est pas tant de contradictions qu'il s'agit. La question est celle-ci: ces divers plans de la pensée gracianesque sont-ils incompatibles ou bien y a-t-il harmonie entre eux? Alors que Gracián nous a souvent permis d'apprécier plus justement la morale de La Bruyère, c'est, cette fois, l'auteur des *Caractères* qui nous aidera à saisir, par-delà leur enchevêtrement, la cohérence et l'unité des idées de Gracián.

Mais il convient de préciser, d'abord, la nature du pessimisme chez ces deux auteurs. A propos de l'un et de l'autre, on parle volontiers du « pessimisme relatif du chrétien. » C'est là surtout une formule commode, par laquelle on veut donner à entendre qu'influencée par la notion du péché originel et attribuant le mal à la corruption de l'homme, la pensée d'un écrivain se distingue pourtant d'un « pessimisme absolu », du moment qu'il croit, en chrétien, à la possibilité du salut. En fait, appliquée indifféremment à Gracián (par Bouillier) et à La Bruyère (par Tavera) [86], l'expression engendre plus d'une confusion: considérée chacune en elle-même, l'attitude des deux auteurs ne se réduit pas à cette sorte de juste milieu entre une vision sombre et une vision claire; confrontées, ces attitudes sont loin d'être identiques. Ainsi, le pessimisme « mondain » de La Bruyère est radical. Dès la première édition des *Caractères*, l'humanité est dépeinte comme toujours égale à elle-même et l'emprise du mal comme également forte: «Les hommes n'ont point changé selon le cœur et selon les passions; ils sont encore tels qu'ils étaient alors et qu'ils sont marqués dans Théophraste:

---

[83] H. Jansen, *Die Grundbegriffe des Baltasar Gracián* (Genève: Droz, Paris: Minard [Kölner Romanistische Arbeiten, Neue Folge, Heft 9], 1958), pp. 79-80.

[84] M. Romera-Navarro, « Sobre la moral de Gracián », *Hispanic Review*, III (1935), p. 121.

[85] J. L. Aranguren, *op. cit.*, p. 288 et p. 299.

[86] V. Bouillier, « Baltasar Gracián et Nietzsche », p. 392. — F. Tavera, *L'Idéal moral et l'idée religieuse dans les Caractères de La Bruyère*, *L'Art de La Bruyère* (Paris: Mellottée, 1940), *passim*.

150

vains, dissimulés, flatteurs, intéressés, effrontés, importuns, défiants, médisants, querelleux, superstitieux » *(Discours sur Théophraste)*. Une de ces contradictions dont la pensée des moralistes se nourrit volontiers, apparaît ici. Car tout en répétant avec force qu'« on ne doit parler, on ne doit écrire que pour l'instruction » *(Préface)* — autre idée fixe de l'époque qu'il fait sienne sans réticence ni réexamen — il relève, dès 1688: « Ne nous emportons point contre les hommes en voyant leur dureté, leur ingratitude, leur injustice, leur fierté, l'amour d'eux-mêmes, et l'oubli des autres: ils sont ainsi faits, c'est leur nature, c'est ne pouvoir supporter que la pierre tombe ou que le feu s'élève... Les hommes en un sens ne sont point légers, ou ne le sont que dans les petites choses. Ils changent leurs habits, leur langage, les dehors, les bienséances; ils changent de goût quelquefois: ils gardent leurs mœurs toujours mauvaises, fermes et constants dans le mal, ou dans l'indifférence pour la vertu » *(De l'Homme, 1 et 2)*. Ainsi se trouve affirmée l'impossibilité de la correction des mœurs, et d'une amélioration de la nature, qui sont ailleurs assignées comme buts à l'entreprise d'écrire. « Ces auteurs visent-ils vraiment à rendre l'homme meilleur qu'il n'est, à le corriger ? » se demande H. Peyre au sujet des moralistes classiques. « Cela est douteux pour La Bruyère et plus que douteux pour La Rochefoucauld. Ni l'un ni l'autre ne semblent fermement assurés que l'homme profitera de leurs vues psychologiques ou de leurs railleries satiriques. Leur intention morale n'est guère plus marquée que chez Flaubert ou Marcel Proust [87]. » Faisons la part, encore une fois, des modes littéraires; il n'en reste pas moins que cette attitude reflète un pessimisme, sur les choses de ce monde, qui va au-delà de celui que l'orthodoxie religieuse peut inspirer. « Comme il [un esprit raisonnable] connaît leur portée, notent encore les *Caractères* au sujet des hommes, il n'exige point d'eux qu'ils pénètrent les corps, qu'ils volent dans l'air, qu'ils aient de l'équité » *(De l'Homme, 28)*. Une telle conception distingue La Bruyère à la fois d'un Fénelon et d'un Bossuet, alors qu'il se trouve proche par ailleurs et de l'un et de l'autre (la question du quiétisme n'ayant pas à être examinée ici).

D'un autre côté, on parle trop souvent, en considérant le seul *Criticón*, du pessimisme de Gracián. Coster par exemple, explique par là le culte que lui voue Schopenhauer. C'est oublier que l'homme de l'*Oráculo* est tout entier tendu vers l'action — « Les beaux faits sont la substance de la vie » (202) — et que si l'action n'est pas forcément la négation du pessimisme, dans tous les cas elle le tempère. D'autre part, l'*Homme de cour* préconise tout au long un accommodement aux conditions objectives de l'existence, qui n'aurait pas de raison d'être si l'optimisme ne donnait à la vie un sens:

Ne point faire une affaire de ce qui n'en est pas une. — Comme il y a des gens, qui ne s'embarrassent de rien, d'autres s'embarrassent de tout, ils parlent toujours en Ministres d'Etat. Ils prennent tout au pied de la lettre, ou au mystérieux. Des choses qui donnent du chagrin, il y en a peu dont il faille faire cas; autrement on se tourmente bien en vain. C'est faire à contresens, que de prendre à cœur ce qu'il faut jeter derrière le dos. Beaucoup

---

[87] H. Peyre, *Qu'est-ce que le classicisme?*, édition revue et augmentée (Paris: Nizet, 1965), p. 127.

de choses, qui étaient de quelque conséquence, n'ont rien été, parce que l'on ne s'en est pas mis en peine; et d'autres, qui n'étaient rien, sont devenues choses d'importance, pour en avoir fait grand cas. Du commencement, il est aisé de venir à bout de tout; après cela, non. Très souvent le mal vient du remède même. Ce n'est donc pas la pire règle de la **vie**, que de laisser aller les choses (121).

Aussi bien, tout en formulant des réserves sur son application à la dernière œuvre du Jésuite, où il est incontestable que la tonalité sombre a tout envahi, souscrivons-nous, en ce qui concerne l'*Oráculo*, à ce jugement d'ensemble peu conformiste d'Unamuno: « Pessimiste ? Oui, dans le sens où l'entendent les lâches, les atragiques — et même les antitragiques — oui, Gracián doit leur sembler pessimiste; mais l'homme qui a écrit: «Que deviendra celui qui ne guerroie pas?» n'était pas pessimiste, non, il ne l'était pas [88].» Et en effet, l'adaptation au monde n'est pas pour Gracián un pis-aller, sa morale mondaine représente davantage qu'une légitime défense: l'une et l'autre ont une valeur intrinsèque qui repose sur ce double postulat: le monde est une jungle, mais l'homme est fait pour y vivre.

Tournons-nous une nouvelle fois vers La Bruyère, et constatons à quel point son attitude fait de lui, au contraire, un solitaire. Solitude du moraliste qui se drape, un peu farouchement, dans l'habit du censeur (Boileau et les contemporains l'appelaient, on le sait, Maximilien). « Action, conduite, pensée, expression, rien ne plaît, rien ne contente » (*Des Jugements*, 9): combien il est facile de retourner contre leur auteur ces lignes qui sont une condamnation d'autrui ! De l'exclamation, émouvante dans sa simplicité, de la première édition («Qu'il est difficile d'être content de quelqu'un!») à l'abrupte cassure de la dernière (« Le monde ne mérite point qu'on s'en occupe »), en passant par la période remplie d'affliction d'*Héraclite* (« O temps, ô mœurs ... ô malheureux siècle ! ») ou la superbe apostrophe de *Démocrite* (« Approchez, hommes, répondez un peu à *Démocrite*... J'entends corner sans cesse à mes oreilles: «L'homme est un animal raisonnable.» Qui vous a passé cette définition ? »), on sent grandir la conviction que « l'esprit de singularité ... approcherait fort de la droite raison et d'une conduite régulière » [89]. Au fur et à mesure que La Bruyère prend une conscience plus vive de ce que « il faut faire comme les autres » n'est qu'une « maxime suspecte, qui signifie presque toujours: «il faut mal faire » (*Des Jugements*, 10), il se singularise en effet, entendons qu'il se choisit, à l'écart de la société, un poste d'observation solitaire, où il puisse à loisir se livrer au « décréditement du genre humain » (*ibid.*, 79), « abréger » son commerce avec les hommes (*ibid.*, 70) et se savoir bon gré d'être un nouveau Socrate ou un autre Antisthène (*ibid.*, 66 et 67). Ici encore, La Rochefoucauld aurait sans doute dit: « La haine pour les favoris n'est autre chose que l'amour de la faveur. Le dépit de ne la pas posséder se console et s'adoucit par le mépris que l'on témoigne de ceux qui la possèdent; et nous leur refusons nos hommages, ne pouvant pas leur ôter ce qui leur

---

[88] M. de Unamuno, «Leyendo a Baltasar Gracián», dans: *Obras completas* (Madrid: A. Aguado, 1952), tome V, p. 113.

[89] *Du Cœur*, 65; *Des Jugements*, 75, 118, 119, 10.

attire ceux de tout le monde [90]. » Ce dont La Bruyère, à qui la bonne foi n'a jamais fait défaut, fût peut-être lui-même convenu : « L'on blâme les gens qui font une grande fortune pendant qu'ils en ont les occasions, parce que l'on désespère, par la médiocrité de la sienne, d'être jamais en état de faire comme eux, et de s'attirer ce reproche. Si l'on était à portée de leur succéder, l'on commencerait à sentir qu'ils ont moins de tort, et l'on serait plus retenu, de peur de prononcer d'avance sa condamnation » (De la Cour, 26). Mais cette solitude n'est pas seulement besoin pour ainsi dire professionnel du moraliste, distance nécessaire à laquelle le censeur doit se placer pour évaluer à son juste prix la société de ses semblables. Elle est aussi la conséquence de la perversion, ou tout au moins de l'égoïsme indéracinable fixé au cœur des hommes, dont on a déjà vu qu'ils « cultivent ... pendant tout le cours de leur vie, un désir secret et enveloppé de la mort d'autrui » (Des Biens de f., 70). L'homme est essentiellement seul. Les liens les plus forts sont soumis à la précarité sous le signe de laquelle se trouve tout ce qui est de l'homme : « Disons hardiment une chose triste et douloureuse à imaginer : il n'y a personne au monde si bien liée avec nous de société et de bienveillance, qui nous aime, qui nous goûte, qui nous fait mille offres de services et qui nous sert quelquefois, qui n'ait en soi, par l'attachement à son intérêt, des dispositions très proches à rompre avec nous, et à devenir notre ennemi » (ibid., 59). De la sorte, la solitude à laquelle l'homme est condamné (à la suite d'une corruption dont il est lui-même responsable) est aussi devenue notre état le plus naturel, le plus conforme du moins à notre nature déchue, auquel la solution la plus raisonnable, en même temps que la plus morale, consiste à se tenir. Voilà pourquoi La Bruyère reprend presque textuellement les réflexions de Pascal sur ce sujet. Pascal : « Tout le malheur des hommes vient d'une seule chose, qui est de ne savoir pas demeurer en repos, dans une chambre... De là vient que le jeu et la conversation des femmes, la guerre, les grands emplois sont si recherchés. » La Bruyère : « Tout notre mal vient de ne pouvoir être seuls : de là le jeu, le luxe, la dissipation, le vin, les femmes, l'ignorance, la médisance, l'envie, l'oubli de soi-même et de Dieu [91]. » Voilà aussi pourquoi, après avoir consacré un chapitre entier à la cour, qui est le lieu par excellence de la mondanité et du concours des hommes, La Bruyère le clôt de cette manière significative : « La ville dégoûte de la province ; la cour détrompe de la ville, et guérit de la cour. Un esprit sain puise à la cour le goût de la solitude et de la retraite » (De la Cour, 101).

Rien de tel chez Gracián. Le postulat auquel il a été fait allusion, et qui soutient toute sa pensée, a pour effet de singulièrement simplifier le problème moral. On ne peut pas même dire que Gracián compose avec le monde auquel La Bruyère s'oppose : cette composition même laisserait entendre que l'adaptation au monde ait constitué un problème, et ce n'est pas le cas. Dans tous les Caractères, La Bruyère se heurte à un vrai problème central : celui de la dignité individuelle. Vivre, pour La Bruyère, est

---

[90] La Rochefoucauld, Maximes, éd. cit., maxime 55.
[91] Pascal, Pensées, éd. cit., fr. 139. — De l'Homme, 99.

une tâche qui met constamment en péril la probité, l'intégrité du moi. A chaque instant, celui-ci risque de succomber, « tout est tentation à qui la craint » (*Des Femmes*, 34). Pour éviter une dégradation qui le menace sans cesse, l'homme de bien, en même temps qu'il se réfugie et se fortifie dans la solitude, procède à une mobilisation active de son énergie morale : il est « continuellement aux prises avec soi-même » (*De l'Homme*, 42). Cet affrontement entre la vie intérieure et le monde toujours ressenti comme un obstacle au Bien entraîne les refus, la tentation de fuir et les fins de non-recevoir de la morale de La Bruyère. Mais ce dilemme, qui fait le fond même des *Caractères*, est absent dans l'*Homme de cour*. La solitude n'est pas un instant envisagée, parce que jamais Gracián n'est tenté de mettre en question la vocation « mondaine » de l'homme, qui lui apparaît comme une vérité d'évidence : « Etre plutôt fou avec tous, que sage tout seul. Car si tous le sont, il n'y a rien à perdre, disent les Politiques ; au lieu que si la sagesse est toute seule, elle passera pour folie. Il faut donc suivre l'usage. Quelquefois le plus grand savoir est de ne rien savoir, ou du moins d'en faire semblant. L'on a besoin de vivre avec les autres, et les ignorants font le grand nombre. Pour vivre seul, il faut tenir beaucoup de la nature de Dieu, ou être tout à fait de celle des bêtes » (133 ; cf. *Criticón*, III, 4). Ainsi le choix de la solitude ne se pose seulement pas, et il est significatif que dans sa belle étude sur la poésie de la solitude en Espagne, Karl Vossler ne se réfère jamais à l'*Oráculo*, et mette l'accent, dans l'analyse du *Criticón*, sur la solitude des êtres au sein d'un univers hostile qu'il s'agit pourtant d'affronter [92]. Cette sereine acceptation du monde et des règles d'un jeu dans lequel les hommes se déchirent entre eux, aux yeux de Gracián, n'avait rien de blâmable. D'un côté, il est légitime que cette traversée la plus périlleuse de toutes, la vie, l'homme veuille la faire au moindre dommage ; de l'autre, la morale héroïque propose des fins pures en elles-mêmes, et quelquefois purifie les moyens. Mais surtout, les agissements du moi ne sont pas, du point de vue du Bien, contestables, parce que pour Gracián, l'homme joue aussi son destin *hic et nunc*. En fait, la partie se joue, simultanément, sur les deux plans de l'ici-bas et de l'au-delà, de la chair et du salut.

Nous voici parvenus au cœur du problème, et en même temps, notre enquête nous permet de parfaire, sur un point d'importance, notre connaissance de La Bruyère. Qui ne voit comme, face au système du moraliste espagnol, l'attitude de l'écrivain français est plus raide et tranchante, moins fluide et moins souple ? Nous ne croyons pas excessif de parler d'un radicalisme de son point de vue, un radicalisme qui n'est pas sans présenter quelque analogie avec celui que G. Poulet a distingué chez Chamfort [93]. Point de compromis possible, aux yeux de La Bruyère : « Il y a deux mondes : l'un où l'on séjourne peu, et dont l'on doit sortir pour n'y plus rentrer ; l'autre où l'on doit bientôt rentrer pour n'en jamais sortir. La faveur, l'autorité, les amis, la haute réputation, les grands biens servent pour le

[92] K. Vossler, *Poesie der Einsamkeit in Spanien*, seconde édition (München : C. H. Beck'sche, 1950), pp. 304-315.

[93] G. Poulet, « Chamfort et Laclos », dans : *Etudes sur le temps humain II : La distance intérieure* (Paris : Plon, 1952), pp. 56-80.

premier monde; le mépris de toutes ces choses sert pour le second. Il s'agit de choisir » (*Des Esprits f.*, 31). Dès 1688, l'alternative est clairement formulée, et l'intransigeance, héritée de Pascal, est manifeste, qu'on peut d'ailleurs trouver plus noble que les conciliations de Gracián. Ce monde-ci avilit: La Bruyère, résolument, se tourne vers l'autre. Aussitôt, les perspectives s'élargissent, les proportions véritables apparaissent, et si la cassure avec la société est toujours irrémédiable, il devient du moins plus aisé de supporter «tous les maux dont notre malice est l'unique source» (*Des Jugements*, 11). C'est ce qu'exprime ce passage de l'une des dernières éditions, où le moraliste consent à renouer avec autrui. Le ton est celui du missionnaire, mais cela ne doit pas surprendre de la part d'un laïc qui a écrit: «Quand on ne serait pendant sa vie que l'apôtre d'un seul homme, ce ne serait pas être en vain sur la terre, ni lui être un fardeau inutile» (*Des Esprits f.*, 30):

Plusieurs millions d'années, plusieurs centaines de millions d'années, en un mot tous les temps ne sont qu'un instant, comparés à la durée de Dieu, qui est éternelle: tous les espaces du monde entier ne sont qu'un point, qu'un léger atome, comparés à son immensité. S'il est ainsi, comme je l'avance, car quelle proportion du fini à l'infini? je demande: Qu'est-ce que le cours de la vie d'un homme? qu'est-ce qu'un grain de poussière qu'on appelle la terre? qu'est-ce qu'une petite portion de cette terre que l'homme possède et qu'il habite? — Les méchants prospèrent pendant qu'ils vivent. — Quelques méchants, je l'avoue. — La vertu est opprimée, et le crime impuni sur la terre. — Quelquefois, j'en conviens. — C'est une injustice. — Point du tout: il faudrait, pour tirer cette conclusion, avoir prouvé qu'absolument les méchants sont heureux, que la vertu ne l'est pas, et que le crime demeure impuni; il faudrait du moins que ce peu de temps où les bons souffrent et où les méchants prospèrent eût une durée, et que ce que nous appelons prospérité et fortune ne fût pas une apparence fausse et une ombre vaine qui s'évanouit; que cette terre, cet atome, où il paraît que la vertu et le crime rencontrent si rarement ce qui leur est dû, fût le seul endroit de la scène où se doivent passer la punition et les récompenses (*ibid.*, 47).

D'aucuns ont voulu faire accroire que cette inspiration chrétienne de La Bruyère était surajoutée aux *Caractères* à titre de protection. Le chapitre final rappellerait alors ces poèmes religieux dont Th. Maulnier dit qu'ils ne forment en général que l'appendice aux œuvres des poètes classiques. C'est oublier que l'on trouve tout au long du livre, et non dans le seul chapitre « Des Esprits forts », de constants rappels à l'« avenir » de l'âme et aux « comptes » à rendre (*Des Biens de f.*, 26; *Des Jugements*, 77). On le voit: pour réaliser l'idéal proposé dans la belle formule d'«homme vrai» (*Du Mérite p.*, 32), La Bruyère fait choix de l'autre monde, quitte à tourner le dos à celui-ci.

J. A. Maravall, qui avance des idées pénétrantes sur les fondements anthropologiques de la pensée de Gracián, va pourtant trop loin, croyons-nous, en écrivant que cet auteur « supprime toute référence à la religion » [94]. C'est le retour à l'hypothèse de Coster, selon laquelle l'« absence de l'élément religieux [chez Gracián], non seulement dans le *Criticón*, mais encore dans ses autres écrits, exception faite naturellement du *Comulgatorio*,

---

[94] J. A. Maravall, *op. cit.*, p. 416.

réside précisément dans la profondeur de sa foi... S'il n'a pas parlé de religion, c'est qu'il suppose que le catholicisme est, pour son lecteur comme pour lui, à la base de toute chose » [95]. Mais la religiosité de Gracián n'est qu'une autre de ces questions sur lesquelles l'accord est loin d'être parfait parmi les critiques. Ainsi, A. Rouveyre: « A l'opposé de ce qu'a écrit M. Coster, je crois qu'il n'y a pas lieu de voir ... dans l'exclusion de tout élément religieux, la marque de la foi de Gracián profondément enracinée... De Dieu, il ne paraît pas qu'il se soit beaucoup soucié, sinon comme d'un fait avéré ... auquel il lui fallait de temps en temps, par prudence, tirer un obséquieux coup de chapeau [96]. » M. Maravall, cependant, justifie par l'idée d'une foi manifeste, quoique sous-entendue, sa théorie d'une absolue « autonomie de la morale » chez l'écrivain espagnol. Mais en fait, en nous en tenant toujours à l'*Oráculo manual*, les allusions d'ordre religieux sont bien plus importantes, en qualité et en quantité, qu'on ne l'a dit. Voici, par exemple, l'affirmation d'une hiérarchie qui fait du monde un « zéro », et l'évocation de deux infinis, non dans l'espace, mais dans le Bien:

> Au Ciel, tout est plaisir; en Enfer, tout est peine: le Monde, comme mitoyen, tient de l'un et de l'autre. — Nous sommes entre les deux extrémités, et ainsi nous tenons de toutes les deux. Il y a une alternative de sort; ni tout ne saurait être bonheur, ni tout être malheur. Ce monde est un zéro, tout seul il ne vaut rien, joint avec le Ciel il vaut beaucoup (211).

Outre la maxime finale, qui couronne les 299 qui précèdent — « Enfin, être saint. C'est dire tout en un seul mot » — et à laquelle on a reproché, comme au chapitre « Des Esprits forts » d'être un simple « paratonnerre », on trouve dans tout le livre, non moins que dans les *Caractères*, de fréquentes allusions à cet ordre divin. Le numéro 32 parle d'une « Bonté divine, qui se communique incessamment »; au numéro 104, considérant les différents emplois des hommes, l'auteur conclut: « Celui-là est le pire, qui, lorsqu'on en sort, oblige de rendre compte à des Juges rigoureux, surtout quand c'est à Dieu »; « Les choses de ce monde sont l'ombre de celles du Ciel », affirme la maxime 205; et la maxime 201: « La folie s'est emparée du monde; et s'il y a tant soit peu de sagesse, c'est pure folie en comparaison de la Sagesse d'en haut. » Ainsi, les références à l'ordre transcendant de la foi sont loin d'être absentes de l'univers gracianesque, même si, comme l'a noté J. L. Aranguren à propos de la « félicité ultra-mondaine », celle-ci « est devinée plutôt que présentée, décrite ou même vivement espérée » [97].

En réalité, ce n'est pas par des compromis que la pensée de Gracián se distingue du radicalisme de La Bruyère. Son attitude ne consiste pas en des accommodements plus ou moins suspects. Si l'on veut bien nous pardonner quelques termes barbares empruntés aux philosophes, nous dirions qu'à l'unicité du point de vue chez La Bruyère s'oppose la pluralité des points de vue chez Gracián. La morale selon les *Caractères* est tout d'une

---

[95] A. Coster, *op. cit.*, pp. 546-547.

[96] A. Rouveyre, « Etude critique », précédant l'édition citée des *Pages caractéristiques de Baltasar Gracián*, p. 51 et p. 90.

[97] J. L. Aranguren, *op. cit.*, p. 294.

pièce. Les issues sont au nombre de deux, et l'alternative est proposée dans des termes aussi clairs que dans le pari pascalien. L'unité profonde du système gracianesque est qu'au contraire une même réalité est toujours appréhendée sur deux plans, selon les hommes et selon Dieu. Une action contestable du point de vue divin ne l'est pas nécessairement du point de vue humain. On dira: c'est là le machiavélisme véritable. Non, car le système du *Prince* est encore tout d'une pièce, alors que Gracián s'efforce de faire coïncider la morale selon Dieu et la morale selon les hommes (par des vertus chrétiennes qu'il adapte à la mondanité: l'héroïsme, la gloire). Quand la fusion entre les deux plans de cette morale n'est pas parfaite, il ne faut pourtant parler ni de manque d'unité, ni d'éclatement. Les deux saisies de la réalité ne s'excluent pas, elles ne sont pas antagonistes, mais complémentaires: la morale repose sur une dualité. Parler de l'« autonomie de la morale » est d'autant plus équivoque qu'on laisse entendre que Dieu est absent de l'œuvre, ou sa présence sous-entendue. « Il faut se servir de moyens humains, comme s'il n'y en avait point de divins: et des divins, comme s'il n'y en avait point d'humains »: naturellement, nous considérons, avec tous les critiques, que cette maxime 251 doit fournir la clef du problème. Et sans doute Vossler a-t-il raison de parler de l'averroïsme de Gracián [98]. Mais les deux vérités ne sont pas irréductibles: la morale est une et se présente pourtant sous un aspect double. Dire, avec J. L. Aranguren, que la prudence prend « un caractère technique, purement instrumental », c'est encore juste. Ajouter que ce caractère n'est « ni bon ni mauvais, moralement neutre » [99], c'est confondre le moraliste et l'arithméticien. « Une même chose a différentes faces, dit l'*Oráculo*, selon qu'on la regarde différemment » (224), et cette observation définit toute l'attitude du moraliste lui-même.

Ainsi rien n'est absolu — « nul bien n'est parfait, nul mal aussi n'est au comble » — et la sagesse n'est grande que si elle est mondaine et chrétienne en même temps: « Celui [le mal] qui vient du Ciel, demande de la patience; et celui qui vient du monde, de la prudence » (254). La maxime 199 montre aussi l'harmonie qui doit régner entre les exigences, contradictoires en apparence seulement, et les comportements, bien distincts, que dicte une seule et même morale: « L'intégrité seule ne suffit pas; le seul entregent ne fait pas le mérite... Il est donc requis, et d'avoir du mérite, et de savoir s'introduire. » Et voici encore l'homme aux prises à la fois avec la Vérité et avec le monde, et dont l'attitude illustre, une fois de plus, que l'unité morale tient peut-être à sa relativité même:

Savoir jouer de la vérité. — Elle est dangereuse, mais pourtant l'homme de bien ne peut pas laisser de la dire; et c'est là qu'il est besoin d'artifice. Les habiles Médecins de l'âme ont essayé tous les moyens de l'adoucir; car lorsqu'elle touche au vif, c'est la quintessence de l'amertume. La discrétion développe là toute son adresse: avec une même vérité elle flatte l'un, et assomme l'autre. Il faut parler à ceux qui sont présents, sous le nom des absents, ou des morts. A un bon entendeur, il ne ne faut qu'un signe, *et quand cela ne suffira pas, le meilleur expédient est de se taire* (210, c'est nous qui soulignons).

---

[98] K. Vossler, *op. cit.*, p. 315.

[99] J. L. Aranguren, *op. cit.*, p. 287.

Pourtant, quand on songe au non assez superbe que La Bruyère oppose au monde, à son refus de considérer comme digne de l'homme toute vérité autre que l'éternelle, on ne peut s'abstenir de penser que Gracián a nourri bien de la complaisance pour la vie présente qui, comparée à celle promise par une religion à laquelle son adhésion profonde n'est pas douteuse, tient inévitablement de l'illusion; qu'il s'est engagé dans cette illusion, a rivalisé avec elle, et l'a prise presque tragiquement au sérieux; que ce moraliste qui prône plus que tout la lucidité, dont la première ambition sans doute fut de n'être point dupe, pourrait bien n'avoir été, tout sincère fils de l'Eglise qu'il croyait être, qu'une des victimes les plus illustres de cette illusion qu'il pensait surpasser en artifice; et l'on se dit que ce combat obstiné poursuivi d'œuvre en œuvre jusqu'à l'âpre *Criticón* se solde en fin de compte par la défaite de l'« homme judicieux et pénétrant » et l'écrasant triomphe, sur le moraliste du « desengaño », de l'illusion.

En fin de compte, cette étude nous permet de mettre en évidence un sentiment dont nous n'aurions pas soupçonné qu'il eût chez La Bruyère une telle constance et une telle force: le sentiment de l'*irréalité*. La vie est un songe, le moi est défait après avoir cherché en vain une existence compatible avec sa dignité, la morale finit par s'effacer au profit de la religion. La véritable partie ne se joue pas ici-bas, où rien ne parvient à la plénitude. Chez Gracián, au contraire, l'homme ne refuse pas de s'« engager » tout entier dans ce qui s'offre à lui de plus immédiat. La vie est *ce* voyage, où il s'agit d'arriver à bon port; le moi puise sa force, non dans le refus, mais dans la gloire attachée à la domination; la morale, enfin, tout en n'excluant nullement le Bien et le Mal comme valeurs absolues, ni le point de vue de Dieu, prend en considération le monde à part entière. Il est clair que Gracián doit infiniment à l'esthétique baroque et à la Compagnie de Jésus. Quant à La Bruyère, il se pourrait que l'augustinisme ait marqué sa pensée plus qu'on ne l'a dit. Enfin, une dernière remarque. Nous avons déjà proposé de considérer les deux chapitres où il est traité de Castiglione et de Gracián comme un tout. Que ressort-il de ces études en tant qu'ensemble? Une conclusion qui pourrait bien s'appliquer, non au seul La Bruyère, mais à un bon nombre de moralistes classiques. Héritier de Castiglione, de Montaigne et des théoriciens de l'honnêteté et de la politesse, La Bruyère, loin de refuser le monde, enseigne l'adaptation la plus harmonieuse de l'individu à la société. Mais, à la suite de Gracián, de la réaction janséniste, il procède à un approfondissement de la morale. L'homme n'est plus tant considéré comme cellule du corps social que comme individu, et ses responsabilités les plus grandes sont celles qu'il a envers lui-même. (Gardons-nous de schématiser, pourtant: naturellement Montaigne a encore joué dans cet approfondissement de la morale, et aussi La Rochefoucauld, quoique l'auteur des *Maximes* ne se préoccupe pas de la fin de l'homme, l'analyse étant à elle-même sa propre fin.) Le problème moral devient surtout celui de l'existence: comment, au mieux, remplir ma destinée, préserver ma dignité? Alors, La Bruyère enseigne le renoncement. Mais ces deux attitudes, l'accommodement et la rupture, qu'on ne peut étudier que successivement, coexistent dans les *Caractères*. Or, selon la logique, l'accommodement et la rupture devraient s'exclure. Ainsi, l'enseignement de La Bruyère ne laisse pas d'être contradictoire. A bien considérer les choses, cette contradiction est — moins frappante parce que se posant en des termes moins tranchants — à l'image de celle que nous avons rencontrée chez Gracián. La grande différence est que l'auteur de l'*Oráculo* a pris très vite conscience de cette dualité, et que, sans s'y attarder, il l'a résolue en pratiquant une dichotomie parfaite dans la morale. La Bruyère, au contraire, n'a jamais bien surmonté la difficulté. Il n'a jamais fait de choix qui simplifiât le problème moral. Il méprise le monde et cherche à s'y adapter. Il est passionné de « raison » et n'accepte jamais sans retours, voire sans regrets, les refus qu'elle lui dicte. Ainsi, le moraliste classique juge toujours les choses de la vie simultanément *sub specie aeternitatis* et sous l'aspect du monde. Pour La Bruyère, concilier ces deux points de vue est toute la morale. La logique n'est pas le domaine où il se meut avec le plus d'aisance : c'est ce qui fait sa relative complexité. Mais cette « contradiction » de toute son œuvre n'est pas son moindre charme. Elle est le signe de son humanité et la preuve qu'il savait observer le cœur humain.

CONCLUSION

LA BRUYÈRE, OU DU MORALISTE

La critique du XIXe siècle était près de croire que la réputation de La Bruyère était usurpée. Nous avons voulu réagir, surtout dans nos deux premières études, contre la tendance qui refuse systématiquement à la pensée de cet auteur toute cohérence et toute originalité. Il nous paraissait que la lecture des Taine et des Faguet avait été un peu hâtive, et qu'un L. Hudon encore ne s'était attaché, plus tard, qu'à la signification la plus littérale des *Caractères*. De fait, nous avons cru pouvoir signaler à plusieurs reprises une attitude personnelle et un apport neuf qui nous semblent de nature à réhabiliter La Bruyère moraliste. Songeons en particulier à l'accent mis (surtout à partir de la VIme édition) sur les thèmes de l'indépendance et de l'aliénation; au refus des valeurs qui ont cours, véritable engagement qui conduit à la tentation de fuir, voire à une rupture brutale; à la conscience de ce que tout ordre, y compris l'organisation sociale, a de précaire, plus encore que de relatif; à l'application fort originale de la méthode cartésienne aux questions de morale; au symbolisme qui assure à un grand nombre de réflexions une portée toujours actuelle. On pense aussi à cette autre démarche qui consiste à construire peu à peu une somme sans que l'unité du livre vienne à souffrir de cette diversité: tout au contraire, des centaines de remarques s'ordonnent autour d'un petit nombre d'idées-maîtresses. Cette élaboration d'une morale par des variations autour de quelques thèmes marque encore de l'originalité, cette fois dans la composition. Les deux études suivantes nous ont permis de situer cette morale dans des perspectives plus vastes. Le *Cortegiano* de Castiglione, l'œuvre de Gracián et surtout l'*Oráculo manual* expriment quelques-unes des aspirations les plus fortes des hommes de l'âge classique. Ils contribuèrent à former la sensibilité et les mœurs, ils reflètent maints aspects de la mentalité contemporaine. Dans quelle mesure les *Caractères* réussissaient-ils à sauvegarder cette personnalité que nous leur avions reconnue? Quelle distance La Bruyère sait-il conserver par rapport à des idéals que tant d'auteurs reprennent servilement à leur compte? Quelle est au juste sa dette par rapport aux maîtres étrangers? Ce sont quelques-unes des questions auxquelles nous avons tenté de répondre. En même temps, ces confrontations nous ont aidé à mieux cerner les idées de notre auteur, à mieux mettre en lumière ce qui lui appartient en propre. Du *Courtisan* aux *Caractères*, l'évolution se situe, croyons-nous, sur trois plans. La Bruyère est le dernier de nos théoriciens de l'honnêteté; la désillusion devient la pièce maîtresse de l'éthique; l'unité entre la morale et l'esthétique est irrémédiablement brisée. Dans sa morale mondaine, La Bruyère est prêt à aller loin dans la voie du compromis: il va jusqu'à composer avec l'amour-propre, à reconnaître la nécessité de certaines formes du mensonge. Mais parallèlement, l'amertume le gagne de plus en plus, jusqu'à l'acculer à une parfaite solitude. La véritable sagesse se réduit alors à trois valeurs — le mérite personnel, la vertu, Dieu — mais ce sont les valeurs du perdant selon l'ordre du monde. Cet ordre-là est le seul qui intéresse vraiment Gracián: l'aspect négatif de la morale des *Caractères* s'accuse par le contraste. Rien n'est plus contraire à la sensibilité de La Bruyère que ces maximes qui invitent à considérer la vie comme un combat, à se servir de la vérité même pour tromper, à s'écarter des malheureux, à déchiffrer le secret d'autrui afin d'exercer une domination sans merci. La morale de La Bruyère annonce bien plutôt celle de Rousseau: elle opère le même renversement des valeurs, accorde la même primauté aux élans du cœur, elle est déjà teintée d'un individualisme farouche. La comparaison avec l'*Homme de cour* nous a encore permis de relever d'autres oppositions. Les réflexions des *Caractères* sur l'absence d'identité nette du moi, sur le temps, sur le mouvement, nous sont apparues sous plus d'un aspect comme véritablement personnelles.

Toutefois, soutenir avec trop de chaleur la thèse selon laquelle La Bruyère est un moraliste original trahirait une fâcheuse ignorance de l'histoire littéraire et reviendrait à friser le paradoxe. Il est en particulier une épreuve qui constituera toujours pour La Bruyère un pénible moment de vérité. Qu'on relise les *Essais* après les *Caractères*, et l'apport personnel de notre auteur apparaîtra souvent entamé de toutes parts. L'attitude, sans doute, est autre. Ce n'est plus à la mobilité, au caractère « ondoyant et divers » de toute chose que La Bruyère est d'abord sensible. L'attention portée au moi est aussi beaucoup moins soutenue, parce qu'elle lui semblerait indiscrète. Mais dans les jugements sur l'Histoire et ses acteurs, sur les humeurs, les passions, la « curiosité » des hommes, et jusque dans ces portraits dont on pouvait espérer que les modèles fussent découverts par lui, on retrouve, avouée ou diffuse, l'influence de Montaigne. Tout irait encore assez bien si cette influence s'exerçait seule. De même, on ne s'attarderait pas trop sur tant d'emprunts faits aux anciens: on sait assez à quel point leurs écrits représentaient un bien commun aux yeux des classiques. Mais en fait, il n'est aucun grand prosateur du temps dont La Bruyère ne s'inspire. Les *Caractères* sont au confluent de presque toutes les tendances du siècle. Ils tendent au XVIIe siècle finissant comme une sorte de miroir où les traits les plus distinctifs de chaque période se retrouvent. Ils forment un bilan de l'activité littéraire depuis Montaigne. Certes, peu d'œuvres constituent une synthèse aussi riche, mais cette multiplicité des influences porte aussi gravement atteinte à la part de l'invention personnelle. Si La Bruyère est toujours proche de Montaigne, cela ne l'empêche pas d'ébaucher des comédies à la manière de Molière, ni de reprendre la leçon de Pascal ou celle des orateurs sacrés dont M. Truchet a si bien discerné l'apport; le ton grave qui est alors le sien ne le retient pas de prendre son bien chez les Précieux, voire chez les burlesques, dans tel autre chapitre; La Rochefoucauld lui fournit encore une pensée et une forme; à Descartes il emprunte une méthode; et sa dette est incalculable à l'endroit de cent auteurs moins connus, inconnus, oubliés. En somme, on en vient à se demander si son originalité première n'a pas été de fondre tant d'inspirations et tant de diverses manières en un tout équilibré dont la personnalité soit néanmoins reconnaissable entre toutes. « L'œuvre était déjà ancienne en 1688, dit V. Lugli, et en même temps elle était très nouvelle, originale, par sa nature composite, par la fusion passionnée des éléments divers. La nouveauté était de celles permises à un disciple des classiques, à un « ancien », non pas proclamée, mais mise en avant comme une chose simple, naturelle. Et la hardiesse, plutôt dissimulée que vantée, apparut toute en lumière, avantageusement [1]. »

Enfin, il est un titre qu'on ne saurait sans injustice, selon nous, disputer à La Bruyère: il est le plus achevé et comme le type même des moralistes classiques. La réflexion théorique sur la définition du moraliste, sur sa fonction, sur le genre qu'il pratique et les rapports de ce genre avec les autres domaines de la création littéraire a étrangement peu préoccupé la critique. Il n'est pourtant pas indifférent d'observer qu'aucun des trois grands *Dictionnaires* qui voient le jour à peu près en même temps que les *Caractères* ne mentionne ce terme, dont l'emploi deviendra si fréquent, surtout après la parution de l'*Encyclopédie*. Aujourd'hui, on en abuse presque. A. Levi a-t-il raison, par exemple, dans son étude par ailleurs si pertinente, de grouper sous la même dénomination de « French moralists » des auteurs aussi divers que Montaigne, du Vair, Charron, François de Sales, Camus, Coëffeteau, Cureau de la Chambre et Descartes? [2] Comment se considéraient eux-mêmes ces penseurs? Comment se situait La Bruyère par rapport aux écrivains plus réguliers qui s'en tenaient aux genres consacrés? Qu'entend-il au juste quand il se qualifie de « philosophe »? Autant de questions qui invitent à une analyse plus détaillée à laquelle on se permet de renvoyer le lecteur [3]. Ce qui est certain, c'est que les *Caractères* marquent (pour nous en tenir à la seule littérature française) le couronnement d'une longue tradition. Ce n'est plus le seul problème des passions qui retient La Bruyère, mais « tout l'intérieur de l'homme » et même ce qui se trouve en nous de plus « délié » [4]. Ce ne sont plus des figures idéales ou des entités qu'il considère, mais des circonstances, des situations et des milieux. Ce n'est plus la foi seule qui le détermine, même s'il se laisse guider par elle, mais encore le sens du relatif et une naturelle sympathie. Ainsi n'est-il asservi à aucun point de vue étroit ou exclusif. Cette liberté et cette dis-

---

[1] V. Lugli, *La Bruyère* (Genova: Emiliano Degli Orfini, 1935), p. 130.

[2] A. Levi, *French Moralists: the theory of the passions (1585 to 1649)* (Oxford: The Clarendon Press, 1964).

[3] Voir notre article « Mœurs, moraliste » dans le *Dictionnaire International des Termes littéraires*, publié par l'Association Internationale de Littérature comparée. (A paraître.)

[4] *Discours sur Théophraste; Du Mérite personnel*, 37.

ponibilité que seul Montaigne, semble-t-il, avait possédées à un degré aussi haut, ne font pourtant pas encore le moraliste. Il faut en outre cette attitude, si constante chez La Bruyère, beaucoup plus rare chez ses précurseurs, qui consiste à ne porter aucun jugement, fût-il d'ordre logique, psychologique ou esthétique, qui ne soit en même temps un jugement de valeur. Dans l'analyse de la notion d'ordre et de ce que Hankiss appelle « l'inspiration géométrique » de La Bruyère, dans l'étude du ridicule et du conformisme, dans celle, enfin, des rapports entre l'esthétique et la morale, nous avons chaque fois retrouvé cette tendance à faire coïncider très subtilement une description objective avec une appréciation qualitative. Celle-ci se fond toujours avec infiniment d'art dans celle-là, et c'est miracle que l'auteur ne verse ni dans le dogmatisme du sermonneur ni dans la solennité du pédant. Peut-être est-ce parce que les critères sur lesquels repose cette morale n'ont rien de doctrinaire ou de tranchant, et sont au contraire affectifs et hautement subjectifs.

Le Neveu de Rameau a beau jeu d'étudier les *Caractères* pour mieux en retourner le sens. « Moi, dit-il, j'y recueille tout ce qu'il faut faire, et tout ce qu'il ne faut pas dire... Je me dis: garde des vices qui te sont utiles, mais n'en aie ni le ton ni les apparences [5]. » C'est l'ironie suprême, qui d'ailleurs n'eût guère surpris La Bruyère. Il sait que le monde appartient à ceux qui jouent le jeu avec l'ironie du cynique. Mais il a cru qu'une certaine naïveté était un devoir. Surtout pour un homme lucide.

---

[5] *Le Neveu de Rameau*, édition critique par Jean Fabre (Genève: Droz; Lille: Giard, 1950), p. 60.

NOTE BIBLIOGRAPHIQUE

Peu de travaux traitent exclusivement de la morale de La Bruyère. En revanche, presque toutes les études consacrées aux *Caractères* font allusion à cette morale par un point. On croit utile de mentionner ici, plutôt que les nombreux titres cités dans les ouvrages de référence facilement accessibles, les éditions des *Caractères* et les travaux sur La Bruyère ne figurant pas dans la *Bibliographie de la littérature française du XVIIᵉ siècle* d'A. Cioranescu (Paris: Centre National de la Recherche Scientifique, 1965-1966), dont la rubrique consacrée à La Bruyère s'arrête à l'année 1960. Quelques omissions de Cioranescu se rapportant à des études plus anciennes sont indiquées par un astérisque (*).

ÉDITIONS

Les Caractères de Théophraste traduits du grec avec *Les Caractères ou les Mœurs de ce siècle*. Texte établi, avec introduction, notes, relevé de variantes, glossaire et index par R. Garapon. Paris: Garnier, 1962.

Les Caractères. Précédé de: La Bruyère, du mythe à l'écriture, par R. Barthes. Paris: Union Générale d'Edition (Le Monde en 10/18), 1963.

Les Caractères ou les Mœurs de ce siècle précédé de *Les Caractères* de Théophraste traduits du grec. Texte intégral de la 9ᵉ édition parue en 1696, présenté par J. Mercanton, suivi du *Discours à l'Académie* et des *Clefs* des *Caractères*. Lausanne: la Guilde du Livre, 1964.

Les Caractères. Extraits, avec une Notice biographique, une Notice historique et littéraire... par J.-P. Kaminker. Paris: Larousse (Nouveaux Classiques Larousse), 1966. 2 vol.

Les Caractères ou les Mœurs de ce siècle. Avec une notice sur la vie de La Bruyère, des extraits du *Discours sur Théophraste*, une analyse méthodique des textes choisis... par P. Kuentz. Paris: Bordas (Sélection littéraire Bordas), 1969.

ÉTUDES

Alberti, G. « Ricordi e caratteri, con un saggio di traduzione da La Bruyère.» *Letteratura*, XXVII-XI nuova serie, Nᵒ 61 (gen.-feb. 1963), 59-67, Nᵒˢ 62-63 (mar.-giug. 1963), 81-98.

* Arland, P. « La Bruyère », dans: *La prose française ; anthologie, histoire et critique d'un art*. Paris: Stock, 1951, vol. I, 512-519.

Barthes, R. « La Bruyère, du mythe à l'écriture.» Préface à : La Bruyère, *Les Caractères*. Paris: Union Générale d'Edition (Le Monde en 10/18), 1963. Préface rééditée sous le titre « La Bruyère » dans *Essais critiques*. Paris: Le Seuil, 1964.

Benda J. «La Bruyère,» dans: *Tableau de la littérature française, II (De Corneille à Chénier)*. Paris: Gallimard, 1962, pp. 155-170. (Première édition en 1939.)

Couallier, R. « La Bruyère et ses portraits.» *Gazette des Beaux-Arts*, LXI (1963), 327-336.

— « Naissance et origines de La Bruyère.» *RHLF*, LXIII (1963), 441-447.

— « Un grand amour de La Bruyère.» *Revue des Deux Mondes* (juillet-août 1963), 563-570.

— « Histoire d'Emire (Interprétation d'un texte de La Bruyère).» *Revue des Sciences humaines*, Fasc. 116 (oct.-déc. 1964), 563-569.

Desné, R. « Meslier, lecteur de La Bruyère,» dans: *Etudes sur le Curé Meslier*, p.p. Centre aixois d'études et de recherches sur le XVIIIᵉ siècle. Paris: s.l., 1964, pp. 87-105.

Doubrovsky, S. « Lecture de La Bruyère.» *Poétique*, Nᵒ 2 (mai-juillet 1970), 195-201.

* Fischer, W. P. « Une clef des *Caractères* de La Bruyère.» *Modern Language Notes*, XXXI (1916), 247-248.

* Gallas, K. R. «La composition interne du chapitre *Des ouvrages de l'esprit*.» *Neophilologus*, III (1918), 253-260.

Garapon, R. « Perspectives d'étude sur La Bruyère.» *L'Information littéraire*, XVII (1965), 47-53.

* Goyet, T. «La composition d'ensemble du livre de La Bruyère.» *L'Information littéraire*, VII (1955), 1-9.

Guggenheim, M. « L'homme sous le regard d'autrui ou le monde de La Bruyère.» *PMLA*, LXXXI (1966), 535-539.

Hess, G. «Einleitung in La Bruyères *Charaktere*», dans: *Gesellschaft, Literatur, Wissenschaft: Gesammelte Schriften 1938-1966*. Hrsg. von H. R. Jauss und C. Müller-Daehn. München: W. Fink, 1967, pp. 116-122. (Réédition du texte de 1940.)

Hudon, L. « La Bruyère et Montaigne.» *Studi Francesi*, VI (1962), 208-224.

Jouhandeau, M. « La Bruyère », dans: *Divertissements*. Paris: Gallimard, 1965, pp. 100-111.

Krailsheimer, A. J. « La Bruyère », dans: *Studies in self-interest from Descartes to La Bruyère*. Oxford: Clarendon Press, 1962, pp. 196-208.

Laubriet, P. « A propos des *Caractères*: ordre ou fantaisie ? » *RHLF*, LXVII (1967), 502-517.

Lebel, M. « La Bruyère », dans: *Etudes littéraires, I: De saint François de Sales à Alphonse Daudet*. Montréal: Centre de psychologie et de pédagogie, 1964, pp. 103-115.

Macchia, G. *I Moralisti classici da Machiavelli a La Bruyère*. Milano: Garzanti, 1961.

Marmier, J. « Le sens du mouvement chez La Bruyère.» *Les Lettres romanes*, XXI (1967), 223-237.

Maurois, A. « La Bruyère: les *Caractères* », dans: *De La Bruyère à Proust: Lecture, mon doux plaisir*. Paris: Fayard, 1964, pp. 20-32.

Michaud, G. « La Bruyère et le Grand Siècle.» *Le Français dans le monde*, N° 53 (décembre 1967), 50-54.

Milly, J. « *Périandre ou le parvenu* (*Caractères*, VI, 21). Etude de langue et de style.» *L'Information littéraire*, XVIII (1966), 223-227.

Piscolla, V. *Les portraits de La Bruyère: procédés de composition et de style, ressources de vocabulaire*. Campobasso: Tip. San Giorgio, 1967.

Richard, P. *La Bruyère et ses Caractères: essai biographique et critique*. Nouvelle édition, revue et corrigée. Paris: Nizet, 1965.

Rosso, C. « La Bruyère e la morale dei *Caratteri*.» *Filosofia* (avril 1963), 213-264.

— *Virtú e critica della virtú nei moralisti francesi: La Rochefoucauld, La Bruyère, Vauvenargues*. Torino: Ed. di «Filosofia», 1964. (Comprend l'étude citée ci-dessus.)

Roth, H. C. « A critical introduction to Manuscript 559, Nouvelles acquisitions, Fonds français, Bibliothèque Nationale.» *Dissertation Abstracts*, XXIX (1969), 2277A-78A.

Rudnyanszky, V., Mme O'Byrne. *Les variantes dans les Caractères de La Bruyère*. Thèse Caen, 1962. (Dactylographiée.)

Rupolo, W. « La Bruyère è tornato di moda?» *Fenarete*, XX (1968), N° 1, 17-19.

Takizawa, J. « La Bruyère et Winckelmann.» *The Hiroshima University Studies*, Literature Departement, XXII (1963), N° 3, 241-251.

Truchet, J. « Place et signification du chapitre « De la Chaire » dans les *Caractères* de La Bruyère.» *L'Information littéraire*, XVII (1965), 93-101.

— «Guerre et paix dans les *Caractères* de La Bruyère.» *RHLF*, LXIX (1969), 451-461.

Wäber, G. « Les *Caractères*. Ein Versuch zur dichterischen Schöpfung des Porträts.» *Die Neueren Sprachen*, XVI (1967), 513-524.

* Wadsworth, P. A. « A formula of literary criticism, from Aristotle to La Bruyère.» *Modern Language Quarterly*, VII (1946), 35-42.

INDEX

TABLE DES MATIÈRES

175

ACHEVÉ D'IMPRIMER
SUR LES PRESSES DE
L'IMPRIMERIE DU « JOURNAL DE GENÈVE »
EN JUILLET 1971
POUR LE COMPTE DES ÉDITIONS DROZ S.A.